COLLECTION FOLIO

Lian Hearn

Le Clan des Otori, II

Les Neiges de l'exil

Traduit de l'anglais
par Philippe Giraudon

Gallimard

Poème en épigraphe traduit en anglais par Hiroaki Sato.

Carte : Xianyi Mo.

Titre original :

TALES OF THE OTORI — BOOK 2
GRASS FOR HIS PILLOW

Lian Hearn est le pseudonyme d'un auteur féminin pour la jeunesse, célèbre en Australie où elle vit avec son mari et leurs trois enfants. Elle est diplômée en littérature de l'université d'Oxford et a travaillé comme critique de cinéma et éditeur d'art à Londres avant de s'installer en Australie. Son intérêt de toujours pour la civilisation et la poésie japonaises, pour le japonais qu'elle apprend, a trouvé son apogée dans l'écriture du *Clan des Otori*.

Pour D

En ces nuits où, mêlée de vent, tombe la pluie,
En ces nuits où, mêlée de pluie, tombe la neige.

YAMANOUE NO OKURA
Dialogue sur la Pauvreté

AVANT-PROPOS

Les événements racontés dans ce second volume du Clan des Otori *se sont produits durant l'année suivant la mort d'Otori Shigeru dans la forteresse Tohan d'Inuyama.*

Iida Sadamu, chef du clan des Tohan, fut tué par Otori Takeo pour venger sire Shigeru, son père adoptif — telle fut du moins la version communément admise de cette mort. Les Tohan furent ensuite défaits par Araï Daiichi, un seigneur du clan Seishuu de Kumamoto, lequel profita du chaos postérieur à la chute d'Inuyama pour établir son autorité sur les Trois Pays. Araï espérait conclure une alliance avec Takeo et le marier à Shirakawa Kaede, qui était maintenant l'héritière des domaines de Maruyama et de Shirakawa.

Cependant Takeo était déchiré entre les dernières volontés de Shigeru et les exigences de la famille de son père véritable, les Kikuta, appartenant à la Tribu. Il finit par renoncer à son héritage ainsi qu'à son mariage avec Kaede, dont il était pourtant profondément amoureux, pour suivre les membres de la Tribu auxquels il se sentait lié à la fois par le sang et par la parole donnée.

Otori Shigeru fut inhumé à Terayama, un temple perdu dans les montagnes, au cœur du Pays du Milieu. Après les batailles d'Inuyama et de Kushimoto, Araï se rendit dans ce temple pour rendre hommage à la dépouille de son défunt allié et pour entériner les nouvelles alliances. C'est là que Takeo et Kaede se rencontrèrent pour la dernière fois.

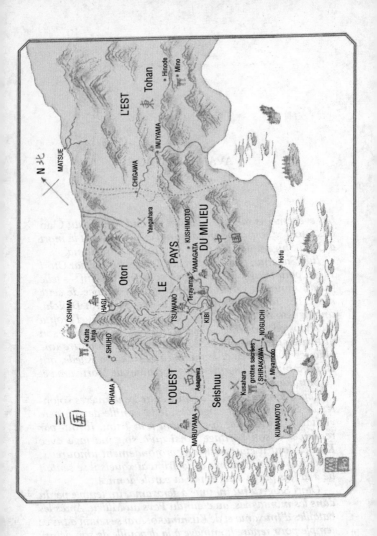

LES TROIS PAYS

——————— Frontières des fiefs

· · · · · · · · · · Frontières avant la bataille
de Yaegahara

— — — — Grand-route

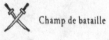 Champ de bataille

 Cité fortifiée

 Sanctuaire

 Temple

CHAPITRE I

Shirakawa Kaede était plongée dans le profond sommeil, proche de l'inconscience, que les Kikuta peuvent provoquer par un simple regard. La nuit passa, les étoiles pâlirent à l'aube, la rumeur du temple s'éleva et retomba autour d'elle, mais elle ne bougea pas. Elle n'entendit pas Shizuka, sa suivante, qui l'appelait de temps en temps d'une voix anxieuse dans l'espoir de la réveiller. Elle ne sentit pas la main de la jeune femme sur son front. Elle ne perçut pas l'impatience croissante des hommes de sire Araï Daiichi qui se rendaient sur la véranda pour informer Shizuka que leur seigneur attendait dame Shirakawa. Son souffle était paisible, régulier, son visage aussi impassible qu'un masque.

Vers le soir, sa léthargie sembla se modifier. Ses paupières battirent et un sourire se dessina sur ses lèvres. Elle écarta ses doigts, qui étaient restés jusqu'alors serrés doucement contre sa paume.

« Sois patiente. Il va venir te chercher. »

Kaede rêvait qu'elle s'était transformée en statue de glace. Les mots résonnaient dans sa tête avec une clarté lucide. Elle n'éprouvait aucune peur dans son rêve, elle se sentait simplement soutenue par une force fraîche et blanche dans un monde glacé, silencieux et magique.

Ses yeux s'ouvrirent.

Il faisait encore clair. C'était le soir, d'après les ombres. Une cloche sonna doucement, une seule fois, puis le silence retomba. Cette journée dont elle ne gardait aucun souvenir devait avoir été chaude, sa peau était moite sous ses cheveux. Des oiseaux pépiaient sous l'auvent des toits et elle entendait claquer le bec des hirondelles faisant la chasse aux derniers insectes du jour. Bientôt, elles s'envoleraient vers le sud. L'automne commençait déjà.

La rumeur des oiseaux lui rappela la peinture que Takeo lui avait donnée, il n'y avait guère plus d'un mois : une esquisse d'un oiseau des bois qui lui avait fait penser à la liberté. Le croquis avait été perdu en même temps que ses robes de mariée, ses autres vêtements et tout ce qu'elle possédait, lors de l'incendie du château d'Inuyama. Elle n'avait plus rien. Shizuka avait déniché de vieilles robes pour elle, dans la maison où elles séjournaient, et avait emprunté des peignes et d'autres objets de première nécessité. C'était la maison d'un marchand, un genre d'endroit jusqu'alors inconnu à Kaede, plein de l'odeur du soja en fermentation et d'une foule de gens qu'elle essayait d'éviter de son mieux, même si les servantes venaient de temps en temps l'épier à travers les écrans.

Elle redoutait qu'on ne découvre ce qui lui était arrivé, la nuit où la forteresse était tombée. Elle avait tué un homme, fait l'amour avec un autre et combattu à son côté en se frayant un chemin avec le sabre du mort. Elle avait elle-même peine à croire qu'elle avait agi ainsi. Par moments, il lui semblait être ensorcelée, comme les gens le prétendaient. On racontait que tout homme qui la désirait mourait —

et c'était vrai. Des hommes étaient morts pour elle. Mais pas Takeo.

Depuis qu'un garde l'avait attaquée, alors qu'elle était retenue en otage au château de Noguchi, elle avait peur de tous les hommes. La terreur que lui inspirait Iida lui avait donné la force de se défendre contre lui. Mais Takeo ne lui faisait pas peur : son seul désir avait été de se rapprocher de lui. Du jour de leur première rencontre, à Tsuwano, son corps avait eu la nostalgie du corps du jeune homme. Elle voulait qu'il la touche, elle voulait sentir sa peau contre la sienne. À présent, en se remémorant cette nuit, elle comprenait plus clairement que jamais elle n'épouserait personne d'autre que lui, qu'elle n'aimerait que lui. « Je serai patiente », promit-elle. Mais qui lui avait inspiré ces mots ?

Elle tourna légèrement la tête et aperçut la silhouette de Shizuka assise au bord de la véranda. Les arbres vénérables du sanctuaire s'élevaient derrière la jeune femme, l'air sentait le cèdre et la poussière. On entendit la cloche du temple sonner l'heure du soir. Kaede resta silencieuse. Elle ne voulait parler à personne, ni qu'on lui parle. Elle aspirait à retourner en ce séjour de glace où elle avait dormi.

Puis elle vit quelque chose apparaître derrière les grains de poussière en suspension dans les derniers rayons du couchant. Elle pensa que c'était un esprit, mais l'apparition était plus qu'un esprit : elle était douée de substance, d'une réalité irrécusable, brillante comme de la neige fraîchement tombée. Kaede se redressa pour mieux la contempler, mais à l'instant où elle la reconnut, la Déesse Blanche, toute compassion, toute miséricorde, s'évanouit sous ses yeux.

Shizuka entendit sa maîtresse bouger et accourut auprès d'elle.

— Que se passe-t-il ? demanda-t-elle.

Kaede regarda son visage bouleversé et se rendit compte combien elle s'était attachée à cette femme, sa meilleure ou plutôt sa seule amie.

— Ce n'est rien. J'ai rêvé.

— Vous êtes-vous remise ? Comment vous sentez-vous ?

— Je ne sais pas. Il me semble...

Sa voix s'éteignit et elle fixa un moment sa compagne.

— Ai-je dormi toute la journée ? Que m'est-il arrivé ?

— Il n'aurait jamais dû vous infliger ce traitement, lança Shizuka d'une voix vibrante d'inquiétude et de colère.

— C'est Takeo qui m'a fait dormir ?

Shizuka acquiesça de la tête.

— Je ne me doutais pas qu'il possédait ce talent. Il s'agit d'un trait distinctif de la famille Kikuta.

— La dernière chose dont je me souvienne, ce sont ses yeux. Nous nous sommes regardés, et je me suis endormie.

Shizuka vit qu'elle fronçait les sourcils. Après un silence, Kaede reprit :

— Il est parti, n'est-ce pas ?

— Muto Kenji, mon oncle, et Kotaro, le maître Kikuta, sont venus le chercher la nuit passée.

— Et je ne le reverrai jamais ?

Kaede se rappela son désespoir de la veille, avant ce long et profond sommeil. Terrifiée à l'idée d'un avenir sans lui, elle avait supplié Takeo de ne pas la quitter. Son refus l'avait blessée et remplie de colère, mais ces mouvements violents s'étaient maintenant apaisés.

— Vous devez l'oublier, assura Shizuka en prenant sa main et en la caressant doucement. Désormais, votre vie et la sienne ne peuvent plus se rejoindre.

Kaede sourit fugitivement. « Je ne peux pas l'oublier, se dit-elle, et aucune force ne peut le séparer de moi. J'ai dormi dans la glace. J'ai vu la Déesse Blanche. »

— Vous êtes-vous vraiment remise ? redemanda Shizuka d'une voix pressante. Peu de gens survivent au sommeil des Kikuta. J'ignore quel effet il a eu sur vous.

— Il ne m'a fait aucun mal, mais il a produit un changement en moi. J'ai l'impression de ne rien savoir, de devoir tout réapprendre depuis le début.

Shizuka s'agenouilla devant elle, l'air déconcerté, et scruta son visage.

— Qu'allez-vous faire, à présent ? Où voulez-vous aller ? Comptez-vous retourner à Inuyama avec Araï ?

— Je pense qu'il conviendrait que je rentre chez mes parents. Il faut que je voie ma mère. J'ai tellement peur qu'elle ne soit morte pendant tout ce temps où nous avons été retenues à Inuyama. Je partirai demain matin. Vous devriez en informer sire Araï, me semble-t-il.

— Je comprends votre inquiétude, mais il est probable qu'Araï verra votre départ d'un mauvais œil.

— Je devrai donc le convaincre de son bien-fondé, répliqua Kaede d'un ton tranquille. Avant toute chose, il faut que je mange. Aurais-tu l'obligeance de demander qu'on me prépare une collation ? Et apporte-moi du thé, s'il te plaît.

— Dame Shirakawa.

Shizuka s'inclina puis quitta la véranda. Tandis qu'elle s'éloignait, Kaede entendit les notes plaintives d'une flûte dont jouait un musicien invisible dans le jardin s'étendant derrière le temple. Il lui semblait connaître le flûtiste, un jeune moine, mais elle ne parvenait pas à se rappeler son nom. Il leur avait montré les célèbres peintures de Sesshu, lors de leur première visite à Terayama. La musique lui parlait de l'inéluctabilité des pertes et des souffrances. Les arbres s'agitèrent quand le vent se leva, et des hiboux se mirent à crier dans la montagne.

Shizuka revint avec le thé et offrit une tasse à Kaede. Celle-ci la but comme si c'était la première fois qu'elle savourait le breuvage au goût fumé, dont chaque goutte sur sa langue lui semblait dotée d'une saveur distincte, inimitable. Lorsque la vieille femme s'occupant des invités apporta du riz et des légumes cuits avec de la pâte de haricot, Kaede eut de nouveau l'impression de n'avoir jamais su ce qu'était manger auparavant. Elle s'émerveilla en silence des pouvoirs nouveaux qui s'étaient éveillés en elle.

— Sire Araï désire vous parler avant la fin du jour, annonça Shizuka. Je lui ai dit que vous n'étiez pas bien, mais il a insisté. Si vous n'avez pas envie de l'affronter maintenant, je peux retourner le voir pour le prévenir.

— Je ne suis pas sûre que nous puissions traiter ainsi sire Araï. S'il exige ma venue, je ne puis me dispenser de me rendre auprès de lui.

— Il est furieux, reprit Shizuka à voix basse. La disparition de Takeo l'a cruellement offensé. Il y voit la perte de deux alliances importantes. Maintenant qu'il n'a plus l'appui du jeune seigneur, il va certainement devoir combattre les Otori. Il avait espéré que vous vous marieriez rapidement...

— Je ne veux pas entendre un mot sur ce sujet, l'interrompit Kaede.

Elle finit de manger le riz, reposa les baguettes sur le plateau et s'inclina en signe de remerciement pour le repas.

— Araï ne comprend pas vraiment ce qu'est la Tribu, soupira Shizuka. Il ignore ses coutumes, l'obéissance absolue qu'elle exige de ses membres.

— Il n'a jamais su que tu en faisais partie ?

— Il savait que je disposais de moyens particuliers pour recueillir des informations ou transmettre des messages. Il n'était que trop heureux de se servir de mes talents afin de conclure son alliance avec sire Shigeru et dame Maruyama. Même s'il avait entendu parler de la Tribu, il pensait comme la plupart des gens qu'il s'agissait d'une sorte de guilde. L'idée qu'ils aient pu contribuer à la mort d'Iida l'a profondément choqué, quelque bénéfice qu'il ait pu en tirer.

Elle fit une pause avant d'ajouter doucement :

— Il a perdu toute confiance en moi. Je crois qu'il se demande comment il a pu coucher si souvent avec moi sans se faire assassiner. Enfin, nous ne dormirons certainement jamais plus ensemble. C'est fini et bien fini.

— Tu as peur de lui ? Il t'a menacée ?

— Il m'en veut terriblement. Il a l'impression que je l'ai trahi et même pire que cela, que je me suis moquée de lui. Je ne crois pas qu'il pourra me pardonner.

La voix de la jeune femme se teinta d'amertume.

— J'ai été sa confidente la plus intime, sa maîtresse, son amie, alors que je sortais à peine de l'enfance. Je lui ai donné deux fils. Et cependant, il m'aurait fait exécuter sur-le-champ si vous n'aviez pas été présente.

— Si jamais un homme essaie de te faire du mal, je le tuerai.

Shizuka sourit :

— Quel air féroce vous prenez quand vous parlez ainsi !

— Il est aisé à un homme de mourir, observa calmement Kaede. Il suffit d'une piqûre d'aiguille ou d'un coup de poignard. C'est toi-même qui me l'as enseigné.

— J'espère pourtant que vous n'avez pas encore eu besoin de recourir à ces talents, répliqua Shizuka. Encore que vous vous soyez bien battue, à Inuyama. Takeo vous doit la vie.

Kaede resta un instant silencieuse, puis elle murmura :

— Je ne me suis pas contentée de me battre avec le sabre. Tu ne sais pas tout.

Shizuka la dévisagea en ouvrant de grands yeux.

— Qu'essayez-vous de me dire ? Serait-ce vous qui avez tué Iida ? chuchota-t-elle.

Kaede acquiesça.

— Takeo a coupé sa tête, mais il était déjà mort. J'ai fait ce que tu m'avais dit. Il tentait de me violer.

— Que personne ne l'apprenne jamais ! s'exclama Shizuka en saisissant ses mains. Aucun de ces guerriers, pas même Araï, ne vous laisserait la vie sauve.

— Je n'éprouve pas l'ombre d'un remords. Jamais je n'ai rien accompli de moins honteux. Non seulement j'ai protégé ma vie, mais j'ai vengé tant de victimes du tyran : sire Shigeru, mes parentes, dame Maruyama et sa fille, sans compter tous les autres innocents qu'Iida a torturés et assassinés.

— Et pourtant, si ce bruit se répandait, vous seriez punie pour cette mort. Les hommes auraient l'impression que le monde est sens dessus dessous en voyant les femmes se mettre à prendre les armes pour se venger.

— Il y a longtemps que mon monde est sens dessus dessous. Il faut pourtant que j'aille voir sire Araï. Apporte-moi...

Elle s'interrompit en riant :

— J'allais te dire de m'apporter des vêtements, mais je n'en ai pas. Je ne possède plus rien !

— Vous possédez au moins une monture. Takeo vous a laissé son cheval gris.

— Il m'a laissé Raku ?

Un vrai sourire illumina le visage de Kaede. Puis ses yeux se perdirent dans le lointain, elle semblait soudain sombre et pensive...

— Noble dame ? s'inquiéta Shizuka en lui touchant l'épaule.

— Peigne-moi les cheveux et envoie à sire Araï un message l'informant que je vais venir le voir tout de suite.

*

La nuit était presque tombée quand elles quittèrent les appartements des femmes pour se rendre à l'hôtellerie principale, où séjournaient Araï et ses hommes. Des lumières brillaient dans le temple et plus loin, sur le flanc de la montagne, des hommes se tenaient sous les arbres en brandissant des torches enflammées. Ils faisaient cercle autour de la tombe de sire Shigeru : même à cette heure tardive, les gens venaient y porter de l'encens et des offrandes, poser des lampes et des bougies autour de la stèle et implorer l'aide de ce mort qui devenait chaque jour davantage un dieu à leurs yeux...

« Il dort sous un linceul de flammes », se dit Kaede. Elle se mit elle-même à prier en silence l'esprit de Shigeru afin qu'il la guide, tandis qu'elle réfléchissait à ce qu'elle pourrait dire à Araï. En tant qu'héritière à la fois de Shirakawa et de Maruyama, elle savait que le seigneur chercherait à conclure une alliance aussi étroite que possible avec elle, sans doute à l'aide d'un mariage qui la lierait au pouvoir qu'il était en train de conquérir. Ils avaient échangé quelques mots durant son séjour à Inuyama puis lors du voyage pour se rendre à Terayama, mais Araï était absorbé par la pacification du pays et par la stratégie à élaborer pour l'avenir. Il ne lui avait pas fait part de ses projets, sinon en exprimant son désir de la voir épouser sire Otori. Autrefois, dans ce qui lui semblait maintenant une autre vie, elle avait souhaité être davantage qu'un pion dans les mains des guerriers qui décidaient de son destin. À présent qu'elle avait puisé dans son sommeil glacé une force nouvelle, elle résolut de reprendre le contrôle de sa vie. « J'ai besoin de temps, songea-t-elle. Je ne dois surtout pas agir inconsidérément. Avant toute chose, il faut que je rentre chez moi. »

Elle fut accueillie sur la véranda par un des hommes d'Araï — elle se souvint qu'il s'appelait Niwa. Il la conduisit au seuil de la salle, dont tous les stores étaient ouverts. Araï était assis au fond, en compagnie de trois guerriers. Niwa annonça Kaede et le seigneur leva les yeux sur elle. Pendant un instant, ils s'observèrent. Elle soutint le regard de l'homme et sentit dans ses veines la pulsation puissante de la force qui s'était éveillée en elle. Puis elle tomba à genoux et se prosterna devant lui, furieuse de ce geste mais consciente de la nécessité de se montrer soumise.

Il s'inclina à son tour et ils s'assirent tous deux en même temps. Kaede sentit son regard peser sur elle. Elle releva la tête et le regarda à son tour sans ciller. Il dut détourner les yeux, et elle s'étonna de sa propre audace. Dans le passé, elle avait accordé à l'homme qui lui faisait face à la fois son estime et sa confiance. Aujourd'hui, elle apercevait des changements dans son visage. Les sillons autour de ses yeux et de sa bouche s'étaient creusés. Il avait su se montrer aussi souple que pragmatique, mais plus rien ne comptait pour lui maintenant que sa soif insatiable de pouvoir.

Non loin de la demeure des parents de Kaede, le cours du fleuve Shirakawa traversait de vastes grottes calcaires où l'eau avait façonné des piliers et des statues. Dans son enfance, elle devait s'y rendre chaque année pour adorer la déesse qui vivait dans un de ces piliers sous la montagne. La statue avait une forme fluide, pleine de vie, comme si l'esprit qui y résidait tentait de s'échapper de son linceul de pierre. Kaede repensa à ces images du passé : le pouvoir était-il comme un fleuve chargé de chaux qui pétrifiait ceux qui osaient s'y baigner ?

La taille et la force physique d'Araï la faisaient défaillir intérieurement en lui rappelant l'instant de désarroi qu'elle avait vécu sous l'étreinte d'Iida, la vigueur des hommes qui leur permettait de soumettre les femmes à toutes leurs volontés. « Il ne faut à aucun prix les laisser faire usage de cette force, pensa-t-elle. Et il faut toujours être armée. » Elle sentit dans sa bouche un goût aussi doux que celui du kaki, aussi puissant que celui du sang : la conscience et la saveur du pouvoir. Était-ce lui qui poussait les hommes à se battre constamment entre eux, à s'asservir et à se détruire les uns les autres ? Pourquoi une femme n'y goûterait-elle pas à son tour ?

Elle regarda fixement sur le corps d'Araï les endroits où l'aiguille et le poignard avaient transpercé Iida, l'arrachant au monde qu'il avait tenté de dominer et faisant couler le sang de sa vie. « Je ne dois jamais l'oublier, se dit-elle. Les hommes peuvent aussi tomber sous les coups d'une femme. J'ai tué le seigneur le plus puissant des Trois Pays. »

Toute son éducation lui avait enseigné la nécessité de s'en remettre aux hommes, de se soumettre à leur volonté et à leur intelligence supérieure. Son cœur battait si fort qu'elle crut qu'elle allait s'évanouir. Elle respira profondément, en recourant aux techniques que Shizuka lui avait apprises, et sentit son sang se calmer dans ses veines.

— Je dois partir dès demain pour Shirakawa, sire Araï. Je vous serais très reconnaissante si vous consentiez à me fournir une escorte pour m'accompagner chez moi.

— Je préférerais que vous prolongiez votre séjour dans l'Est, dit-il lentement. Mais je voudrais d'abord vous parler d'un autre sujet.

Il la fixa d'un air concentré, en plissant les yeux.

— Vous savez qu'Otori a disparu. Avez-vous la moindre information sur cet événement inouï ? Je crois avoir établi mon droit à exercer le pouvoir. J'étais déjà allié à sire Shigeru. Comment le jeune Otori peut-il oublier toutes ses obligations envers moi et son défunt père ? Désobéir ainsi, s'en aller sans explication ! Et où donc est-il parti ? Mes hommes ont fouillé la région toute la journée, ils sont allés jusqu'à Yamagata, mais il semble s'être volatilisé.

— J'ignore où il se trouve.

— On m'a dit qu'il vous avait parlé, la nuit précédant son départ.

— Oui, dit-elle simplement.

— Il a dû essayer de se justifier, au moins devant vous...

— Il était lié par d'autres obligations.

Kaede sentit le chagrin l'envahir tandis qu'elle parlait.

— Il n'avait pas l'intention de vous offenser.

En réalité, elle ne se souvenait pas d'avoir entendu Takeo mentionner le nom d'Araï, mais elle passa ce détail sous silence.

— Des obligations envers cette fameuse Tribu ?

Araï avait tenté de maîtriser sa fureur, mais elle éclatait maintenant dans sa voix vibrante, ses yeux étincelants. Il bougea légèrement la tête et Kaede devina qu'il regardait derrière elle, en direction de Shizuka agenouillée dans l'ombre de la véranda.

— Que savez-vous de ces gens ?

— Presque rien. Ils ont aidé sire Takeo à s'introduire dans Inuyama. De ce point de vue, je pense que nous leur devons tous une certaine gratitude.

Elle frissonna en prononçant le nom de Takeo. Elle se rappela la douceur de son corps contre le sien, en cet instant où ils avaient tous deux cru mourir. Ses yeux s'assombrirent, son visage se radoucit. Araï s'en aperçut, sans en soupçonner la raison, et quand il reprit la parole Kaede crut entendre dans sa voix un sentiment nouveau se mêler à la colère.

— Il est possible d'arranger un autre mariage pour vous. Les Otori ont d'autres jeunes guerriers, des cousins de Shigeru. Je vais envoyer des émissaires à Hagi.

— Je porte le deuil de sire Shigeru. Comment pourrais-je envisager d'épouser qui que ce soit ? Je veux rentrer chez moi afin de me remettre de mon chagrin.

« Aurai-je encore des prétendants, étant donné ma réputation ? » se demanda-t-elle. Et elle ne put s'empêcher de songer aussitôt : « Takeo n'est pas mort. »

Elle pensait qu'Araï allait discuter, mais après un instant de réflexion il lui donna son accord.

— Peut-être vaut-il mieux en effet que vous retourniez chez vos parents. Je vous ferai chercher quand je reviendrai à Inuyama. Nous parlerons alors de votre mariage.

— Comptez-vous faire d'Inuyama votre capitale ?

— Oui, j'ai l'intention de reconstruire le château.

À la lueur tremblante des lampes, son visage apparaissait sérieux, résolu. Kaede garda le silence.

Il reprit abruptement :

— Pour en revenir à la Tribu, je n'avais pas réalisé la force de leur influence. Quand on pense qu'ils ont pu contraindre Takeo à renoncer à un mariage et à un héritage aussi prestigieux, qu'ils l'ont fait disparaître sans laisser la moindre trace. Pour être franc, je n'imaginais pas avoir affaire à de tels adversaires.

Il jeta derechef un coup d'œil en direction de Shizuka.

« Il va la tuer, pensa Kaede. Ce n'est pas seulement la désobéissance de Takeo qui le rend furieux : il a été aussi cruellement blessé dans son amour-propre. Il doit soupçonner Shizuka de l'avoir espionné pendant des années. »

Elle se demanda ce qu'étaient devenus l'amour et le désir qui les avaient liés. Leur attachement s'était-il évaporé du jour au lendemain ? Les années de dévouement, de confiance et de loyauté ne comptaient donc pour rien ?

— Je me charge de découvrir qui sont ces gens, poursuivit-il comme s'il se parlait à lui-même. Certaines personnes doivent les connaître, elles finiront bien par parler. Je ne puis tolérer qu'une telle organisation continue d'exister. Elle sapera les fondations de mon pouvoir aussi sûrement que les termites rongent le bois.

Kaede prit la parole :

— Il me semble que c'est vous qui m'avez envoyé Muto Shizuka, afin qu'elle me protège. Sans son secours, je serais morte. Il me semble aussi que j'ai respecté l'engagement pris envers vous au château de Noguchi. Les liens qui nous unissent se sont révélés indéfectibles, et ils doivent le rester. Quel que soit l'homme que j'épouserai, il vous jurera fidélité.

Shizuka restera à mon service et viendra avec moi chez mes parents.

Il tourna ses yeux vers elle, et une nouvelle fois elle lui rendit un regard glacé.

— Quinze mois à peine se sont écoulés depuis le jour où j'ai tué un homme pour vous. Vous n'étiez guère qu'une enfant. Comme vous avez changé...

— Il a bien fallu que je devienne adulte, répliqua-t-elle.

Elle s'efforça de ne pas penser à sa robe d'emprunt, à son dénuement. « Je suis l'héritière d'un grand domaine », se répéta-t-elle. Elle continua de soutenir le regard du seigneur jusqu'à ce qu'il baisse la tête à contrecœur.

— Très bien. Je vous donnerai des hommes pour vous accompagner à Shirakawa, et je vous autorise à emmener cette servante.

— Sire Araï.

Elle baissa enfin les yeux et s'inclina.

Araï chargea Niwa de prendre des dispositions pour le lendemain, et Kaede prit congé de lui avec une déférence marquée. Elle avait le sentiment de s'être bien tirée de cette entrevue, de sorte qu'elle pouvait se permettre de faire comme si le seigneur était seul maître du pouvoir.

Elle regagna l'hôtellerie des femmes avec Shizuka. Elles étaient toutes deux silencieuses. La vieille femme avait déjà installé les lits et entreprit d'aider Shizuka à déshabiller sa maîtresse. Après quoi elle leur apporta des vêtements de nuit, les salua et se retira dans la pièce voisine.

Le visage de Shizuka était pâle, et Kaede ne l'avait encore jamais vue aussi abattue.

— Merci, chuchota-t-elle en touchant la main de Kaede.

Elle n'ajouta rien de plus. Quand elles furent toutes deux étendues sous leurs couvertures de coton, tandis que les moustiques bourdonnaient et que les papillons de nuit voletaient contre les lampes, Kaede sentit le corps étendu près du sien se raidir. Elle sut que Shizuka luttait contre le chagrin, même si elle ne pleurait pas.

La jeune fille tendit ses bras et enlaça Shizuka en la serrant contre elle, sans un mot. Elle aussi était en proie à un profond chagrin, mais aucune larme ne montait à ses yeux. Elle était décidée à ce que rien ne vienne affaiblir la force qui était en train de naître en elle.

CHAPITRE II

Le lendemain matin, les deux femmes trouvèrent un palanquin et une escorte qui les attendaient. Leur troupe se mit en route dès le lever du soleil. Se souvenant du conseil de dame Maruyama, sa parente, Kaede monta dans le palanquin avec l'air délicat d'une femme aussi fragile et vulnérable que toutes ses pareilles. Elle s'assura cependant que les garçons d'écurie avaient bien amené le cheval de Takeo, et après leur départ elle écarta les rideaux de papier afin de pouvoir surveiller la route.

Même en regardant à l'extérieur, cependant, elle ne put s'empêcher d'avoir mal au cœur. Elle ne supportait pas les balancements incessants et lorsqu'ils firent leur première halte, à Yamagata, la tête lui tournait au point qu'elle pouvait à peine marcher. La vue de la nourriture lui fut insupportable, et elle vomit immédiatement le peu de thé qu'elle s'était hasardée à boire. Le manque de résistance de son corps la rendait furieuse, car il semblait amoindrir le sentiment de puissance qu'elle venait de découvrir en elle. Shizuka la conduisit dans une petite pièce de l'hôtellerie et la força à s'étendre un moment après lui avoir aspergé le visage d'eau froide. La nausée se dissipa aussi vite qu'elle était venue, et Kaede fut capable de boire du potage de haricot rouge et un bol de thé.

La vue du palanquin noir réveilla son malaise, et elle lança :

— Amenez-moi Raku. Je vais continuer à cheval.

Le palefrenier l'aida à se hisser sur sa monture, tandis que derrière elle Shizuka montait sur la sienne avec aisance. Elles chevauchèrent ainsi pendant tout le reste de la matinée, taciturnes, chacune plongée dans ses propres pensées mais réconfortée par la proximité de sa compagne.

Après Yamagata, la route commença à grimper sérieusement. D'énormes pierres plates la jalonnaient par endroits. Malgré la chaleur et l'azur limpide, l'automne s'annonçait déjà. Hêtres, sumacs et érables commençaient à se teinter d'or et de vermillon, et des processions d'oies sauvages volaient très haut dans le ciel. La forêt s'épaississait, silencieuse, étouffante. Raku avançait prudemment, en baissant la tête pour mieux reconnaître le terrain qui ne cessait de monter. Les hommes étaient inquiets, aux aguets. Depuis la défaite d'Iida et des Tohan, le pays était infesté de toutes sortes d'hommes sans maîtres qui préféraient s'adonner au brigandage plutôt que de prêter de nouveaux serments d'allégeance.

La monture de Kaede était en pleine possession de sa force. Malgré l'ascension dans la journée brûlante, sa robe était à peine en sueur quand ils firent de nouveau halte dans une petite hôtellerie située au sommet du col. Il était un peu plus de midi. Les chevaux furent nourris et abreuvés tandis que les hommes se retiraient à l'ombre des arbres entourant le puits. Une vieille femme étendit des matelas sur les nattes d'une chambre afin que Kaede et Shizuka puissent se reposer une heure ou deux.

34

Kaede se coucha, heureuse de pouvoir s'étirer. La pièce était plongée dans une pénombre verte : des cèdres immenses occultaient le soleil éblouissant. Elle entendait au loin le frais murmure de la source mêlé à des voix indistinctes — les discussions paisibles des hommes, un bref éclat de rire, le bavardage de Shizuka parlant avec quelqu'un dans la cuisine. La jeune femme commença par pérorer joyeusement, et Kaede se réjouit de voir qu'elle semblait retrouver sa bonne humeur. Au bout d'un moment, cependant, elle baissa la voix et la personne à qui elle s'adressait lui répondit sur le même ton, de sorte que Kaede ne réussit plus à comprendre leurs propos.

La conversation s'interrompit et Shizuka rentra doucement dans la chambre pour s'allonger à côté de sa maîtresse.

— À qui parlais-tu ?

Shizuka tourna la tête pour pouvoir chuchoter dans l'oreille de Kaede.

— Un de mes cousins travaille ici.

— Tu as des cousins absolument partout.

— C'est ainsi, quand on appartient à la Tribu.

Kaede resta un instant silencieuse, puis elle lança :

— D'autres gens ne pourraient-ils pas avoir des soupçons sur votre compte et essayer de...

— De quoi ?

— Eh bien, de se débarrasser de vous.

Shizuka se mit à rire.

— Personne n'aurait cette audace. Il nous serait infiniment plus facile qu'à eux de les éliminer. Du reste, on ne sait rien de certain sur nous, les gens ne font que soupçonner notre identité. Vous devez avoir remarqué que mon oncle Kenji et moi-même avons la faculté de modifier notre apparence. Il est malaisé de reconnaître les membres de la Tribu, d'autant qu'ils possèdent bien d'autres talents.

— Tu veux bien m'en dire davantage à leur sujet ?

Kaede était fascinée par ce monde qui existait sous la surface de celui qu'elle connaissait.

— Je peux vous apprendre quelques détails. Pas tout, cependant. Je vous en parlerai plus tard, à l'abri des oreilles indiscrètes.

Elles entendirent le cri rauque d'un corbeau survolant la forêt.

— Mon cousin m'a appris deux choses, dit Shizuka. Pour commencer, Takeo est encore à Yamagata. Araï a organisé des battues dans la campagne et fait garder la route par des soldats. La Tribu va donc cacher Takeo à l'intérieur de la ville.

Le corbeau poussa de nouveau son cri lugubre.

« Qui sait si je ne suis pas passée près de sa cachette aujourd'hui », pensa Kaede. Après un long silence, elle demanda :

— Quelle est la seconde information ?

— Il se pourrait que nous ayons un problème sur la route.

— Quelle sorte de problème ?

— Je vais être attaquée. Comme vous l'avez remarqué, il semble qu'Araï souhaite se débarrasser de moi. Cependant, ma mort doit paraître accidentelle. Je pourrais être victime d'un faux brigand, par exemple. Le seigneur ne supporte pas l'idée que je sois vivante, mais il ne veut pas vous offenser trop gravement.

— Il faut que tu partes, s'écria Kaede en élevant la voix dans son affolement. Aussi longtemps que tu seras avec moi, il saura où te trouver.

— Parlez moins fort, l'exhorta Shizuka. Si je vous mets au courant, c'est uniquement pour que vous ne fassiez pas de bêtise.

— Quelle bêtise pourrais-je faire ?

— Sortir votre poignard pour essayer de me défendre.

— J'en serais capable.

— Je sais. Mais votre bravoure et vos talents guerriers doivent rester secrets. Il y a quelqu'un dans notre troupe qui me protégera. J'ai même sans doute plus d'un garde du corps. Laissez-leur le soin de combattre.

— De qui s'agit-il ?

— Si ma maîtresse devine, je lui ferai un cadeau ! s'exclama Shizuka d'un ton insouciant.

— Qu'est donc devenu ton cœur brisé ? demanda Kaede avec curiosité.

— La colère est un excellent remède, répliqua sa compagne.

Puis elle ajouta d'une voix plus sérieuse :

— Peut-être n'aimerai-je jamais aucun autre homme autant que lui. Mais je n'ai rien de honteux à me reprocher. Ce n'est pas moi qui ai manqué à ma parole. J'étais liée à lui, autrefois, j'étais son otage. En se séparant de moi, il m'a rendu ma liberté.

— Tu devrais me quitter, répéta Kaede.

— Comment pourrais-je vous quitter maintenant ? Vous avez plus que jamais besoin de moi.

Kaede se figea.

— Pourquoi plus que jamais ?

— Il faut que vous sachiez la vérité. Votre sang est en retard, votre visage s'adoucit, votre chevelure s'épaissit. Et ces nausées suivies d'une brusque fringale...

Shizuka parlait avec douceur, d'une voix empreinte de pitié.

Kaede sentit son cœur s'emballer. Elle avait compris au fond d'elle-même, mais ne parvenait pas à regarder la situation en face.

— Que vais-je devenir ?

— Qui est le père ? Pas Iida ?

— Je l'ai tué avant qu'il ait pu me violer. Si vraiment j'attends un enfant, le père ne peut être que Takeo.

— Quand est-ce arrivé ? chuchota Shizuka.

— La nuit de la mort d'Iida. Takeo est venu dans ma chambre. Nous nous attendions tous deux à mourir.

Shizuka poussa un soupir.

— Parfois, je crois qu'il est à moitié fou.

— Pas fou. Ensorcelé, peut-être. Il semble que nous soyons tous les deux sous l'emprise d'un sort, depuis notre rencontre à Tsuwano.

— Une partie du blâme doit retomber sur mon oncle et moi-même. Jamais nous n'aurions dû vous réunir.

— Ni vous ni personne n'y pouviez rien, dit Kaede en sentant malgré elle une joie paisible l'envahir.

— S'il s'agissait de l'enfant d'Iida, je saurais quoi faire. Je n'hésiterais pas à vous donner des drogues qui vous en débarrasseraient. Mais l'enfant de Takeo appartient à ma famille, il est de mon sang.

Kaede resta silencieuse. « Il est possible que l'enfant hérite des dons de Takeo, pensa-t-elle. Ces dons qui le rendent si précieux aux yeux des autres. Ils ont tous cherché à se servir de lui pour arriver à leurs propres fins. Mais moi, je l'aime pour lui-même. Jamais je ne me débarrasserai de son enfant, et je ne laisserai pas la Tribu me l'enlever. Shizuka serait-elle capable de les aider, cependant ? Pourrait-elle me trahir à ce point ? »

Elle garda si longtemps le silence que Shizuka se leva pour voir si elle s'était endormie. Mais ses yeux étaient ouverts, et fixaient le seuil que baignait une lumière verdoyante.

— Combien de temps dureront mes nausées ?

— Pas longtemps. Et on ne verra rien de votre état avant deux ou trois mois.

— Tu dois t'y connaître. Tu m'as dit que tu avais deux fils ?

— Oui, les enfants d'Araï.

— Où habitent-ils ?

— Chez mes grands-parents. Leur père ignore où ils se trouvent.

— Il ne les a pas reconnus ?

— Il leur a manifesté un certain intérêt, jusqu'au jour où il s'est marié et a eu un fils de son épouse légitime. Puis les fils que je lui ai donnés ont grandi, et il a commencé à voir en eux une menace pour son héritier. Quand je m'en suis rendu compte, je les ai mis en sûreté dans un village secret de la famille Muto. Il ne faut à aucun prix qu'il connaisse leur cachette.

Malgré la chaleur, Kaede frissonna.

— Tu crois qu'il leur ferait du mal ?

— Ce ne serait pas la première fois qu'un seigneur de la guerre se comporterait ainsi, répliqua Shizuka avec amertume.

— Je redoute la réaction de mon père. Que va-t-il faire de moi ?

Shizuka se mit à chuchoter.

— Imaginons que sire Shigeru, craignant la perfidie d'Iida, ait insisté pour vous épouser secrètement à Terayama, le jour de notre visite au temple. Votre parente, dame Maruyama, et sa suivante, Sachie, ont servi de témoins, mais elles ne sont plus de ce monde.

— Je ne puis mentir ainsi.

— Vous n'aurez pas à dire un mot, assura Shizuka. Tout s'est passé clandestinement. Vous ne faites qu'exécuter les dernières volontés de votre époux. Je m'arrangerai pour répandre ce bruit comme par inadvertance. Vous verrez comme ces hommes savent garder un secret.

— Mais les documents qui prouveraient ce mariage?

— Ils ont été perdus lors de la chute d'Inuyama, avec tout ce que vous possédiez. L'enfant sera celui de Shigeru. Si c'est un garçon, il sera l'héritier des Otori.

— Il est trop tôt pour parler ainsi de l'avenir, s'écria Kaede. Ne tente pas le sort.

Elle venait de songer au véritable fils de Shigeru, qui avait péri en silence dans le corps de sa mère sombrant dans les eaux du fleuve à Inuyama. Elle pria pour que son esprit ne soit pas jaloux, et pour que son propre enfant puisse vivre.

Ses nausées s'apaisèrent avant que la semaine fût passée. Ses seins se gonflèrent, leurs bouts devinrent douloureux, et elle fut prise de fringales soudaines à des heures inattendues, mais pour le reste elle commença à se sentir bien. Il lui semblait même qu'elle ne s'était jamais sentie mieux de sa vie. Ses sens s'étaient aiguisés, comme si l'enfant avait partagé ses dons avec elle. Elle fut stupéfaite de voir avec quelle rapidité les révélations de Shizuka se répandirent parmi les hommes. Les uns après les autres, ils se mirent à l'appeler dame Otori en baissant la voix et en détournant les yeux. Cette supercherie la mettait mal à l'aise, mais elle s'y résigna faute de mieux.

Elle observa attentivement les soldats de son escorte, en essayant de deviner lequel était le membre de la Tribu chargé de protéger Shizuka le moment venu. La jeune femme avait retrouvé sa gaieté, et riait et plaisantait avec tous sans distinction. Ils réagissaient chacun à sa manière, en lui témoignant toutes les nuances de la sympathie ou du désir, mais aucun ne donnait l'impression d'être particulièrement vigilant.

Ces hommes qui ne regardaient que rarement Kaede en face auraient sans doute été surpris de découvrir à quel point elle les connaissait. Elle en était venue à les distinguer dans l'obscurité rien qu'en entendant leur pas ou leur voix, ou même parfois en sentant leur odeur. Elle leur avait donné des surnoms : Cicatrice, Loucheur, Silencieux, Bras-Long.

L'odeur de Bras-Long était celle de l'huile fortement épicée dont les hommes se servaient pour parfumer leur riz. Il parlait bas, avec un accent rocailleux. Elle lui trouvait un air insolent, une sorte d'ironie qui lui déplaisait. Il était de taille moyenne, avec un front haut et des yeux légèrement globuleux et si noirs qu'ils semblaient dénués de pupilles. Il avait l'habitude de les plisser avant de hocher légèrement la tête en reniflant. Ses bras étaient d'une longueur anormale, quant à ses mains elles étaient énormes. Il semblait à Kaede que, si jamais quelqu'un se préparait à tuer une femme, ce devait être lui.

Pendant leur deuxième semaine de voyage, ils furent retenus dans un petit village par un orage soudain. Confinée par la pluie dans une chambre aussi étroite qu'inconfortable, Kaede se sentait agitée. La pensée de sa mère la tourmentait. Quand elle cherchait à la revoir dans son esprit, elle ne trouvait qu'obscurité. Malgré ses efforts, elle ne parvenait pas à se rappeler son visage. Elle ne réussissait pas davantage à imaginer l'apparence de ses sœurs. La plus jeune devait avoir près de neuf ans. Si leur mère était morte, comme elle le craignait, elle devrait prendre sa place auprès de ses sœurs. Il lui faudrait tenir la maison, superviser les travaux de cuisine, de nettoyage, de tissage et de couture qui étaient le lot quotidien des femmes. Mères, tantes et grands-mères étaient censées enseigner ces tâches aux filles, mais Kaede était d'une totale ignorance dans ces domaines. Durant son séjour chez les Noguchi en tant qu'otage, son éducation avait été négligée. Ils lui avaient appris si peu : elle ne connaissait que l'art de survivre dans ce château qu'elle arpentait comme une servante, contrainte de servir les soldats. Eh bien, elle devrait s'initier à la vie pratique. L'enfant qu'elle portait éveillait en elle des sentiments et des instincts nouveaux. Elle éprouvait le besoin de prendre soin de ses proches. Ses pensées allaient aussi aux serviteurs de Shirakawa, tels Shoji Kiyoshi et Amano Tenzo qui avaient accompagné son père quand il lui avait rendu visite au château de Noguchi. Elle se remémorait les servantes de la maison, en particulier Ayame, qu'elle avait regrettée presque autant que sa mère quand on l'avait arrachée à son foyer alors qu'elle n'avait que sept ans. Ayame vivait-elle encore ? Se souviendrait-elle de la petite fille confiée à ses soins ? Kaede s'en revenait censément comme une jeune veuve, après avoir causé encore une fois la mort d'un homme, et elle attendait un enfant. Quel accueil trouverait-elle dans la maison de ses parents ?

Les hommes aussi s'irritaient du contretemps. Elle les sentait impatients d'en terminer avec ce devoir fastidieux et de retrouver les batailles qui étaient leur vrai travail, l'essence de leur vie. Ils voulaient participer aux victoires d'Araï sur les Tohan à l'est, au lieu de veiller sur deux femmes dans les régions de l'Ouest, loin du théâtre des combats.

Elle se disait avec étonnement qu'Araï était l'un d'entre eux. Comment avait-il fait pour acquérir soudain un tel pouvoir ? Quel était son secret pour amener ces hommes adultes, d'une grande force physique, à le suivre et à lui obéir ? Elle se rappela avec quelle promptitude impitoyable il avait coupé la gorge du garde qui l'avait attaquée au château de Noguchi. Il n'hésiterait pas à tuer de la même façon chacun de ces hommes — cependant ce n'était pas par peur qu'ils lui obéissaient. Était-ce par une sorte de confiance en cette absence de pitié, en cette aptitude à réagir immédiatement, quel que soit le bien-fondé de sa réaction ? Pourraient-ils se fier de la même manière à une femme ? Serait-elle capable comme lui de commander des hommes ? Des guerriers tels que Shoji et Amano consentiraient-ils à lui obéir ?

La pluie cessa et ils reprirent leur route. L'orage avait dissipé les derniers restes d'humidité et des journées limpides se succédèrent. L'azur immense se déployait au-dessus des monts où le feuillage des érables rougeoyait davantage de jour en jour. Les nuits se firent plus fraîches, annonçant déjà les gelées de la saison froide.

Ils progressaient par étapes longues et fatigantes. Un matin, Shizuka déclara enfin :

— Voici le dernier col. Nous arriverons demain à Shirakawa.

Ils descendirent un chemin abrupt recouvert d'un manteau d'aiguilles de pin si épais qu'on n'entendait plus le bruit des sabots. Kaede montait Raku et Shizuka marchait à côté d'elle. Il faisait sombre sous les pins et les cèdres, mais un soleil oblique brillait devant eux à travers un bosquet de bambous, projetant une lumière verdâtre et chatoyante.

— As-tu déjà fait cette route ?

— Plus souvent qu'à mon tour. Il y a des années que je l'ai empruntée pour la première fois. Je devais me rendre à Kumamoto pour entrer au service de la famille Araï, j'étais plus jeune que vous ne l'êtes maintenant. Le vieux seigneur était encore vivant et imposait une discipline impitoyable à ses fils, mais l'aîné, Daiichi, s'arrangeait malgré tout pour coucher avec les servantes. Je lui ai longtemps résisté, bien que ce ne soit pas facile, comme vous le savez, pour une fille vivant dans un château. Je tenais à ce qu'il ne m'oublie pas aussi vite que ses autres conquêtes. Sans compter, évidemment, que j'avais reçu des instructions de ma famille, les Muto.

— Tu l'as donc espionné depuis le début, murmura Kaede.

— Certaines personnes étaient intéressées par une alliance avec les Araï. Surtout avec Daiichi, avant qu'il ne se rende chez les Noguchi.

— Par certaines personnes, tu entends Iida ?

— Naturellement. C'était une des clauses de l'accord conclu avec le clan Seishuu après Yaegahara. Araï répugnait à servir son nouveau maître. Il n'aimait pas Iida et considérait Noguchi comme un traître, mais il était contraint d'obéir.

— Tu travaillais pour Iida ?

— Vous savez bien pour qui je travaille, répondit Shizuka d'une voix tranquille. Je suis avant tout au service de la Tribu. Iida employait beaucoup de membres de la famille Muto, à l'époque.

— Je n'y comprendrai jamais rien, soupira Kaede.

Les alliances au sein de sa classe étaient loin d'être simples, avec leur jeu complexe de mariages créant de nouveaux liens, d'otages en maintenant d'anciens, sans compter les ruptures dues aux affronts inopinés, aux querelles ou au simple opportunisme. Mais cette situation paraissait limpide comparée aux intrigues de la Tribu. La jeune fille fut de nouveau traversée par la pensée désagréable que Shizuka ne restait avec elle que sur l'ordre de la famille Muto.

— Est-ce que tu m'espionnes ?

Shizuka lui fit signe de se taire. Il semblait pourtant à Kaede que les hommes chevauchaient trop loin devant ou derrière elles pour les entendre.

— Réponds-moi, insista-t-elle.

Shizuka posa sa main sur l'encolure de Raku. Kaede regarda sa nuque blanche sous ses cheveux noirs. Elle avait tourné la tête, de sorte que Kaede ne pouvait voir son visage. La jeune femme marchait du même pas que le cheval qui descendait la pente en se balançant afin de ne pas perdre l'équilibre.

Kaede se pencha en avant et répéta en essayant de garder une voix calme :

— Dis-moi si tu m'espionnes.

À cet instant Raku prit peur et baissa brutalement la tête, faisant soudain glisser sa cavalière.

« Je vais tomber », se dit-elle avec stupéfaction.

Elle vit le sol se rapprocher à une vitesse vertigineuse tandis que Shizuka l'accompagnait dans sa chute. Le cheval fit un écart pour éviter de les piétiner.

Consciente d'un danger, d'une confusion qu'une simple chute de cheval ne pouvait expliquer, Kaede cria :

— Shizuka !

— Restez couchée, lui enjoignit sa compagne.

Elle essaya de retenir Kaede, mais celle-ci se débattit afin de voir ce qui se passait.

Il y avait deux hommes sur le chemin. Deux bandits féroces, à en juger par leur aspect, et qui brandissaient des sabres. Kaede chercha à tâtons son poignard, regretta de n'avoir pas un sabre ou même un bâton, se souvint ensuite de sa promesse — ces pensées défilèrent en un éclair dans sa tête, puis elle entendit une corde d'arc se tendre. Une flèche traversa l'air en frôlant les oreilles du cheval, qui se cabra de nouveau.

Un cri bref, puis un des bandits s'effondra aux pieds de la jeune fille. Des flots de sang s'échappaient de son cou transpercé par la flèche.

Le deuxième homme hésita un instant. Raku fit un écart, et le bandit perdit l'équilibre. Il eut à peine le temps de brandir vainement son sabre en direction de Shizuka : Bras-Long était déjà sur lui, esquivait le coup et lui tranchait la gorge, avec une rapidité presque surnaturelle.

Les soldats de l'escorte accoururent en désordre. Shizuka avait attrapé la bride du cheval et s'efforçait de le calmer.

Bras-Long aida Kaede à se relever.

— Ne craignez rien, dame Otori, dit-il de sa voix rocailleuse. Ce n'étaient que des brigands.

« Seulement des brigands ? » pensa Kaede. Ils étaient morts si soudainement, en répandant tant de sang. « Des brigands, admettons — mais au service de quel maître ? »

Les soldats prirent les armes des deux hommes et les tirèrent au sort, puis ils jetèrent les cadavres dans le sous-bois. Il était impossible de dire si l'un d'eux avait prévu cette attaque ou était désappointé par son issue. Ils semblaient témoigner davantage de déférence à Bras-Long, et Kaede se rendit compte qu'ils avaient été impressionnés par la rapidité de sa réaction et ses talents de combattant, mais pour le reste ils se comportaient comme s'il s'agissait d'un incident banal, lié aux hasards du voyage. Quelques-uns plaisantèrent Shizuka en affirmant que les brigands la voulaient pour épouse. Elle répondit dans la même veine et leur assura que la forêt était pleine de désespérés de ce genre, mais que même un brigand avait plus de chance avec elle qu'aucun soldat de l'escorte.

— Je n'aurais jamais deviné qui était ton défenseur, dit Kaede quand elles furent seules. Au contraire, c'était lui que je soupçonnais. Je l'aurais bien vu en train de te tuer, avec ses grosses mains.

— C'est un malin, répliqua Shizuka en riant, et un redoutable combattant. Il est aisé de le méconnaître et de le sous-estimer, vous n'êtes pas la seule qu'il ait prise au dépourvu. Avez-vous eu peur, sur le moment ?

Kaede chercha dans sa mémoire.

— En fait, je n'ai pas eu le temps d'être effrayée. J'aurais voulu avoir un sabre.

— Vous avez reçu le courage en partage.

— Ce n'est pas vrai. J'ai souvent peur.

— Personne ne pourrait s'en douter, murmura Shizuka.

Elles se trouvaient dans l'auberge d'une petite ville située sur la frontière du domaine de Shirakawa. Kaede avait pu se baigner dans la source d'eau chaude, s'était vêtue pour la nuit et attendait maintenant qu'on apporte le souper. Les gens de l'auberge l'avaient accueillie sans grands égards, et l'état de la ville l'inquiétait. La nourriture semblait manquer et les habitants apparaissaient moroses et découragés.

Elle s'était contusionnée en tombant de cheval, ce qui lui faisait craindre pour l'enfant. La perspective de revoir son père ne l'angoissait pas moins. Croirait-il en son mariage ? Elle n'osait imaginer sa fureur s'il découvrait la vérité.

— Pour l'heure, je ne me sens pas très brave, avoua-t-elle.

— Je vais vous masser la tête. Vous avez l'air épuisée.

Kaede se renversa en arrière mais, malgré les doigts bienfaisants de la jeune femme pétrissant son cuir chevelu, elle se sentait plus inquiète que jamais.

Elle était hantée par leur conversation au moment de l'attaque.

— Demain, vous serez chez vous, observa Shizuka, consciente de sa tension. Le voyage touche à sa fin.

— Réponds-moi sincèrement, je t'en prie. Quel est le vrai motif de ta présence auprès de moi ? Es-tu chargée de m'espionner ? Qui emploie les Muto, à présent ?

— Personne ne nous emploie, pour l'instant. La chute d'Iida a plongé l'ensemble des Trois Pays dans le chaos. Araï affirme qu'il veut exterminer la Tribu. Nous ignorons encore s'il parle sérieusement ou s'il va revenir à la raison et collaborer avec nous. En attendant, mon oncle Kenji, qui est un grand admirateur de dame Shirakawa, désire être tenu au courant de son état et de ses intentions.

« Et de ce que devient mon enfant », se dit Kaede. Elle n'exprima pas sa pensée, cependant, et demanda :

— En quoi mes intentions l'intéressent-elles ?

— Vous êtes l'héritière de Maruyama, l'un des fiefs les plus riches et les plus puissants de l'Ouest, sans oublier votre domaine de Shirakawa. Quel que soit votre époux, il jouera un rôle essentiel pour l'avenir des Trois Pays. À l'heure actuelle, tout le monde croit que vous resterez fidèle à votre alliance avec Araï. Vous devriez ainsi renforcer sa position à l'Ouest pendant qu'il réglera la question des Otori. De toute façon, votre destinée est intimement liée au clan des Otori aussi bien qu'au Pays du Milieu.

— Je pourrais refuser de me marier, dit Kaede d'un ton méditatif.

Elle songea que, dans ce cas, elle pourrait peut-être jouer elle-même un rôle essentiel dans sa destinée...

CHAPITRE III

La rumeur du temple de Terayama, la cloche de minuit, les psalmodies des moines, se firent plus indistinctes à mon oreille tandis que je suivais les maîtres Kikuta Kotaro et Muto Kenji sur un sentier isolé, couvert de broussailles, qui descendait en pente raide le long du torrent. Nous marchions vite, et le fracas de l'eau tombant en cascade recouvrait le bruit de nos pas. Nous ne parlions guère, et personne ne croisa notre chemin.

Quand nous arrivâmes à Yamagata, l'aube s'annonçait et les premiers coqs chantaient. Les rues étaient désertes, bien qu'il n'y eût plus ni couvre-feu ni patrouilles de soldats Tohan pour les surveiller. Nous nous rendîmes dans une maison de marchand située au centre de la ville, non loin de l'auberge où nous avions séjourné pendant la fête des Morts. Je connaissais déjà les rues par cœur, les ayant explorées lors d'une nuit qui me paraissait remonter à une autre vie.

Yuki, la fille de Kenji, ouvrit la porte comme si elle nous avait attendus toute la nuit, bien que notre arrivée eût été si silencieuse que pas un chien n'aboya. Elle ne dit rien, mais je remarquai l'intensité du regard qu'elle posait sur moi. Son visage aux yeux vifs, son corps aussi vigoureux que gracieux me rappelèrent avec une clarté cruelle les terribles épisodes vécus à Inuyama, la nuit où sire Shigeru mourut. Je m'attendais plus ou moins à la retrouver à Terayama, car c'était elle qui avait cheminé jour et nuit pour apporter au temple la tête de sire Shigeru et annoncer la nouvelle de sa mort. J'aurais aimé lui poser bien des questions sur son voyage, le soulèvement de Yamagata et la défaite des Tohan. Lorsque son père et le maître Kikuta s'avancèrent dans la maison, je m'attardai un peu de façon à monter avec elle les marches menant à la véranda. Une lampe versait une faible lueur sur le seuil.

— Je ne m'attendais pas à vous revoir vivant, dit-elle.

— Moi-même, je ne pensais pas survivre.

Me souvenant de ses talents de combattante impitoyable, j'ajoutai :

— Je vous suis infiniment redevable. Je ne pourrai jamais m'acquitter de ma dette envers vous.

— J'avais mes propres comptes à régler, répliqua-t-elle en souriant. Vous ne me devez rien. Mais j'espère que nous serons amis.

Le mot d'amitié paraissait faible pour décrire le lien qui nous unissait d'ores et déjà. Elle m'avait apporté Jato, le sabre de sire Shigeru, et elle m'avait aidé à délivrer et à venger le seigneur : les deux actions les plus importantes et les plus désespérées de ma vie. J'éprouvais pour elle une gratitude mêlée d'admiration.

Elle s'éclipsa un instant et revint avec de l'eau. Je lavai mes pieds tout en écoutant les deux maîtres qui conversaient à l'intérieur de la maison. Ils projetaient de se reposer pendant quelques heures, après quoi je repartirais avec Kotaro. Je secouai la tête avec lassitude — je n'avais plus envie d'écouter.

— Venez, me dit Yuki.

Elle me mena au centre de la maison, qui possédait comme celle d'Inuyama une pièce secrète aussi exiguë qu'un nid d'anguille.

— Suis-je de nouveau prisonnier? demandai-je en observant les murs sans fenêtres.

— Non, vous n'êtes ici que pour votre propre sûreté. Vous pouvez vous reposer quelques heures avant de reprendre la route.

— Je sais, je les ai entendus.

— Naturellement! J'oubliais que vous entendiez tout.

— J'en entends trop pour mon goût, déclarai-je en m'asseyant sur le matelas déjà installé sur le sol.

— Avoir des dons est un sort difficile, mais c'est aussi une chance. Le thé est prêt, je vais aller vous chercher à manger.

Elle revint au bout de quelques instants. Je bus le thé mais me sentis incapable d'avaler une bouchée.

— Il n'y a pas d'eau chaude pour le bain, dit-elle. Je suis désolée.

— Je survivrai.

Elle m'avait baigné déjà à deux reprises. Une fois ici, à Yamagata, où elle avait frotté mon dos et massé mes tempes sans me révéler son identité. Puis à Inuyama, alors que je tenais à peine sur mes pieds. Je fus envahi par ces souvenirs, et en rencontrant son regard je compris qu'elle pensait à la même chose que moi. Elle détourna les yeux et lança d'une voix tranquille :

— Je vais vous laisser dormir.

Je posai mon poignard à portée de main et me glissai sous la couverture sans prendre la peine de me déshabiller. Je songeai aux paroles de Yuki à propos des dons. Il me semblait que je ne serais plus jamais aussi heureux que dans mon village natal — mais là-bas, à Mino, j'étais un enfant, et maintenant le village avait été détruit et ma famille exterminée. Je savais qu'il ne fallait pas remâcher le passé. J'avais accepté de rejoindre les rangs de la Tribu. C'étaient mes dons qui me rendaient si précieux à leurs yeux, et les membres de la Tribu étaient seuls en mesure de m'apprendre à développer et maîtriser les talents reçus à ma naissance.

Je pensai à Kaede, que j'avais laissée endormie à Terayama. Je fus gagné par le désespoir, auquel succéda la résignation. Puisque je ne devais jamais la revoir, j'essaierais de l'oublier. Peu à peu, la ville s'éveilla autour de moi. Quand enfin le jour se mit à briller sous les portes, je sombrai dans le sommeil.

Je fus réveillé en sursaut par la rumeur d'hommes à cheval s'arrêtant dans la rue sur laquelle donnait la maison. Dans mon réduit, la lumière avait changé, comme si le soleil avait franchi la crête du toit, mais j'ignorais combien de temps j'avais dormi. Un homme criait, une femme se répandait en plaintes, la conversation semblait tourner à l'aigre. Je parvins à comprendre le motif de la dispute : les hommes étaient des soldats d'Araï qui fouillaient toutes les maisons dans l'espoir de mettre la main sur moi.

Je repoussai la couverture et cherchai à tâtons mon poignard. À cet instant, la porte s'ouvrit et Kenji entra silencieusement. Le faux mur se remit en place derrière lui. Il me jeta un bref coup d'œil, secoua la tête et s'assit en tailleur sur le sol, dans l'espace minuscule séparant le matelas du mur.

Je reconnus les voix — les hommes se trouvaient à Terayama avec Araï. J'entendis Yuki calmer la femme en colère et offrir à boire aux soldats.

— Nous sommes tous du même bord, maintenant, déclara-t-elle en riant. Croyez-vous que nous pourrions cacher Otori Takeo, s'il se trouvait ici ?

Les hommes burent en hâte et s'en allèrent. Quand le bruit de leurs pas se fut évanoui, Kenji poussa un grognement et me lança un de ses regards désapprobateurs.

— Personne à Yamagata ne peut prétendre ignorer ton existence, siffla-t-il. La mort de Shigeru l'a métamorphosé en dieu, celle d'Iida a fait de toi un héros. Les gens raffolent de cette histoire.

Il renifla dédaigneusement avant d'ajouter :

— Ne te monte pas la tête pour autant. C'est extrêmement contrariant. Araï a pris ta disparition comme une insulte personnelle, et maintenant il te fait rechercher aux quatre coins du pays. Encore heureux que ton visage ne soit pas trop connu par ici, car nous allons devoir te trouver un déguisement.

Il examina mes traits en fronçant les sourcils :

— Tu as vraiment tout d'un Otori... Il va falloir camoufler cet air de famille.

Il fut interrompu par le bruit du mur coulissant pour s'ouvrir. Kikuta Kotaro entra suivi d'Akio, un jeune homme qui avait participé à mon enlèvement à Inuyama. Yuki arriva à son tour, en apportant du thé.

Le maître Kikuta me salua de la tête tandis que je m'inclinais devant lui.

— Akio a fait un tour en ville pour apprendre les nouvelles.

Le jeune homme tomba à genoux devant Kenji et m'adressa un bref signe de tête. Je répondis de la même façon. Lors de mon enlèvement, il s'était efforcé comme mes autres ravisseurs de me maîtriser sans me blesser. Je m'étais battu pour de bon, animé par le désir de tuer. Je l'avais frappé avec mon poignard, et je constatai que sa main gauche arborait encore une cicatrice rouge et enflammée. Nous ne nous étions guère parlé, à l'époque : il m'avait réprimandé pour mes mauvaises manières et m'avait accusé d'enfreindre toutes les règles de la Tribu. La sympathie n'avait pas été de mise entre nous. Quand nos yeux se rencontrèrent, je sentis de nouveau son hostilité profonde.

— Il semble que sire Araï soit furieux que cette personne soit partie sans sa permission après avoir refusé un mariage que le seigneur désirait. Il a donné des ordres pour que cette personne soit arrêtée et il entend enquêter sur l'organisation appelée la Tribu, qu'il considère comme illégale et indésirable.

Akio s'inclina derechef devant Kotaro et observa sèchement :

— Je suis désolé, mais j'ignore quel nom cette personne doit recevoir.

Le maître hocha la tête et se caressa le menton sans rien dire. Nous avions évoqué cette question naguère et il m'avait dit de m'en tenir à Takeo, quoique ce nom n'eût jamais été porté par les membres de la Tribu. Allais-je devoir prendre désormais le nom de famille des Kikuta ? Et quel prénom me verrais-je attribuer ? Je ne voulais pas renoncer à Takeo, le nom que sire Shigeru m'avait donné, mais si j'étais destiné à ne plus faire partie du clan des Otori, de quel droit continuerais-je à le porter ?

— Araï offre des récompenses pour toute information sur notre compte, dit Yuki en plaçant devant chacun de nous un bol de thé sur les nattes du sol.

— Aucun habitant de Yamagata n'osera proposer des renseignements, lança Akio. Si quelqu'un s'y risque, nous nous en occuperons !

— C'est bien ce que je craignais, dit Kotaro à Kenji. Araï n'a jamais vraiment eu affaire à nous, et maintenant il redoute notre pouvoir.

— Faut-il que nous l'éliminions ? intervint Akio avec enthousiasme. Nous...

Kotaro fit un geste, et le jeune homme s'inclina une nouvelle fois et se tut.

— La disparition d'Iida a d'ores et déjà entraîné une certaine instabilité. Si Araï périssait à son tour, qui sait de quelle anarchie nous serions menacés ?

— Je ne pense pas qu'Araï soit très dangereux, déclara Kenji. Il peut bien se répandre en menaces, ce n'est qu'un orage de courte durée. Dans le contexte actuel, il représente notre plus grand espoir de paix.

Il continua en me regardant :

— C'est là ce que nous désirons par-dessus tout. Nous avons besoin d'un minimum de paix pour que nos affaires prospèrent.

— Araï va retourner à Inuyama dont il compte faire sa capitale, dit Yuki. La ville est plus facile à défendre et plus centrale que Kumamoto. De plus, il revendique toutes les terres d'Iida au nom du droit de conquête.

Kotaro poussa un grognement puis se tourna vers moi.

— J'avais projeté de revenir à Inuyama avec toi. J'ai des affaires à régler là-bas dans les semaines qui viennent, et tu aurais pu te mettre à ton entraînement. Finalement, il vaudrait peut-être mieux que tu restes ici quelques jours. Nous t'emmènerons dans le Nord, au-delà des frontières du Pays du Milieu, dans une autre maison des Kikuta où personne n'a entendu parler d'Otori Takeo et où tu commenceras une vie nouvelle. Sais-tu jongler ?

Je fis un geste de dénégation.

— Tu as une semaine pour apprendre. Akio sera ton professeur. Yuki vous accompagnera avec quelques autres acteurs. Je vous retrouverai à Matsue.

Je m'inclinai en silence, puis jetai un regard en dessous à Akio. Il fixait le sol en fronçant les sourcils, une ride profonde se creusait entre ses yeux. Bien qu'il n'eût que deux ou trois ans de plus que moi, il était possible en cet instant de voir le vieillard qu'il serait. Il savait donc jongler : j'étais désolé d'avoir blessé sa main habile de jongleur, mais je trouvais mon comportement d'alors parfaitement justifié. Malgré tout, ce combat créait une tension entre nous, comme une question en suspens qui se mêlait à d'autres sentiments empoisonnés.

Kotaro s'adressa ensuite à Kenji :

— Vos relations avec sire Shigeru ont attiré l'attention sur vous. Trop de gens savent que cette ville constitue votre résidence principale. Araï vous fera certainement arrêter si vous restez ici.

— Je vais aller faire un séjour dans les montagnes, répliqua Kenji. Il sera bon de revoir mes vieux amis, de passer un peu de temps avec mes enfants.

Il sourit, et l'espace d'un instant je crus revoir mon vieux professeur inoffensif.

— Pardonnez-moi, mais comment faudra-t-il appeler cette personne ? demanda Akio.

— Qu'il prenne un nom d'acteur pour le moment, répondit Kotaro. Quant à son nom en tant que membre de la Tribu, il faudra voir...

Ses propos semblaient lourds d'un sous-entendu qui était impénétrable pour moi mais qu'Akio ne comprenait manifestement que trop bien.

— Son père a renié la Tribu, s'écria-t-il. Il nous a abandonnés !

— Mais son fils nous est revenu, riche de tous les dons des Kikuta, répliqua le maître. De toute façon, à partir de maintenant, tu es son supérieur direct.

Takeo, tu devras obéir à Akio et recevoir son enseignement.

Le jeune homme se mit à sourire. Je pense qu'il savait combien la tâche me serait difficile. Le visage de Kenji était lugubre, comme s'il prévoyait lui aussi des problèmes.

— Akio possède de nombreux talents, poursuivit Kotaro. Tu devras les acquérir à ton tour.

Après que j'eus accepté, il dit à Akio et à Yuki de sortir. La jeune fille remplit de nouveau les bols avant de s'éclipser, et les deux hommes se mirent à boire bruyamment. Je sentis s'élever des odeurs de cuisine et il me sembla que je n'avais pas mangé depuis des jours. Je me repentis d'avoir refusé le repas que Yuki m'avait proposé la nuit précédente : je mourais de faim.

— Je t'ai dit que j'étais le cousin germain de ton père, reprit Kotaro. Je veux que tu saches aussi qu'il était plus âgé que moi, et qu'il aurait dû devenir maître à la mort de notre grand-père. Akio est mon neveu et mon héritier. Ton retour soulève donc des questions d'héritage et de droit d'aînesse. La façon dont elles seront réglées dépend de ta conduite dans les mois qui viennent.

Je mis quelques instants à saisir la portée de ses paroles.

— Akio a été élevé au sein de la Tribu, dis-je lentement. Il sait tout ce que j'ignore, et il ne doit pas être le seul dans ce cas. Je n'ai aucune envie de prendre sa place ou celle d'un autre.

— Les candidats sont nombreux, répliqua Kotaro, et tous sont plus obéissants, mieux entraînés et plus méritants que toi. Mais aucun ne possède l'ouïe fine des Kikuta au même degré que toi, et aucun n'aurait été capable de pénétrer seul dans le château de Yamagata comme tu l'as fait.

Cet épisode me paraissait remonter à une vie antérieure. J'avais peine à me rappeler l'impulsion qui m'avait amené à escalader les murs du château pour accorder la délivrance de la mort aux Invisibles enfermés dans des paniers suspendus aux murailles. C'était la première fois que j'avais tué, et j'aurais aimé ne jamais avoir accompli un tel acte. Si ce geste spectaculaire n'avait pas attiré sur moi l'attention de la Tribu, peut-être ne m'auraient-ils pas emmené avant... avant... Je me secouai : à quoi bon tenter sans fin de démêler les fils qui avaient tissé la mort de sire Shigeru ?

— Te voilà donc au courant, continua Kotaro, mais tu dois savoir que je ne puis t'accorder un traitement différent de celui des autres garçons de ton âge. Tout favoritisme m'est interdit. Quels que soient tes talents, ils nous sont inutiles tant que nous ne sommes pas également assurés de ton obéissance. Je n'ai pas besoin de te rappeler que tu t'es déjà engagé envers moi à cet égard. Tu vas rester ici pendant une semaine. Tu ne devras ni sortir, ni permettre à quiconque de soupçonner ta présence en ces lieux. Durant cette semaine, il te faudra apprendre suffisamment pour pouvoir jouer le rôle d'un jongleur. Je te retrouverai à Matsue avant l'hiver. À toi de passer l'épreuve de l'entraînement en témoignant d'une obéissance sans faille.

— Qui sait si je te reverrai un jour ? me dit Kenji en me considérant avec son expression habituelle où l'affection le disputait à l'exaspération. J'ai rempli mes devoirs envers toi. Je t'ai trouvé, je t'ai éduqué, j'ai réussi à te maintenir en vie et je t'ai rendu à la Tribu.

Il ajouta avec un rictus ironique qui découvrit sa bouche édentée :

— Akio ne sera pas un professeur aussi indulgent que moi, mais tu auras Yuki pour veiller sur toi.

Quelque chose dans son ton me fit rougir. Je n'avais rien fait avec Yuki, nous ne nous étions même pas touchés, mais un lien existait entre nous et Kenji s'en était rendu compte.

Les deux maîtres se levèrent en souriant et me donnèrent l'accolade.

— Fais ce qu'on te dit, me lança Kenji avec une bourrade amicale. Et apprends à jongler !

J'aurais voulu lui parler seul à seul. Il restait tant de questions en suspens entre nous. Il valait peut-être mieux qu'il prenne congé de cette manière, cependant, comme s'il n'était réellement qu'un professeur affectueux dont l'enseignement m'était devenu inutile. Du reste, je devais apprendre que les membres de la Tribu ne perdent pas de temps avec le passé et n'aiment pas y être confrontés.

Après qu'ils furent sortis, la pièce m'apparut plus sinistre que jamais et j'eus l'impression de manquer d'air. J'entendis dans la maison la rumeur de leur départ. Ils n'étaient pas comme tous ces voyageurs qui ont besoin de longs préparatifs et d'adieux émouvants. Kenji et Kotaro se contentaient de pousser la porte et de partir en tenant à la main tout ce dont ils avaient besoin pour la route : des baluchons légers, une paire de sandales de rechange, quelques gâteaux de riz parfumé aux pruneaux. Je les imaginai en train d'arpenter infatigablement les chemins des Trois Pays et au-delà, en suivant les fils de la toile immense que la Tribu avait tissée de village en village, de ville en ville. Où qu'ils se rendent, ils trouveraient des parents. Ils ne seraient jamais à court d'abri ou de protection.

J'entendis Yuki annoncer qu'elle les accompagnerait jusqu'au pont. La femme qui s'était mise en colère contre les soldats était avec eux et leur cria d'être prudents. Puis le bruit de leurs pas décrut tandis qu'ils descendaient la rue.

Seul dans cette chambre isolée et déprimante, je me dis que je ne supporterais pas d'y rester confiné pendant une semaine. Presque à mon insu, je projetais déjà de m'en aller. Je n'avais pas l'intention de m'échapper, tant j'étais résigné à demeurer avec les gens de la Tribu, je voulais simplement sortir. J'avais envie de revoir Yamagata la nuit, et aussi de vérifier si j'en serais capable.

Peu de temps après, j'entendis des pas s'approcher. La porte s'ouvrit et une femme entra, chargée d'un plateau de nourriture : du riz, des légumes marinés, un petit morceau de poisson séché et un bol de soupe. Elle s'agenouilla pour poser le plateau par terre.

— Allons, mangez. Vous devez avoir faim.

J'étais affamé. L'odeur de ce repas me faisait défaillir et je me jetai dessus avec voracité. La femme s'assit et me regarda manger.

— C'est donc vous qui avez causé tant d'ennuis à mon pauvre vieux mari, dit-elle pendant que je raclais le bol à la recherche des derniers grains de riz.

La femme de Kenji. Je lui jetai un coup d'œil et rencontrai son regard. Son visage était lisse, aussi pâle que celui de son époux, avec cet air de famille que les conjoints acquièrent souvent après de longues années de mariage. Sa chevelure était épaisse et noire, en dehors de rares mèches blanches apparaissant au sommet de sa tête. Elle était trapue et solidement bâtie, une vraie femme des villes dotée de mains aux doigts courts, aussi vigoureuses qu'habiles. Je ne me rappelais qu'une seule remarque de Kenji à son sujet : il avait loué ses talents de cuisinière. De fait, le repas était délicieux.

Quand je le lui dis, ses yeux s'éclairèrent au-dessus de sa bouche souriante et je compris en un instant qu'elle était la mère de Yuki. Leurs yeux avaient la même forme et la ressemblance de leurs expressions était frappante lorsqu'elles souriaient.

— Qui aurait cru vous revoir, après toutes ces années ? poursuivit-elle d'un ton maternel et volubile. Je connaissais bien Isamu, votre père, mais votre existence est restée un secret jusqu'à cet incident avec Shintaro. Penser que vous avez surpris l'approche et déjoué les ruses de l'assassin le plus dangereux des Trois Pays ! La famille Kikuta était ravie de découvrir qu'Isamu avait laissé un fils. Nous avons tous partagé cette joie. D'autant qu'il s'agissait d'un garçon aux dons exceptionnels !

Je m'abstins de répliquer. Elle avait l'air d'une vieille femme inoffensive, mais Kenji aussi avait une apparence au-dessus de tout soupçon. Je sentais en moi un faible écho de la défiance que j'avais éprouvée en apercevant pour la première fois mon vieux professeur dans les rues de Hagi. J'essayai de l'étudier sans en avoir l'air, et elle me regarda droit dans les yeux. J'avais l'impression qu'elle était en train de me défier, mais je n'avais aucune intention de réagir avant d'en savoir plus sur sa personne et ses talents.

Je préférai l'interroger :

— Qui a tué mon père ?

— Personne ne l'a jamais su. Cela s'est passé des années avant que nous n'apprenions avec certitude qu'il était mort. Il s'était trouvé un endroit isolé où il vivait caché.

— L'assassin appartenait-il à la Tribu ?

Ma question la fit rire, ce qui m'irrita.

— Kenji a raconté que vous ne vous fiiez à personne. C'est une qualité mais, en moi, vous pouvez avoir confiance.

— Autant qu'en lui, marmonnai-je.

— Le plan de Shigeru vous aurait coûté la vie, dit-elle doucement. Il est important pour les Kikuta, pour la Tribu tout entière, que vous restiez vivant. Il est si rare de nos jours de rencontrer un talent aussi complet.

Je répondis par un grognement, en essayant de discerner quelle intention pouvait se cacher derrière cette flatterie. Elle versa du thé, et je vidai mon bol d'un trait. L'atmosphère étouffante du réduit m'avait donné mal à la tête.

— Vous êtes tendu, observa-t-elle en me reprenant mon bol pour le poser.

Elle écarta le plateau et se rapprocha de moi. Agenouillée derrière moi, elle commença à masser ma nuque et mes épaules. Ses doigts étaient à la fois robustes, souples et sensibles. Elle pétrit mon dos puis me dit de fermer les yeux et passa à mon crâne. La sensation était si merveilleuse que je dus me retenir pour ne pas gémir de plaisir. Ses mains paraissaient animées d'une vie qui leur était propre. Je m'abandonnai, il me semblait que ma tête s'était détachée et flottait dans un océan de délices.

J'entendis soudain la porte se refermer et je rouvris les yeux. Je sentais encore ses doigts sur mon crâne, mais j'étais seul dans la pièce. Je frissonnai. Sous ses airs inoffensifs, l'épouse de Kenji avait sans doute des pouvoirs égaux à ceux de son mari ou de sa fille.

Et elle avait emporté mon poignard.

*

Je me vis attribuer le nom de Minoru, mais presque personne ne m'appelait ainsi. Quand j'étais seul avec Yuki, il lui arrivait de me nommer Takeo, en prononçant ces syllabes avec volupté, comme si elle s'accordait une faveur. Akio se contentait de me dire « vous » en se servant toujours des formules réservées aux inférieurs. Il pouvait se le permettre, puisqu'il l'emportait sur moi par l'âge, l'entraînement et le savoir, et que j'avais reçu l'ordre de lui obéir. J'en éprouvais pourtant de la rancune : je ne m'étais pas encore rendu compte à quel point je m'étais accoutumé à être traité avec le respect dû à un guerrier Otori et à l'héritier de sire Shigeru.

Mon entraînement commença dès l'après-midi. Je n'aurais jamais cru que les muscles de mes doigts pourraient me faire si mal. Mon poignet droit était resté affaibli par mon premier combat avec Akio, et à la fin de la journée il était de nouveau parcouru d'élancements douloureux. Nous débutâmes par des exercices destinés à rendre les doigts souples et agiles. Malgré sa main blessée, Akio était incomparablement plus rapide et plus adroit que moi. Nous étions assis l'un en face de l'autre, et ses mains ne cessaient de s'abattre sur les miennes avant que j'aie pu les bouger.

Il allait si vite que j'avais peine à croire que son mouvement ait pu échapper à mon regard. Au début, il ne m'administrait que des tapes légères. Plus la soirée s'avançait, cependant, plus nous étions tous les deux fatigués et découragés de me voir si maladroit, de sorte qu'il se mit à me frapper pour de bon.

— Cela prendra encore plus de temps si vous lui broyez les mains, observa tranquillement Yuki après nous avoir rejoints.

— Je ferais peut-être mieux de lui broyer la tête, grommela Akio.

Il attrapa soudain mes deux mains, sans que j'eusse le temps de les retirer, et me gifla sur la joue, si violemment que j'en eus les larmes aux yeux.

— On est moins hardi sans son poignard, siffla-t-il en lâchant mes mains et en remettant les siennes en position.

Yuki garda le silence. Je sentis la rage bouillonner en moi tant j'étais outré qu'il eût osé frapper un seigneur Otori. L'atmosphère confinée, les brimades délibérées, l'indifférence de Yuki, tout se combina pour me faire sortir de mes gonds. Akio recommença le même geste, et cette fois ma tête se renversa en arrière sous la force du coup. Ma vue s'obscurcit un instant puis ma fureur explosa aussi brutalement que le jour où je m'étais battu avec Kenji, et je me jetai sur mon tortionnaire.

J'avais dix-sept ans : bien des années ont passé depuis cet accès de rage, et pourtant je me souviens encore de cette impression de libération, comme si ma nature animale était mise en liberté, dans un élan aveugle, sans mémoire. Je savais seulement que je ne me souciais pas de vivre ou de mourir, que je refusais de subir plus longtemps les contraintes et les brimades.

Après un premier instant de surprise quand mes mains se serrèrent sur la gorge d'Akio, ils n'eurent pas de peine à me maîtriser. Yuki appuya sur mon cou, selon la technique qui lui était habituelle, et lorsque je commençai à perdre conscience elle me frappa dans l'estomac avec une violence dont je ne l'aurais pas crue capable. Saisi d'un haut-le-cœur, je me pliai en deux. Akio se glissa sous moi et immobilisa mes bras dans mon dos.

Assis sur les nattes, haletants, nous sortîmes de la mêlée comme des amants enlacés. La scène n'avait pas duré plus d'une minute. Je n'arrivais pas à croire que Yuki ait pu me frapper si fort, j'avais cru qu'elle prendrait mon parti. Plein de rancœur, je la dévisageai.

— Voilà ce que vous devez apprendre à maîtriser, me dit-elle avec calme.

Akio lâcha mes bras et se remit en position.

— Recommençons.

— À condition que vous arrêtiez de me frapper au visage.

— Yuki a raison, répliqua-t-il, il vaut mieux ne pas endommager vos mains. Soyez donc plus rapide.

Je me promis intérieurement de ne plus le laisser me frapper. La fois suivante, même si j'étais encore loin de pouvoir l'atteindre, je parvins à retirer mes mains et ma tête avant qu'il ait pu me toucher. À force de le regarder, je commençai à anticiper le moindre de ses mouvements. Je réussis finalement à effleurer ses doigts et il hocha la tête en silence, sans témoigner davantage sa satisfaction. Nous entreprîmes alors de nous entraîner avec des balles.

Les heures s'écoulaient ainsi, à essayer de passer une balle d'une main à l'autre, ou de la rattraper après l'avoir fait rebondir par terre. À la fin du second jour, j'étais capable de jongler dans l'ancien style avec trois balles, à la fin du troisième, avec quatre balles. Akio arrivait encore parfois à me prendre par surprise et à me frapper, mais la plupart du temps je parvenais à l'esquiver, en un ballet complexe de mains et de balles.

À la fin du quatrième jour, je croyais voir des balles même en fermant les yeux et j'étais en proie à un ennui et une nervosité sans borne. Je devinais qu'Akio faisait partie de ces gens qui peuvent travailler inlassablement ce genre de talent tant ils sont obsédés par leur désir d'y affirmer leur maîtrise. J'eus vite fait de me rendre compte que tel n'était pas mon cas. Jongler me semblait une activité aussi vaine que fastidieuse. J'apprenais dans les pires conditions et pour les plus mauvaises raisons du monde : les coups reçus étaient mon seul aiguillon. N'ayant pas le choix, je me soumettais à l'entraînement impitoyable que m'imposait Akio, mais je haïssais aussi bien les exercices que le professeur. À deux reprises, ses brimades me jetèrent de nouveau dans un accès de fureur aveugle. De même que j'apprenais à prévenir ses mouvements, cependant, Yuki et lui en vinrent à connaître les signes précurseurs de ces accès et à me maîtriser avant que l'un de nous ait pu être blessé.

La quatrième nuit, quand le silence régna sur la maison endormie, je décidai de partir en exploration. Excédé par l'ennui et l'insomnie, j'avais envie de respirer un peu d'air frais, mais surtout je voulais voir si je serais capable de sortir. Pour que mon obéissance à la Tribu ait un sens, il me fallait savoir si j'étais en mesure de désobéir. Une obéissance forcée ne m'intéressait pas plus que mes exercices de jongleur. On aurait pu aussi bien m'attacher jour et nuit comme un chien, afin que je gronde et morde sur commande.

J'avais établi le plan de la maison durant les heures où je n'avais rien d'autre à faire qu'écouter. Je savais où dormait chacun des habitants. Yuki et sa mère occupaient une chambre située à l'arrière du bâtiment, en compagnie de deux femmes que je n'avais jamais vues bien que leurs voix me fussent familières. La première servait dans la boutique, où elle plaisantait bruyamment avec les clients dans le dialecte local. Yuki l'appelait sa tante. La seconde était plutôt une servante, qui se chargeait du nettoyage et de presque toute la cuisine. Première levée le matin et dernière couchée le soir, elle parlait très peu, d'une voix basse teintée d'accent du Nord. Elle se nommait Sadako. Tous les membres de la maisonnée la taquinaient avec bonne humeur, et ses réponses étaient toujours tranquilles et respectueuses. J'avais l'impression de connaître ces deux femmes dont j'ignorais pourtant l'aspect.

Akio et les trois autres hommes de la maison dormaient dans une soupente aménagée au-dessus de la boutique. Chaque nuit, à tour de rôle, ils se joignaient aux gardes postés à l'arrière de la demeure. La nuit précédente, ç'avait été le tour d'Akio, et j'en avais subi les conséquences car le manque de sommeil le rendait encore plus prompt à me brimer. Avant d'aller se coucher, alors que les lampes brûlaient toujours, la servante fermait les portes et les volets avec l'aide d'un des hommes. J'entendais les panneaux coulisser avec un bruit sourd qui faisait invariablement aboyer les chiens.

Ces chiens étaient au nombre de trois, chacun doté d'une voix bien reconnaissable. Ils étaient nourris tous les soirs par le même homme, qui les appelait en poussant un sifflement particulier que je m'exerçais à imiter quand j'étais seul — je me félicitais qu'aucun autre habitant de la maison ne fût doué de l'ouïe fine des Kikuta.

La nuit, les portes de devant étaient barricadées et des gardes surveillaient les issues de derrière. Je savais cependant qu'une petite porte restait sans protection : celle qui menait à un terrain étroit, serré entre le mur d'enceinte et la maison, au fond duquel se trouvaient les cabinets. On m'y escortait trois ou quatre fois par jour. J'avais pu également me rendre dans la cour quand il faisait sombre, afin de me baigner dans le petit pavillon aménagé à cet effet dans l'arrière-cour s'étendant entre le bout de la maison et les portes de derrière. Si je devais rester caché, c'était simplement pour assurer ma propre sûreté, comme l'avait dit Yuki. J'avais l'impression que personne n'imaginait sérieusement que je pourrais tenter de m'échapper : je n'étais pas prisonnier.

Je restai longtemps étendu, attentif aux bruits de la maison. J'entendais la respiration des femmes dans leur chambre du rez-de-chaussée, celle des hommes dans leur soupente. Derrière l'enceinte, la ville s'assoupissait peu à peu. J'étais plongé dans un état que je reconnaissais, que je n'aurais pu expliquer mais qui m'était aussi familier que ma propre peau. Je ne ressentais ni peur ni excitation. Je cessais de penser pour n'être plus qu'instinct — instinct et oreille aux aguets. Le temps se modifiait, ralentissait son cours. La durée n'avait aucune importance tandis que j'entreprenais d'ouvrir la porte de mon réduit. Je savais que je finirais par le faire, sans aucun bruit, de même que je m'avancerais en silence vers la porte donnant sur l'extérieur.

Alors que j'étais arrivé devant cette porte, conscient du moindre bruit autour de moi, j'entendis des pas. La femme de Kenji se leva, traversa la chambre où elle dormait et se dirigea vers le réduit secret dont elle fit coulisser la porte. Elle ressortit au bout d'un instant, une lampe à la main, et s'avança vers moi avec vivacité mais sans témoigner d'inquiétude. Je songeai brièvement à me rendre invisible, mais je savais que c'était peine perdue. Elle serait certainement capable de discerner ma présence, et dans le cas contraire elle réveillerait toute la maisonnée.

Sans un mot, je désignai la porte menant aux cabinets puis retournai dans ma cachette. En passant devant elle, je sentis son regard peser sur moi. Elle resta également silencieuse, se contentant de me saluer de la tête, mais j'eus l'impression qu'elle savait que j'essayais de m'échapper.

Le réduit était plus étouffant que jamais, il me semblait désormais impossible de m'endormir. J'étais encore habité par mon instinct silencieux. Je tâchai d'entendre l'épouse de Kenji respirer, mais en vain. Finalement, je me convainquis qu'elle devait s'être rendormie. Je me levai, ouvris la porte et sortis. La lampe brûlait toujours, et la femme était assise à côté. Ses yeux étaient fermés, mais elle les rouvrit pour me découvrir debout devant elle.

— Vous retournez aux toilettes ? demanda-t-elle de sa voix grave.

— Je n'arrive pas à dormir.

— Asseyez-vous. Je vais faire du thé.

Elle fut sur pied en un instant — malgré son âge et sa corpulence, elle était aussi agile qu'une jeune fille. Elle posa sa main sur mon épaule et me poussa doucement sur la natte.

— N'essayez pas de filer ! lança-t-elle d'un ton railleur.

Je restai assis sans vraiment penser, tout entier tendu vers mon désir de fuite. J'entendis la bouilloire siffler tandis que la femme soufflait sur les braises, le bruit du métal tintant contre un ustensile en céramique. Elle revint avec le thé, s'agenouilla pour le verser et me tendit un bol que je pris en m'inclinant en avant. La lampe luisait entre nous. En saisissant le bol, je plongeai mon regard dans ses yeux où l'amusement le disputait à la moquerie — je compris qu'elle m'avait flatté et qu'en réalité elle ne croyait pas en mes dons. Ses paupières battirent et se refermèrent, elle vacilla. Je lâchai le bol pour la rattraper et l'étendre sur la natte. Elle dormait déjà profondément. À la lueur de la lampe, le thé répandu fumait légèrement.

J'aurais dû être horrifié, mais je n'éprouvais rien d'autre que la froide satisfaction inséparable des talents de la Tribu. J'étais désolé d'avoir agi sans réfléchir, mais en fait je n'aurais jamais cru avoir le moindre pouvoir sur l'épouse du maître Muto. Et surtout, j'étais soulagé de n'avoir plus aucun obstacle sur ma route.

En ouvrant la porte de la cour, j'entendis les chiens bouger. Je les sifflai d'une voix suffisamment basse pour qu'ils soient seuls à m'entendre. L'un d'eux s'approcha pour me flairer, en remuant la queue. Comme tous les chiens, il me trouvait sympathique. Je tendis la main et il y posa sa tête. La lune était basse mais répandait assez de lumière pour faire briller les yeux jaunes du molosse. Nous nous regardâmes un instant puis il se mit à bâiller en découvrant ses crocs blancs, se coucha à mes pieds et s'endormit.

Il me vint vaguement à l'idée qu'entre endormir un animal et endormir la femme de Kenji les conséquences risquaient d'être bien différentes, mais je préférai chasser cette pensée. Je m'accroupis pour caresser la tête du chien tout en observant le mur.

Bien entendu, je n'avais ni armes ni matériel d'aucune sorte. Le toit couronnant le mur était large et si haut que, sans grappins, il serait impossible de s'assurer une prise. Je finis par grimper sur le toit du pavillon de bains et par le franchir d'un bond. Je me rendis invisible, m'éloignai des gardes de la porte en rampant sur la crête du mur et, arrivé au coin, me laissai tomber dans la rue. Je m'aplatis un instant contre le mur, aux aguets. Je n'entendis que les chuchotements des gardes. Les chiens se taisaient et la ville tout entière semblait dormir.

Je m'avançai en zigzaguant dans les rues, de la même façon qu'en cette nuit où j'avais escaladé les murailles du château de Yamagata, en me dirigeant vers le fleuve. Les saules se dressaient toujours sous la lune pâlissante. Ils balançaient doucement au vent d'automne leurs feuilles déjà dorées, dont quelques-unes tombaient en tourbillonnant et flottaient sur les eaux.

Je m'accroupis à l'abri de leurs feuillages. J'ignorais qui était désormais le maître de la ville. Le seigneur auquel sire Shigeru avait rendu visite était un allié d'Iida : il avait été renversé en même temps que les Tohan lors du soulèvement ayant éclaté à la nouvelle de la mort de sire Shigeru, mais Araï avait sans doute installé à sa place un gouverneur provisoire.

Je n'entendais aucune rumeur annonçant une patrouille. Je fixai le château sans parvenir à distinguer si l'on avait retiré les têtes des Invisibles que j'avais délivrés de leurs tourments en les tuant. J'avais peine à croire ma propre mémoire, comme si cet épisode n'avait été qu'un rêve ou bien un récit qu'on m'avait raconté et dont le héros n'était pas moi.

Je me remémorais cette nuit et me revoyais en pensée plonger sous l'eau pour traverser le fleuve, quand soudain j'entendis quelqu'un s'approcher sur la rive. L'intrus était tout près. Le sol humide étouffait le bruit de ses pas. J'aurais dû m'éloigner, mais j'étais curieux de voir qui pouvait venir ici à cette heure de la nuit et je savais qu'il ne me verrait pas.

L'homme était plus petit que la moyenne et très maigre — c'était tout ce que je pouvais distinguer dans les ténèbres. Il regarda furtivement à la ronde avant de s'agenouiller au bord de l'eau. Il semblait prier. Le vent soufflant sur le fleuve m'apportait des relents d'eau et de boue, auxquels se mêlait l'odeur de l'inconnu.

Ce parfum m'était familier. Je reniflai comme un chien pour l'identifier, et au bout d'un instant je reconnus l'odeur caractéristique de la tannerie. L'homme devait travailler le cuir, ce qui signifiait qu'il était hors caste. Je compris alors de qui il s'agissait : ce malheureux m'avait parlé après mon expédition au château. Son frère était l'un des Invisibles torturés par les Tohan et auxquels j'avais apporté une mort secourable. Comme je m'étais dédoublé en abandonnant sur la berge mon second moi, il l'avait pris pour un être surnaturel. C'était lui qui avait répandu l'histoire de l'Ange de Yamagata, et je devinais pourquoi il venait prier en ces lieux. Il devait lui aussi faire partie des Invisibles et espérait peut-être revoir le messager céleste. Je me rappelai que lors de notre première rencontre j'avais jugé nécessaire de le tuer, mais m'en étais senti incapable. Je le considérais maintenant avec l'affection trouble qu'on éprouve pour ceux dont on a épargné la vie.

Un autre sentiment m'envahit. J'avais le cœur serré en songeant aux certitudes de mon enfance, aux paroles et aux rituels qui me consolaient alors et semblaient aussi éternels que la succession des saisons et le passage de la lune et des étoiles dans le ciel. En me sauvant la vie à Mino, sire Shigeru m'avait arraché à mon destin parmi les Invisibles. Depuis ce jour, j'avais dissimulé mes origines, en me gardant d'en parler à quiconque ou de prier en public. Mais parfois, la nuit, je retrouvais les formules de la foi dans laquelle j'avais été élevé et je récitais les prières adressées au Dieu Secret que ma mère vénérait. En revoyant cet homme, j'étais pris du désir de m'approcher de lui pour lui parler.

En tant que seigneur Otori, et même en tant que membre de la Tribu, j'aurais dû fuir le contact d'un corroyeur, qui était considéré comme un paria puisqu'il abattait des animaux. Cependant les Invisibles croient que le Dieu Secret a créé tous les hommes égaux, et tel était l'enseignement que j'avais reçu de ma mère. Un reste de prudence me retint pourtant à l'abri du saule, même si en entendant l'inconnu murmurer des prières je me surpris à les répéter avec lui.

Je n'avais pas complètement perdu la tête, contrairement à ce que pouvait faire croire mon comportement cette nuit-là, et j'en serais sans doute resté là si je n'avais pas entendu des hommes s'avancer sur le pont voisin. C'était une patrouille de soldats, qui devaient appartenir à Araï, encore qu'il me fût impossible de l'affirmer. Ils semblèrent s'arrêter sur le pont pour observer le fleuve.

— Voilà encore ce fou. J'en ai plein le dos de le retrouver ici chaque nuit.

Le soldat qui avait prononcé ces mots parlait le dialecte local, mais celui qui prit ensuite la parole semblait avoir un accent de l'Ouest.

— Tu n'as qu'à le rosser, ça lui fera passer l'envie de venir.

— Il a déjà reçu des raclées, mais ça n'a rien changé.

— Il en redemande, c'est ça ?

— Si on le mettait sous les verrous pendant quelques nuits ?

— Le mieux, ce serait encore de le jeter dans le fleuve.

Ils éclatèrent de rire. Je les entendis se mettre à courir puis le bruit de leurs pas s'affaiblit lorsqu'ils contournèrent une rangée de maisons. Ils étaient encore loin, et mon inconnu ne s'était aperçu de rien. Mon inconnu : il m'appartenait déjà. Je n'allais pas regarder sans rien faire les gardes en train de jeter à l'eau un des miens.

Je sortis de mon abri et courus vers l'homme. Je lui tapai sur l'épaule et quand il se retourna je soufflai :

— Vite, cache-toi !

Il me reconnut sur-le-champ et se jeta à mes pieds en poussant un cri de stupéfaction avant de marmonner des prières incohérentes. J'entendais la patrouille qui approchait, ils descendaient déjà la rue longeant le fleuve. Je secouai l'homme, soulevai sa tête, posai mon doigt sur mes lèvres et le poussai à l'abri des saules en tâchant de prendre garde à ne pas le regarder dans les yeux.

« Je devrais le laisser ici, pensai-je. Je pourrais me rendre invisible et éviter la patrouille. » Mais en entendant leurs pas lourds au coin de la rue, je compris que j'avais trop tardé.

Une brise rida la surface de l'eau et les feuillages des saules frissonnèrent. Un coq chanta au loin, la cloche d'un temple résonna.

— Disparu ! s'exclama un soldat à moins de dix pas de nous.

Un autre garde poussa un juron.

— Sales parias !

— Qu'est-ce qui est le pire, à ton avis, les parias ou les Invisibles ?

— Il y en a qui sont les deux à la fois : on ne peut pas imaginer pire.

J'entendis un sabre siffler dans les airs. Un des soldats décapita une touffe de roseaux puis s'attaqua au saule lui-même. À côté de moi, l'homme se raidit. Il tremblait mais ne faisait aucun bruit. Il me semblait que l'odeur du cuir tanné était si pénétrante qu'elle ne pouvait échapper aux gardes, mais elle était sans doute masquée par les relents fétides du fleuve.

Je pensais à détourner leur attention du paria en me dédoublant et en m'arrangeant pour leur échapper, quand des canards endormis au milieu des roseaux s'envolèrent brusquement. Ils rasèrent la surface du fleuve en poussant des cris retentissants qui troublèrent le silence de la nuit. Les soldats sursautèrent puis se moquèrent les uns des autres. Ils continuèrent un instant à plaisanter et à grommeler tout en jetant des pierres sur les canards, après quoi ils tournèrent le dos au chemin par où ils étaient venus et s'éloignèrent. J'écoutai l'écho de leurs pas décroître dans la ville, jusqu'au moment où ils devinrent inaudibles même pour moi. Je me mis alors à réprimander l'inconnu.

— Que fais-tu dehors à cette heure de la nuit ? S'ils t'avaient trouvé, ils t'auraient jeté dans le fleuve.

Il se prosterna de nouveau devant moi.

— Assieds-toi, ordonnai-je. Dis-moi quelque chose.

Il se redressa, jeta un coup d'œil furtif sur mon visage puis baissa les yeux.

— Dès que je le peux, je viens ici la nuit, marmonna-t-il. J'ai prié Dieu de m'accorder de vous revoir rien qu'une fois. Je ne puis oublier ce que vous avez fait pour mon frère, pour tous les autres...

Il se tut un instant avant de chuchoter :

— Je pensais que vous étiez un ange, mais les gens disent que vous êtes le fils de sire Otori. Pour venger sa mort, vous avez tué sire Iida. Nous avons maintenant un nouveau seigneur, Araï Daiichi de Kumamoto. Ses hommes ont passé la ville au peigne fin pour vous retrouver. Je me suis dit qu'ils devaient savoir que vous vous trouviez ici, de sorte que je suis revenu cette nuit dans l'espoir de vous voir. Quelle que soit l'apparence que vous choisissiez de revêtir, vous devez être un ange de Dieu pour avoir accompli tant d'exploits.

Ce fut un choc pour moi d'entendre cet inconnu répéter l'histoire de ma vie. Je pris conscience du danger que j'étais en train de courir.

— Rentre chez toi, m'écriai-je. Ne dis à personne que tu m'as vu.

Je m'apprêtais à partir, mais il semblait ne pas m'avoir entendu. Il était comme en transe : ses yeux brillaient, de la salive humectait ses lèvres.

— Restez, seigneur, me supplia-t-il. Chaque nuit, je vous apporte de la nourriture et du vin. Il faut que nous partagions ce repas. Ensuite vous me bénirez, et je mourrai heureux.

Il ramassa un petit baluchon rempli de mets qu'il disposa sur le sol, entre nous, avant de se mettre à réciter la première prière des Invisibles. Je frissonnai en entendant les mots familiers, et quand il eut fini je dis à mon tour la seconde prière d'une voix paisible. Nous fîmes ensemble le signe secret sur la nourriture et sur notre corps, puis je commençai à manger.

C'était un repas misérable : un gâteau de millet où était enfoui un minuscule morceau de poisson séché — mais j'y retrouvais tous les éléments des rituels de mon enfance. Le paria sortit un petit flacon dont il versa le contenu dans un bol en bois. Il s'agissait d'un alcool fait à la maison, nettement plus âpre que du vin, dont nous ne bûmes chacun qu'une gorgée — mais son parfum me rappela ma maison natale. Il me sembla sentir ma mère toute proche, et mes yeux se mouillèrent.

— Tu es un prêtre ? chuchotai-je en me demandant comment il avait pu échapper aux persécutions des Tohan.

— Mon frère était notre prêtre. C'est lui que vous avez délivré en lui donnant le coup de grâce. Depuis sa mort, je fais ce que je peux pour les nôtres — ou du moins, pour ceux qui ont survécu.

— Iida en a fait mourir tant que cela ?

— Ceux de l'Est ont péri par centaines. Mes parents se sont réfugiés ici, voilà bien des années. Il n'y avait pas de persécutions sous le gouvernement des Otori. Durant les dix années qui ont suivi la bataille de Yaegahara, en revanche, personne n'a été à l'abri. Nous avons un nouveau seigneur, maintenant, Araï. Nul ne sait de quel côté il penchera. On dit qu'il a d'autres chats à fouetter. Peut-être nous laissera-t-il tranquilles pendant qu'il s'occupera de la Tribu.

Il baissa la voix sur ce dernier mot, comme si le simple fait de le prononcer était un crime.

— D'ailleurs, ce ne serait que justice. Ce sont eux les meurtriers, les assassins. Nous autres, nous sommes inoffensifs. Nous n'avons pas le droit de tuer.

Il me jeta un regard contrit.

— Bien entendu, c'était entièrement différent dans le cas de sire Otori.

Il n'imaginait pas à quel point c'était différent, à quel point j'avais trahi les enseignements de ma mère. Des chiens aboyèrent dans le lointain, les coqs annoncèrent la naissance d'un nouveau jour. Il fallait que je parte, mais je n'en avais aucune envie.

— Tu n'as pas peur ? demandai-je.

— Je suis souvent terrifié. Je n'ai pas reçu le courage en partage. Mais ma vie est entre les mains de Dieu. Il attend quelque chose de moi. C'est lui qui t'a envoyé à nous.

— Je ne suis pas un ange.

— Comment expliquer alors qu'un Otori connaisse nos prières ? Qui, sinon un ange, partagerait un repas avec quelqu'un comme moi ?

Je savais quel risque je prenais, mais je ne pus m'empêcher de lui dire :

— Sire Shigeru m'a tiré des mains d'Iida, à Mino.

Je n'avais pas besoin de m'expliquer davantage. Il resta un instant silencieux, comme foudroyé. Puis il chuchota :

— À Mino ? Nous pensions qu'il n'y avait eu aucun survivant, là-bas. Comme les voies de Dieu sont étranges. Il vous a certainement épargné en vue d'un grand dessein. Même si vous n'êtes pas un ange, vous avez été élu par le Secret.

— Je suis la dernière des créatures, répliquai-je en secouant la tête. Ma vie ne m'appartient pas. Après m'avoir arraché aux miens, le destin m'a séparé des Otori.

Je ne voulais pas lui avouer que j'avais rejoint les rangs de la Tribu.

— Avez-vous besoin d'aide ? s'écria-t-il. Nous serons toujours à votre disposition. Vous pouvez nous trouver au pont des parias.

— Où est-ce ?

— C'est là que nous tannons les peaux, entre Yamagata et Tsuwano. Demandez Jo-An.

Après quoi il récita la troisième prière, rendant grâce pour le repas.

— Je dois m'en aller, dis-je.

— Seigneur, veuillez me donner d'abord votre bénédiction.

Je posai ma main droite sur sa tête et entonnai la prière que ma mère avait l'habitude de dire à mon intention. J'étais mal à l'aise, conscient de n'avoir guère le droit de prononcer ces mots, mais ils me revinrent tout naturellement. Jo-An saisit ma main et effleura mes doigts de son front et de ses lèvres. Je sentis alors combien il me faisait confiance. Il lâcha ma main et inclina sa tête jusqu'au sol. Quand il la releva, j'étais à l'autre bout de la rue. Le ciel pâlissait, l'aube était fraîche.

Je progressai furtivement de porte en porte. La cloche du temple retentit. La ville s'éveillait au milieu du bruit des premiers volets ouverts et de l'odeur de fumée s'échappant des feux de cuisine et flottant dans les rues. J'étais resté beaucoup trop longtemps avec Jo-An. Bien que je ne me fusse pas dédoublé une seule fois cette nuit-là, je me sentais déchiré, comme si j'avais abandonné à jamais mon moi véritable sous le saule, avec le paria. Le moi qui rejoignait maintenant la Tribu n'était qu'une coquille vide.

En arrivant en vue de la maison Muto, je sentis s'imposer à moi la pensée qui m'avait secrètement obsédé toute la nuit. Comment allais-je faire pour franchir le mur ? Le plâtre blanc et les tuiles grises brillant dans la lumière de l'aube semblaient me narguer. Je m'accroupis à l'ombre de la maison d'en face, en regrettant amèrement ma stupide témérité. J'avais perdu toute ma concentration : mon ouïe était plus fine que jamais, mais mon assurance intérieure avait disparu.

Je ne pouvais rester à cet endroit. J'entendis au loin des pas lourds, une rumeur de sabots. Un groupe de cavaliers approchait. Leurs voix me parvenaient distinctement, et il me sembla reconnaître l'accent de l'Ouest caractéristique des hommes d'Araï. Je savais que, s'ils me trouvaient, c'en serait fait de ma vie avec la Tribu — c'en serait même fait de ma vie tout entière, si vraiment Araï se sentait aussi offensé qu'on le disait.

Je n'avais pas le choix : il fallait que je coure à la porte et crie aux gardes de m'ouvrir. Au moment où j'allais traverser la rue, cependant, j'entendis des voix de l'autre côté du mur. Akio appela les gardes d'un ton paisible, puis ils enlevèrent les barres de la porte dont les battants s'écartèrent en grinçant.

La patrouille apparut au coin de la rue. Je me rendis invisible, courus à la porte et me glissai à l'intérieur.

Les gardes ne me virent pas, mais Akio détecta ma présence comme il l'avait fait à Inuyama, la première fois que la Tribu avait mis la main sur moi. Il me bloqua la route et m'attrapa par les bras.

Je me raidis dans l'attente des coups, mais il ne perdit pas une minute et m'entraîna au plus vite dans la maison.

Les chevaux de la patrouille accélérèrent le pas et descendirent la rue au trot. Je trébuchai contre le chien endormi, qui geignit dans son sommeil.

Arrivés au niveau de la porte, les cavaliers crièrent aux gardes :

— Bonjour, les gars !

— Qu'est-ce que vous ramenez là ? répliqua un des hommes.

— Ça ne te regarde pas !

Tandis qu'Akio me poussait dans la maison, je regardai en arrière. Dans l'espace étroit séparant le pavillon de bains du mur d'enceinte, j'aperçus la porte ouverte et la rue.

Derrière les chevaux, deux soldats à pied encadraient un prisonnier qu'ils forçaient à avancer. Je ne le distinguais pas clairement, mais j'entendais sa voix marmonnant des prières : c'était mon fidèle Jo-An, le paria.

Je dus faire mine de me précipiter vers la porte, car Akio me repoussa à l'intérieur avec une telle violence qu'il faillit me démettre l'épaule. Puis il me frappa au cou en silence, d'une main experte. La pièce se mit à tourner et je fus pris de nausée. Toujours sans dire mot, il m'entraîna dans la pièce principale. La servante balayait les nattes et ne nous prêta pas la moindre attention.

Il cria en direction de la cuisine tout en faisant coulisser le mur du réduit secret, où il me poussa brutalement. La femme de Kenji entra et Akio ferma la porte.

Elle était pâle et ses yeux étaient gonflés, comme si elle luttait encore contre le sommeil. Avant même qu'elle ouvrît la bouche, je sentis sa fureur. Elle m'administra deux claques retentissantes.

— Petite ordure ! Pauvre crétin ! Comment as-tu osé t'en prendre à moi ?

Akio me força à m'agenouiller sur le sol, sans lâcher mes bras dans mon dos. J'inclinai la tête d'un air soumis. Il était manifestement inutile de dire quoi que ce soit.

— Kenji m'avait averti que tu essaierais de t'échapper, mais je n'y croyais pas. Pourquoi as-tu fait ça ?

Comme je ne répondais pas, elle s'agenouilla à son tour et releva ma tête pour pouvoir regarder mon visage. Je détournai les yeux.

— Réponds-moi ! As-tu perdu la raison ?

— Je voulais juste voir si j'en étais capable.

Elle poussa un soupir exaspéré, qui me rappela son mari.

— Je n'aime pas être enfermé, marmonnai-je.

— C'est un dément, lança Akio avec colère. Il nous met tous en danger. Nous devrions...

Elle l'interrompit vivement :

— Cette décision ne peut être prise que par le maître Kikuta. En attendant, nous devons tâcher de le garder en vie et hors de portée d'Araï.

Elle me donna encore une taloche, mais d'une main plus légère.

— Quelqu'un t'a vu ?

— Non, personne. Juste un paria...

— Un paria ?

— Un corroyeur du nom de Jo-An.

— Jo-An ? Le fou ? Celui qui a vu l'Ange ?

Elle respira un grand coup avant de lancer :

— Ne me dis pas qu'il t'a vu !

— Nous avons parlé un moment, avouai-je.

— Ce hors-caste est déjà aux mains des hommes d'Araï, intervint Akio.

— J'espère que tu te rends compte de ta sottise, dit-elle.

Je baissai de nouveau la tête. Je pensais à Jo-An. J'aurais tout donné pour le voir chez lui — pour autant qu'il eût un endroit à lui à Yamagata. Je me demandais comment faire pour lui porter secours, et j'implorais en silence le Dieu Secret de m'apprendre quel était maintenant son dessein pour lui. Il avait dit qu'il avait souvent peur. Qu'il était même terrifié. La pitié et le remords déchirèrent mon cœur.

La femme de Kenji se tourna vers Akio.

— Arrange-toi pour savoir ce que le paria révélera.

— Il ne me trahira pas, dis-je.

— Sous la torture, tout le monde trahit, répliqua sèchement le jeune homme.

— Nous devrions avancer votre voyage. Peut-être même faudrait-il que vous partiez dès aujourd'hui.

Akio était toujours à genoux près de moi. Il me tenait par les poignets, et je sentis son corps bouger quand il hocha la tête.

— Faut-il le punir ? demanda-t-il.

— Non, il doit rester en état de voyager. Du reste, tu devrais avoir compris à présent que les châtiments physiques sont sans effet sur lui. En revanche, informe-le avec exactitude des tourments que le paria va subir. Il a peut-être la tête dure, mais son cœur est tendre.

— Les maîtres disent que c'est sa principale faiblesse, observa Akio.

— Oui, s'il n'avait pas ce défaut il pourrait devenir un nouveau Shintaro.

82

— Il est possible d'endurcir un cœur tendre, grommela Akio.

— Il me semble que c'est votre spécialité à vous autres, Kikuta.

Agenouillé sur le sol, je les écoutais parler de moi aussi froidement que si j'avais été une marchandise, une cuve de vin, par exemple, qui pourrait donner un cru exceptionnel ou au contraire se gâter et perdre toute sa valeur.

— Et maintenant ? demanda Akio. Faut-il l'attacher jusqu'à notre départ ?

— Kenji prétend que tu as choisi de rejoindre nos rangs, me dit-elle. Si c'est vrai, pourquoi essaies-tu de t'échapper ?

— Je suis revenu.

— Comptes-tu refaire une tentative ?

— Non.

— Te rendras-tu à Matsue avec les acteurs sans mettre en danger leur vie ni la tienne ?

— Oui.

Après un instant de réflexion, elle dit à Akio de m'attacher quand même. Cela fait, ils me quittèrent pour aller préparer notre départ. La servante entra avec un plateau. Elle m'aida à manger le repas et à boire le thé, sans dire un mot, puis remporta les bols. Je restai seul. J'écoutais les bruits de la maison, et il me semblait percevoir la cruauté impitoyable que dissimulait la mélodie familière de ses activités quotidiennes. Une lassitude profonde m'envahit. Je me traînai jusqu'au matelas et m'installai aussi confortablement que possible. Avec désespoir, je songeai à Jo-An, à ma stupidité, puis je m'endormis.

*

Je me réveillai en sursaut, le cœur battant, la gorge sèche. J'avais rêvé du paria, un rêve horrible où une voix lointaine, aussi ténue et obsédante que le bourdonnement d'un moustique, me chuchotait des mots que moi seul pouvais entendre.

Akio devait avoir pressé son visage contre le mur, de l'autre côté de mon réduit. Il décrivait en détail les tortures infligées à Jo-An par les hommes d'Araï. Il parlait lentement, inlassablement, d'une voix monocorde qui me donnait la chair de poule et me mettait au bord de la nausée. Par moments, il se taisait et, le silence se prolongeant, je croyais être enfin délivré. Puis sa voix s'élevait de nouveau.

Je n'avais pas même la ressource de me boucher les oreilles, je ne pouvais me soustraire à ce supplice. La femme de Kenji avait raison : elle n'aurait pu imaginer un pire châtiment pour moi. Je regrettais par-dessus tout de n'avoir pas tué le malheureux paria lors de notre première rencontre au bord du fleuve. La pitié avait suspendu mon geste, mais les conséquences de cette pitié avaient été funestes. J'aurais pu accorder à Jo-An une mort rapide et clémente. À présent, par ma faute, il subissait mille tourments.

Quand la voix d'Akio se tut enfin pour de bon, j'entendis le pas de Yuki s'approcher. Elle entra chargée d'un bol, d'une paire de ciseaux et d'un rasoir. Elle était suivie de Sadako, la servante, qui avait les bras pleins de vêtements qu'elle posa sur le sol avant de ressortir en silence. Je l'entendis annoncer à Akio que le déjeuner était servi, après quoi il se leva et la suivit dans la cuisine. Des effluves appétissants flottaient dans la maison, mais je n'avais pas faim.

— Il faut que je vous coupe les cheveux, déclara Yuki.

J'étais encore coiffé à la façon des guerriers. À l'époque où j'habitais chez sire Shigeru, mon ancien maître, Ichiro, avait insisté pour que ma coiffure soit sobre, mais elle n'en était pas moins reconnaissable : le front rasé, les cheveux noués en chignon au sommet du crâne. Il y avait des semaines que je n'avais pas rafraîchi ma coupe ni rasé mon visage, qui était du reste encore presque imberbe.

Yuki détacha mes mains et mes jambes, et me fit asseoir en face d'elle.

— Vous n'êtes qu'un imbécile, dit-elle en commençant à couper.

Je ne répondis rien. Je n'étais que trop conscient de ma sottise, mais je savais aussi que je referais sans doute exactement ce que j'avais fait.

— Ma mère était furieuse. Je ne sais pas ce qui l'a étonnée le plus, que vous ayez été capable de l'endormir ou que vous ayez eu une telle audace.

Des mèches de cheveux tombaient autour de moi.

— En même temps, elle était passablement excitée, continua la jeune fille. Elle dit que vous lui rappelez Shintaro quand il avait votre âge.

— Elle le connaissait ?

— Je vais vous confier un secret : elle était folle de lui. Elle aurait voulu l'épouser, mais leur union ne convenait pas à la Tribu de sorte qu'elle s'est rabattue sur mon père. De toute façon, je ne crois pas qu'elle aurait toléré que quiconque exerce sur elle un tel pouvoir. Shintaro était un maître du sommeil des Kikuta : personne ne pouvait lui résister.

Yuki s'échauffait, je ne l'avais encore jamais vue aussi loquace. Je sentais ses mains trembler légèrement contre mon cou tandis que les ciseaux tondaient mon crâne. Je me souvins des commentaires dédaigneux de Kenji sur son épouse, de ses coucheries avec des filles. Comme la plupart des mariages, leur union n'était qu'une alliance arrangée entre deux familles.

— Si elle avait épousé Shintaro, j'aurais été quelqu'un d'autre, dit rêveusement Yuki. Je crois qu'elle n'a jamais cessé de l'aimer, au fond de son cœur.

— C'était pourtant un assassin.

— Ce n'était pas un assassin ! Pas plus que vous...

Quelque chose dans sa voix m'avertit que nous nous aventurions sur un terrain dangereux. Je trouvais Yuki très séduisante. Je savais qu'elle nourrissait à mon égard des sentiments passionnés. Mais je n'éprouvais pas pour elle ce que j'avais senti pour Kaede, et je n'avais pas envie de parler d'amour.

J'essayai de changer de sujet :

— Je croyais que seuls les Kikuta possédaient ce pouvoir d'endormir. Shintaro n'appartenait-il pas à la famille Kuroda ?

— Du côté de son père seulement. Sa mère était Kikuta. Shintaro et votre père étaient cousins.

Je frissonnai en songeant que j'étais apparenté à cet homme dont j'avais causé la perte et à qui tout le monde disait que je ressemblais.

— Que s'est-il passé exactement, la nuit où Shintaro a trouvé la mort ? demanda Yuki avec curiosité.

— J'ai entendu quelqu'un escalader le mur de la maison. Du fait de la chaleur, la fenêtre du premier étage était ouverte. Sire Shigeru le voulait vivant, mais quand il l'a attrapé nous sommes tombés tous les trois dans le jardin. La tête de l'homme a heurté un rocher, mais il nous a semblé qu'il avait également avalé du poison lors de la chute. Quoi qu'il en soit, il est mort sans avoir repris conscience. Votre père a confirmé qu'il s'agissait de Kuroda Shintaro. Plus tard, nous avons appris que les seigneurs Otori, oncles de sire Shigeru, l'avaient engagé pour assassiner leur neveu.

— C'est extraordinaire de penser que vous étiez dans cette maison et que personne ne connaissait votre identité...

Distrait peut-être par les souvenirs de cette nuit, je lui répondis inconsidérément :

— Pas si extraordinaire que cela. En fait, sire Shigeru était à ma recherche le jour où il m'a sauvé à Mino. Il était au courant de mon existence, et savait que mon père avait été un assassin.

J'avais appris ces faits de la bouche du seigneur lui-même, à Tsuwano. Comme je lui demandais si c'était cette raison qui l'avait poussé à me chercher, il m'avait déclaré que c'était la raison principale, mais non la seule. Je n'avais pu découvrir quels autres motifs pouvaient l'avoir animé, et désormais ils me resteraient à jamais inconnus.

Les mains de Yuki s'immobilisèrent.

— Mon père ignorait cette histoire.

— Oui, il devait rester convaincu que sire Shigeru avait obéi à une simple impulsion, que le hasard seul l'avait conduit à sauver ma vie et à me ramener à Hagi.

— Vous ne parlez pas sérieusement ?

Son ton grave éveilla mes soupçons, mais trop tard.

— Qu'est-ce que cela peut faire, à présent ?

— Comment sire Otori avait-il pu découvrir quelque chose dont même la Tribu ne s'était pas doutée ? Que vous a-t-il dit encore ?

— Bien des choses, répondis-je d'une voix impatiente. Lui et Ichiro m'ont appris presque tout ce que je sais.

— Je veux dire au sujet de la Tribu !

Je secouai la tête en faisant semblant de ne pas comprendre.

— Rien du tout. Je ne sais rien de la Tribu en dehors de ce que votre père m'a enseigné et de ce que j'ai moi-même appris ici.

Elle me dévisagea, mais j'évitai son regard.

— Vous avez encore beaucoup à apprendre, dit-elle enfin. Je pourrai vous servir de professeur durant notre voyage.

Elle caressa mes cheveux ras et se leva avec la même agilité que sa mère.

— Mettez ces vêtements. Je vais vous apporter à manger.

— Je n'ai pas faim, marmonnai-je en me penchant pour ramasser les vêtements.

Ils avaient dû être vivement colorés, mais arboraient maintenant des tons brun et orange délavés. Je me demandai qui les avait portés et quelles aventures ils avaient connues sur la route.

— Nous avons plusieurs heures de voyage devant nous, lança-t-elle, et il se peut qu'aucun autre repas ne nous attende aujourd'hui. Quoi que nous vous disions, Akio et moi, vous devez le faire. Si nous vous demandons de faire infuser la crasse de nos ongles et de la boire, vous le ferez. Si nous vous disons de manger, vous mangerez. Et vous ne devez rien faire d'autre. Nous avons appris à obéir de cette manière dès notre enfance. Il est maintenant temps que vous l'appreniez à votre tour.

J'avais envie de lui demander si elle s'était montrée obéissante, à Inuyama, le jour où elle m'avait apporté Jato, le sabre de sire Shigeru, mais il me parut plus sage de me taire. Je revêtis mon accoutrement d'acteur et lorsque Yuki revint avec de la nourriture, je mangeai sans protester.

Elle me regarda en silence. Quand j'eus terminé, elle déclara :

— Le paria est mort.

Ils voulaient que mon cœur s'endurcisse. Je m'abstins de la regarder ou de répliquer.

— Il n'a rien révélé à votre sujet, poursuivit-elle. Je ne savais pas qu'un paria pouvait se montrer aussi courageux. Il n'avait pas de poison pour échapper à ses bourreaux, et pourtant il n'a rien dit.

Je remerciai Jo-An en mon cœur, plein de gratitude pour les Invisibles qui emportent avec eux leurs secrets... où donc ? Au paradis ? Dans une autre vie ? Dans le feu anéantissant, la tombe silencieuse ? J'avais envie de prier pour lui, à la façon des nôtres. Ou d'allumer des bougies et de brûler de l'encens pour lui, comme Ichiro et Chiyo me l'avaient enseigné dans la maison de sire Shigeru, à Hagi. Je pensai à Jo-An s'éloignant seul dans l'obscurité. Que feraient les siens sans lui ?

— Vous arrive-t-il de prier ? demandai-je à Yuki.

— Bien sûr, répondit-elle, étonnée.

— À qui adressez-vous vos prières ?

— À l'Illuminé sous toutes ses formes. À tous les dieux anciens : ceux de la montagne, du fleuve, de la forêt. Ce matin, j'ai porté du riz et des fleurs à l'autel près du pont, afin de demander leur bénédiction pour notre voyage. Je me réjouis que nous partions aujourd'hui, finalement. C'est un bon jour pour voyager, tous les signes sont favorables.

Elle me regarda d'un air pensif, puis secoua la tête.

— Ne posez pas ce genre de questions. Cela vous donne l'air si bizarre. Personne d'autre ne se conduirait ainsi.

— Personne d'autre n'a vécu ma vie.

— Vous appartenez à la Tribu, désormais. Essayez de vous comporter en conséquence.

Elle sortit de sa manche un petit sac qu'elle me tendit.

— Tenez. Akio a dit de vous donner ceci.

Je l'ouvris et vidai son contenu : cinq balles de jongleur, lisses et fermes, bourrées de grains de riz, tombèrent sur le sol. J'avais beau détester jongler, je ne pus m'empêcher de les ramasser et de jouer avec. Je me relevai avec trois balles dans la main droite, deux dans la gauche. Leur contact et mon costume d'acteur avaient déjà fait de moi une autre personne.

— Vous êtes Minoru, dit Yuki. Ces balles vous ont été données par votre père. Akio est votre frère aîné, je suis votre sœur.

— Nous ne nous ressemblons guère, observai-je tout en lançant les balles.

— Nous aurons vite fait d'acquérir un air de famille. Mon père m'a dit que vous étiez capable de modifier vos traits dans une certaine mesure.

— Qu'est-il arrivé à notre père ?

Les balles dessinaient dans l'air leurs figures : le cercle, la fontaine...

— Il est mort.

— Comme c'est commode.

Elle ignora ma réplique et poursuivit :

— Nous nous rendons à Matsue pour la fête d'automne. Notre voyage durera de cinq à six jours, suivant le temps qu'il fera. Les hommes d'Araï sont toujours à vos trousses, mais ici les recherches sont à peu près terminées. Il est déjà parti pour Inuyama. Nous voyageons dans la direction opposée, et la nuit nous trouverons des maisons de confiance où nous abriter. En revanche, la route est imprévisible. Si nous rencontrons des patrouilles, vous devrez prouver votre identité.

Je laissai tomber une des balles et me penchai pour la ramasser.

— Vous n'avez pas le droit de les laisser tomber, lança Yuki. Cela n'arrive à aucun jongleur de votre âge. Mon père a également prétendu que vous aviez des talents d'acteur. Faites attention à ne pas nous mettre en danger.

*

Nous sortîmes par l'arrière de la maison. La femme de Kenji vint nous dire adieu. Elle examina d'un œil critique mes cheveux et mes vêtements.

— J'espère que nous nous reverrons, dit-elle. Mais j'en doute, connaissant votre imprudence.

Je m'inclinai sans répondre. Akio se trouvait déjà dans la cour, avec une charrette à bras semblable à celle où l'on m'avait enfermé à Inuyama. Il me dit de me glisser à l'intérieur et je grimpai au milieu des étais et des costumes. Yuki me tendit mon poignard. Je fus heureux de le revoir et le dissimulai dans mes habits.

Akio souleva les bras de la charrette et entreprit de la pousser. Ballotté dans ma cachette obscure, je traversai la ville dont j'écoutai la rumeur se mêlant aux propos des acteurs. Je reconnus la voix de l'autre fille d'Inuyama, Keiko. Un autre homme nous accompagnait également : j'avais entendu sa voix dans la maison, mais je ne l'avais jamais vu.

Quand nous fûmes suffisamment loin des dernières maisons, Akio s'arrêta, ouvrit l'issue latérale et me dit de sortir. La demie de l'heure de la Chèvre devait avoir sonné et il faisait encore très chaud, malgré l'approche de l'automne. Akio était luisant de sueur. Il avait retiré presque tous ses vêtements, en poussant la charrette, et je fus frappé par sa vigueur physique. Il était plus grand que moi et beaucoup plus musclé. Il alla boire au torrent qui longeait la route et aspergea d'eau son crâne et son visage. Yuki, Keiko et leur compagnon plus âgé s'étaient installés au bord de la chaussée. J'avais peine à les reconnaître tant ils s'étaient glissés à la perfection dans leur rôle d'acteurs menant une existence précaire de ville en ville, subsistant grâce à leur esprit vif et aux talents dont ils étaient doués ou dont ils pouvaient donner l'illusion, sans cesse au bord de la famine ou du crime.

L'homme me sourit en découvrant une bouche édentée. Son visage était maigre, expressif et un rien patibulaire. Keiko m'ignora. Comme Akio, elle portait sur une de ses mains les marques encore mal cicatrisées laissées par mon couteau.

Je respirai avec volupté : malgré la chaleur, le grand air était infiniment préférable au réduit où j'avais été enfermé aussi bien qu'à la charrette suffocante. Derrière nous s'étendait la ville de Yamagata, dont le château blanc se détachait sur les montagnes encore vertes et luxuriantes en dehors de quelques endroits où les feuillages commençaient à jaunir. Les rizières prenaient elles aussi une teinte dorée — l'époque de la moisson approchait. Vers le sud-ouest, j'apercevais le versant escarpé de Terayama, mais les toits du temple étaient invisibles derrière les cèdres. Au-delà, les montagnes se succédaient et leurs silhouettes bleuissant à l'horizon chatoyaient dans la brume de l'après-midi. Je dis adieu en silence à sire Shigeru, malheureux de devoir m'éloigner en rompant mon dernier lien avec lui et avec ma vie parmi les Otori.

Akio me donna une bourrade sur l'épaule.

— Arrête de rêvasser, me lança-t-il en adoptant l'accent d'un va-nu-pieds. C'est à toi de pousser, maintenant.

Lorsque le soir tomba, j'avais définitivement pris la charrette en haine. Elle était aussi lourde que peu maniable, et j'avais les mains couvertes d'ampoules et le dos harassé. Il était déjà pénible de la tirer dans une montée, car ses roues ne cessaient de se prendre dans des ornières d'où nous ne pouvions l'arracher qu'en unissant nos forces, mais la retenir dans les descentes était un cauchemar. J'aurais été ravi de l'abandonner à son sort et de la laisser dévaler dans la forêt. Je ne pouvais m'empêcher de penser avec nostalgie à Raku, mon cheval.

Kazuo, l'homme au visage patibulaire, marchait à mon côté en m'aidant à mettre au point mon accent et en m'apprenant les mots de l'argot des acteurs dont je pourrais avoir besoin. Kenji m'en avait déjà enseigné un certain nombre, appartenant au langage obscur employé par la Tribu en voyage, les autres étaient nouveaux pour moi. J'imitais Kazuo comme j'avais imité Ichiro, à l'époque où il m'initiait à une réalité bien différente de celle-ci, et je m'efforçais de m'identifier à Minoru.

Vers la fin de l'après-midi, alors que la lumière déclinait, nous descendîmes une côte menant à un village. La route s'aplanit et un homme qui rentrait chez lui nous salua.

Je sentais monter une odeur de fumée et de cuisine. Tout autour de moi, j'entendais la rumeur du village au déclin du jour : le bruit de l'eau avec laquelle les fermiers se lavaient, les cris des enfants en train de jouer et de se chamailler, les voix des femmes préparant le dîner en bavardant, le crépitement des feux, le heurt sonore d'une hache sur le bois, la cloche du temple, tout cet univers vivant où j'avais grandi.

Cependant, une autre rumeur me parvint également : le tintement des clochettes d'une bride, le piétinement assourdi d'un cheval.

— Il y a une patrouille devant, dis-je à Kazuo.

Il leva la main pour nous faire signe d'arrêter et avertit Akio d'une voix tranquille :

— Minoru dit qu'il y a une patrouille.

Akio me regarda en plissant les yeux dans la lumière du couchant.

— Vous les avez entendus ?

— J'ai entendu des chevaux. De quoi d'autre pourrait-il s'agir ?

Il acquiesça en haussant les épaules d'un air fataliste.

— Occupez-vous de la charrette.

Pendant que je prenais la place d'Akio, Kazuo entonna une chanson gaillarde. Il avait une voix forte, qui résonna dans le soir paisible. Yuki sortit de la charrette un petit tambour qu'elle lança à Akio. Celui-ci l'attrapa au vol et commença à scander le rythme de la chanson. Pour sa part, Yuki prit un instrument à une corde dont elle joua en marchant à côté de nous. Keiko faisait tournoyer des toupies, semblables à celles qui avaient capté mon attention à Inuyama.

C'est dans cet équipage que nous débouchâmes sur la route où la patrouille avait érigé une barrière de bambou, juste avant les premières maisons du village. Les soldats étaient une dizaine, la plupart occupés à manger assis par terre. Ils arboraient sur leurs vestes l'ours, emblème d'Araï. Les étendards des Seishuu, aux couleurs du soleil couchant, se dressaient sur le talus. À leurs pieds, quatre chevaux broutaient l'herbe.

Une nuée d'enfants traînaient dans les parages, et à notre vue ils se précipitèrent vers nous en criant et en riant. Kazuo interrompit sa chanson pour leur proposer une série de devinettes, puis il cria avec effronterie aux soldats :

— Qu'est-ce qui se passe, les gars ?

Leur commandant sauta sur ses pieds et se dirigea vers nous. Aussitôt, nous nous prosternâmes dans la poussière.

— Levez-vous, ordonna-t-il. D'où venez-vous ?

Il avait un visage carré aux sourcils épais, à la bouche étroite et au menton volontaire. Comme il venait de manger du riz, il passa sa main sur ses lèvres pour les essuyer.

— Nous venons de Yamagata, répondit Akio.

Il donna son tambour à Yuki et tendit au commandant une tablette en bois où étaient inscrits le nom de notre guilde et le certificat des autorités de la ville. L'homme les examina longuement en déchiffrant nos noms à voix haute puis en scrutant nos visages d'un air méfiant. Keiko faisait tournoyer les toupies, et les soldats la regardaient avec une attention qui n'allait pas sans arrière-pensée : à leurs yeux, une actrice était la même chose qu'une prostituée. L'un d'eux lui fit une proposition gouailleuse, qu'elle accueillit en riant.

Adossé à la charrette, j'essuyai mon front en sueur.

— Qu'est-ce qu'il fait, le dénommé Minoru ? demanda le commandant en rendant la tablette à Akio.

— Mon frère cadet ? C'est un jongleur, conformément à la tradition de notre famille.

— Voyons ce dont il est capable, dit l'homme dont les lèvres minces esquissèrent un sourire.

— Allez, petit frère, lança Akio sans un instant d'hésitation. Montre tes talents au seigneur.

J'essuyai mes mains avec mon bandeau avant de le renouer autour de ma tête. En sortant les balles du sac, en sentant dans mes mains leur poids lisse, je devins Minoru. Telle était ma vie, je n'avais jamais rien connu d'autre que la route, l'arrivée dans un nouveau village, les regards hostiles et soupçonneux. J'oubliai ma fatigue, ma migraine et les ampoules de mes mains. J'étais Minoru, et je me livrais à l'occupation qui était la mienne depuis que je savais marcher.

Les balles volaient. Je jonglai d'abord avec quatre, puis cinq balles, et je venais de finir ma seconde fontaine quand Akio me fit signe de la tête. J'envoyai les balles dans sa direction et il les rattrapa avec aisance, en jonglant en même temps avec la tablette en bois. Puis il me les lança, et le bord de la tablette atteignit de plein fouet ma paume couverte de plaies. Furieux contre lui, je me demandai s'il essayait délibérément de dévoiler mon imposture. Allait-il me trahir ? Je perdis le rythme, et balles et tablette tombèrent dans la poussière.

Le sourire s'effaça des lèvres du commandant, qui fit un pas vers moi. À cet instant, je fus pris du désir insensé de me livrer, de me mettre moi-même à la merci d'Araï, afin d'échapper à la Tribu avant qu'il ne soit trop tard.

Akio sembla voler dans ma direction.

— Imbécile ! hurla-t-il en me donnant une taloche. Notre père doit se retourner dans sa tombe !

Dès qu'il leva sa main sur moi, je sus que je ne serais pas démasqué. Il était impensable qu'un acteur puisse frapper un guerrier Otori. Rien ne pouvait mieux que cette gifle me rendre mon identité d'emprunt.

— Pardonnez-moi, grand frère, dis-je en ramassant les balles et la tablette.

Je les fis voltiger jusqu'au moment où le commandant éclata de rire et nous fit signe de passer.

— Venez nous voir ce soir ! cria Keiko aux soldats.

— Tu peux compter sur nous ! répliquèrent-ils.

Kazuo se remit à chanter pendant que Yuki battait du tambour. Je lançai la tablette à Akio et rangeai les balles maculées de sang avant de soulever de nouveau les bras de la charrette. Les soldats écartèrent la barrière et nous nous avançâmes vers le village.

CHAPITRE IV

Le dernier jour de son voyage, Kaede se mit en route par un matin d'automne idéal, au ciel d'un bleu limpide et à l'atmosphère fraîche et transparente comme l'eau d'une source. La brume s'attardant dans les vallées et au-dessus du fleuve argentait les toiles d'araignée et les vrilles de la clématite sauvage. Peu avant midi, cependant, le temps commença à changer. Des nuages venus du nord-ouest envahirent le ciel, et le vent tourna. La lumière sembla s'assombrir prématurément et vers le soir il se mit à pleuvoir.

Les rizières, les potagers et les vergers avaient été sérieusement endommagés par des tempêtes. Les villages paraissaient à moitié déserts, et les paysans regardaient Kaede d'un air morose. Il fallait les menaces des gardes pour qu'ils s'inclinent devant elle, et encore ne s'exécutaient-ils que de mauvaise grâce. Elle ne savait pas s'ils la reconnaissaient ou non. Bien qu'elle n'eût aucune envie de s'attarder parmi eux, elle ne pouvait s'empêcher de se demander comment il se faisait que les dégâts n'aient pas été réparés et que les hommes ne soient pas au travail dans les champs afin de sauver ce qui pouvait l'être de la moisson.

Son cœur paraissait en proie à un trouble contradictoire. Par moments, il semblait s'arrêter, comme glacé par un mauvais pressentiment, et elle se sentait défaillir, puis la peur et l'excitation le faisaient soudain battre à tout rompre. Elle avait à la fois l'impression que les dernières lieues du voyage étaient interminables et que le pas régulier des chevaux les parcourait beaucoup trop vite. Surtout, elle redoutait ce qui l'attendait chez elle.

Elle voyait à tout instant des paysages qu'elle croyait reconnaître, le cœur battant, mais quand ils arrivèrent enfin au mur du jardin et au portail de la demeure de ses parents, cette vision n'éveilla en elle aucun souvenir. Ils devaient s'être trompés d'endroit : la propriété était si petite, il n'y avait même pas de gardes ni de fortifications. Le portail était grand ouvert. Quand Raku le franchit, Kaede ne put retenir un cri de surprise.

Shizuka, qui était déjà descendue de sa monture, leva les yeux vers elle.

— Que se passe-t-il, noble dame ?

— Le jardin ! s'exclama Kaede. Que lui est-il arrivé ?

Les orages avaient laissé partout des traces de leur violence. Un pin déraciné gisait en travers du torrent. Dans sa chute, il avait renversé et écrasé une lanterne de pierre. En un éclair, elle se souvint : la lanterne fraîchement dressée, la lueur de sa flamme dans le soir, peut-être était-ce la fête des Morts car une lampe flottait sur le torrent qui l'emportait, et Kaede sentait sur ses cheveux la main de sa mère.

Elle regarda sans comprendre le jardin dévasté. La tempête n'expliquait pas tout : cela faisait manifestement des mois que personne n'avait entretenu les arbustes et la mousse, nettoyé les bassins ou émondé les arbres. Était-ce là sa demeure, l'un des domaines les plus importants de l'Ouest ? Qu'était-il advenu de l'ancienne puissance des Shirakawa ?

Son cheval baissa la tête et la frotta contre sa jambe de devant. Il hennit d'impatience et de fatigue, supposant que leur halte signifiait qu'on allait le desseller et le nourrir.

— Où sont les gardes ? poursuivit Kaede. Où sont-ils tous passés ?

Le chef de l'escorte, l'homme qu'elle appelait en elle-même Cicatrice, se dirigea à cheval vers la véranda, se pencha en avant et appela :

— Holà ! Il n'y a personne ?

— N'entrez pas, lui cria-t-elle. Attendez-moi. Je veux entrer la première.

Pendant que Bras-Long tenait la bride de Raku, Kaede se laissa tomber dans les bras de Shizuka. La pluie s'était calmée : ce n'était plus qu'une bruine légère, qui emperlait leurs cheveux et leurs vêtements. Le jardin exhalait une odeur rance d'humidité et de pourriture, de terre détrempée et de feuilles mortes. L'image de la maison de son enfance, qu'elle avait gardée au fond de son cœur pendant huit longues années, intacte et lumineuse, s'imposa une dernière fois à Kaede avec une intensité presque insupportable, puis disparut à jamais.

Bras-Long confia le cheval à l'un des soldats à pied et s'avança devant Kaede, après avoir dégainé son sabre. Shizuka leur emboîta le pas.

En enlevant ses sandales, dans la véranda, Kaede eut l'impression que le contact du bois était familier à ses pieds. Mais elle ne reconnut pas l'odeur de la maison : elle pénétrait chez des étrangers.

Une forme bougea soudain à l'intérieur et Bras-Long bondit dans les ténèbres. Une adolescente poussa un cri de frayeur lorsque l'homme l'entraîna dans la véranda.

— Lâche-la, ordonna Kaede d'une voix furieuse. Comment oses-tu la toucher ?

— Il ne fait que vous protéger, murmura Shizuka.

Sans lui prêter attention, Kaede se dirigea vers l'adolescente, s'empara de ses mains et la dévisagea. Elle était presque aussi grande que Kaede, avec un visage empreint de douceur et des yeux marron clair, comme ceux de leur père.

— Aï ? Je suis ta sœur, Kaede. Tu ne te souviens pas de moi ?

L'adolescente la regarda à son tour et ses yeux s'emplirent de larmes.

— Ma sœur ? Est-ce vraiment vous ? Pendant un instant, à contre-jour... j'ai cru que vous étiez notre mère.

Kaede prit sa sœur dans ses bras et sentit qu'elle se mettait elle aussi à pleurer.

— Elle est morte, n'est-ce pas ?

— Cela fait plus de deux mois. Ses derniers mots ont été pour vous. Elle aurait tant aimé vous revoir, mais l'annonce de votre mariage l'a apaisée.

La voix d'Aï se brisa et elle s'arracha à l'étreinte de Kaede.

— Pourquoi êtes-vous venue ici ? Où se trouve votre époux ?

— Vous ne savez donc rien des événements d'Inuyama ?

— Nous avons été accablés par les typhons, cette année. Beaucoup de gens sont morts et la moisson a été gâtée. Nous n'avons reçu presque aucune nouvelle, en dehors des rumeurs de guerre. Après la dernière tempête, une armée a traversé nos terres, mais nous avions peine à comprendre pour quelle cause elle combattait.

— S'agissait-il des troupes d'Araï ?

— C'était des Seishuu, en provenance de Maruyama et des régions plus au nord. Ils voulaient se joindre à sire Araï dans sa lutte contre les Tohan. Père s'est indigné, car il se considérait comme un allié de sire Iida. Il a voulu s'opposer à leur passage et les a rejoints près des Grottes Sacrées. Ils ont tenté de le raisonner, mais il les a attaqués.

— Père les a combattus ? Il est mort ?

— Non. Il a été vaincu, naturellement, et la plupart de ses hommes ont péri, mais il est encore vivant. Il regarde Araï comme un traître doublé d'un parvenu. Après tout, il a prêté serment de fidélité aux Noguchi, lorsque vous avez été envoyée chez eux en otage.

— Les Noguchi ont été renversés. Je ne suis plus un otage, et Araï est mon allié.

L'adolescente ouvrit de grands yeux.

— Je ne comprends pas, murmura-t-elle. Tout cela me dépasse.

Elle parut enfin prendre conscience de la présence de Shizuka et des hommes de l'escorte.

— Pardonnez-moi, vous devez être épuisés, dit-elle d'un air désemparé. Vous avez fait un long voyage, les hommes doivent avoir faim.

Elle fronça les sourcils et son visage prit soudain une expression enfantine.

— Que faire ? chuchota-t-elle. Nous avons si peu à vous offrir.

— Les serviteurs ont donc tous disparu ?

— Je les ai envoyés se cacher dans la forêt, quand nous avons entendu les chevaux. Je pense qu'ils seront de retour avant la tombée de la nuit.

— Shizuka, lança Kaede, va à la cuisine voir ce qu'il en est, et prépare à boire et à manger pour les hommes. Ils peuvent se reposer ici cette nuit. Il est nécessaire qu'au moins dix d'entre eux restent quelque temps avec moi, j'aurai besoin d'eux.

Elle pointa son doigt sur Bras-Long.

— Qu'il se charge de les choisir. Les autres devront retourner à Inuyama. S'ils s'avisent de nuire en quoi que ce soit à mes gens ou à mes biens, ils en répondront sur leur vie.

Shizuka s'inclina.

— Noble dame.

— Je vais vous montrer le chemin, s'empressa Aï. Elle conduisit la servante vers l'arrière de la maison.

— Comment t'appelles-tu ? demanda Kaede à Bras-Long.

Il tomba à genoux devant elle.

— Kondo, noble dame.

— Es-tu un homme d'Araï ?

— Ma mère était issue des Seishuu. Quant à mon père, si je puis vous confier mes secrets, il appartenait à la Tribu. J'ai combattu aux côtés des soldats d'Araï à Kushimoto, et j'ai été invité à entrer à son service.

Elle le regarda. Il n'était plus tout jeune, ses cheveux grisonnaient et la peau de son cou était fripée. Elle se demanda quel avait été son passé, quel travail il avait accompli pour la Tribu, dans quelle mesure elle pouvait lui faire confiance. Mais elle avait besoin d'un homme pour s'occuper des hommes et des chevaux et défendre la maison. Kondo avait sauvé Shizuka, il était craint et respecté par les autres soldats de l'escorte, de plus ses qualités de combattant pourraient se révéler précieuses pour elle.

— Ton aide me serait fort utile dans les semaines à venir, déclara-t-elle. Puis-je compter sur toi ?

Il leva les yeux sur elle. La nuit était tombée, de sorte qu'elle ne pouvait distinguer son expression. Ses dents blanches brillèrent quand il sourit, et il se mit à parler d'une voix qui semblait sincère, et même empreinte de dévotion.

— Dame Otori peut compter sur moi aussi longtemps qu'elle aura besoin de moi.

— Alors prête-moi serment.

Elle se sentit rougir en feignant ainsi une autorité qu'elle n'était pas certaine de posséder. Les rides autour des yeux de l'homme se plissèrent un instant, puis il inclina son front contre la natte et lui jura fidélité, ainsi qu'à sa famille. Malgré tout, elle crut déceler une note ironique dans sa voix. «Les membres de la Tribu ne font rien sans arrière-pensée, se dit-elle avec un frisson. Et ils ne rendent de comptes qu'à eux-mêmes.»

— Choisis-moi dix hommes de confiance, lança-t-elle. Et regarde quelle quantité de fourrage il y a pour les chevaux, et s'ils sont suffisamment à l'abri dans les écuries.

— Dame Otori, murmura-t-il d'un ton qu'elle trouva de nouveau non dénué d'ironie.

Elle se demanda ce qu'il savait, dans quelle mesure Shizuka l'avait mis au courant.

Quelques instants plus tard, Aï revint et prit Kaede par la main en disant d'une voix tranquille :

— Dois-je avertir Père ?

— Où est-il ? Comment se porte-t-il ? A-t-il été blessé ?

— Il a reçu une légère blessure. Mais ce n'est pas cela... La mort de notre mère, la perte de tant d'hommes... Parfois, il semble que son esprit aille à la dérive, on croirait qu'il ne sait plus où il se trouve. Il parle à des fantômes, à des apparitions.

— Pourquoi n'a-t-il pas mis fin à ses jours ?

— Quand on l'a ramené ici, il en a exprimé le désir.

La voix d'Aï se brisa et elle continua en pleurant :

— Je l'en ai empêché. J'étais si désemparée. Hana et moi nous sommes agrippées à lui en le suppliant de ne pas nous abandonner. J'ai éloigné ses armes.

Elle tourna vers Kaede son visage baigné de larmes.

— C'est entièrement ma faute. J'aurais dû me montrer plus courageuse. J'aurais dû l'aider à mourir puis me tuer ainsi que Hana, comme il convient à une fille de guerrier. Mais je n'ai pas pu. Il m'était impossible aussi bien de tuer Hana que de la laisser seule. C'est ainsi que nous vivons dans la honte, et que Père finit par en perdre la raison.

« J'aurais dû moi-même mettre fin à mes jours, songea Kaede, dès que j'eus appris que sire Shigeru avait été trahi. Mais je ne l'ai pas fait. J'ai préféré tuer sire Iida. » Elle caressa la joue d'Aï, sentit les larmes humides sous ses doigts.

— Pardonnez-moi, chuchota Aï. J'ai été si faible.

— Pas du tout, répliqua Kaede. Pourquoi aurait-il fallu que tu meures ?

Sa sœur n'avait que treize ans, elle n'avait commis aucun crime.

— Pourquoi choisir la mort ? poursuivit-elle. Nous allons vivre, plutôt. Où se trouve Hana ?

— Je l'ai envoyée dans la forêt avec les femmes.

Kaede n'avait que rarement éprouvé de la compassion, dans le passé. Elle s'éveillait maintenant en son cœur, aussi douloureuse que le chagrin. Kaede se souvint que la Déesse Blanche était venue à elle. La Miséricordieuse l'avait consolée, lui avait promis que Takeo reviendrait. Mais cette promesse de la déesse allait de pair avec les exigences de la compassion. Elle impliquait que Kaede prendrait soin de ses sœurs, de ses gens, de son enfant à naître. La jeune fille entendit dehors Kondo donner des ordres, auxquels les hommes répondaient par des cris. Un cheval hennit, un autre lui répondit. La pluie tombait plus fort, répétant un motif rythmique qui semblait familier à Kaede.

— Il faut que j'aille voir Père, dit-elle. Ensuite, nous devrons servir un repas aux hommes. Ne pourrions-nous pas nous faire aider par les villageois ?

— Peu avant la mort de Mère, les fermiers ont envoyé une délégation. Ils se plaignaient de l'impôt sur le riz, de l'état auquel étaient réduits les levées et les champs, de la moisson perdue... Père était furieux. Il refusa même de leur parler. Ayame les persuada de nous laisser tranquilles, car Mère était malade. Depuis lors, le désordre s'est installé. Les villageois ont peur de Père, ils prétendent qu'il est victime d'un mauvais sort.

— Et nos voisins ?

— Il y a sire Fujiwara. Il lui arrivait de rendre visite à Père.

— Je ne me souviens pas de lui. Quel genre d'homme est-ce ?

— Il est bizarre. Plutôt froid et élégant. On raconte qu'il est d'une naissance illustre, qu'il a vécu dans la capitale.

— À Inuyama ?

— Non, dans la vraie capitale, celle où réside l'Empereur.

— C'est donc un aristocrate ?

— J'imagine que oui. Il ne parle pas comme les gens d'ici, au point que j'ai du mal à le comprendre. Il est très érudit, apparemment. Père aimait avoir avec lui des conversations sur l'histoire et les classiques.

— Eh bien, si jamais il revient voir Père, je lui demanderai conseil.

Kaede resta un instant silencieuse. Les membres endoloris, le ventre lourd, elle luttait contre l'épuisement. Elle n'aspirait qu'à se coucher pour dormir. En même temps, une voix en elle lui reprochait de n'avoir pas assez de chagrin. Elle était pourtant profondément affligée par la mort de sa mère et l'humiliation de son père, mais il n'y avait plus de place dans son âme pour un surcroît de peine, l'énergie lui faisait défaut pour souffrir davantage.

Elle jeta un coup d'œil circulaire sur la pièce. Même dans la pénombre, elle vit que les nattes étaient vieilles, les murs tachés d'humidité, les écrans déchirés. Aï suivit son regard.

— Je suis honteuse, murmura-t-elle. Il y avait tant à faire, et mon ignorance est si grande.

— Il me semble presque me rappeler l'aspect qu'avait cette pièce. Elle possédait un éclat particulier.

— C'était l'œuvre de Mère, dit Aï en étouffant un sanglot.

— Nous lui rendrons son ancienne splendeur, promit Kaede.

Quelqu'un se mit soudain à chanter dans la cuisine. Kaede reconnut la voix de Shizuka et la chanson qu'elle avait entonnée la première fois qu'elle l'avait vue, cette ballade sur un amour dans un village au milieu d'une forêt de pins.

«Comment a-t-elle le courage de chanter maintenant?» pensa-t-elle. À cet instant, Shizuka entra d'un pas vif dans la pièce en portant une lampe dans chaque main.

— J'ai trouvé ces lampes dans la cuisine, annonça-t-elle. Par chance, le feu était encore allumé. Le riz et l'orge sont en train de cuire. Kondo a envoyé des hommes au village pour acheter tout ce qu'ils trouveront. Et les femmes de la maisonnée sont de retour.

— Notre sœur doit être avec elles, dit Aï en poussant un soupir de soulagement.

— Oui, elle est arrivée les bras chargés d'herbes et de champignons avec lesquels elle tient absolument à préparer un plat.

Aï rougit de plus belle.

— Elle est devenue une vraie sauvageonne... commença-t-elle à expliquer.

— Je veux la voir, l'interrompit Kaede. Ensuite, tu me mèneras auprès de Père.

Aï sortit, et Kaede entendit des éclats de voix dans la cuisine. Quelques instants plus tard, Aï revint en compagnie d'une petite fille d'environ neuf ans.

— Voici Kaede, notre sœur aînée, déclara-t-elle à Hana. Elle nous a quittés alors que tu étais encore toute petite. Tu vas me faire le plaisir de la saluer comme il convient.

— Bienvenue à la maison, chuchota Hana en s'agenouillant et en s'inclinant en direction de Kaede.

Celle-ci se mit à son tour à genoux, lui prit les mains et leva son visage afin de l'examiner.

— J'étais plus jeune que toi quand j'ai quitté cette maison, dit-elle en observant ses yeux magnifiques et son ossature se dessinant avec une harmonie parfaite sous sa rondeur enfantine.

— Elle vous ressemble, noble dame, remarqua Shizuka.

— J'espère qu'elle sera plus heureuse que moi, répliqua Kaede en attirant la petite fille contre elle et en la serrant dans ses bras.

Elle sentit trembler le corps frêle et se rendit compte que l'enfant s'était mise à pleurer.

— Mère ! Je veux voir Mère !

Les yeux de Kaede s'emplirent à leur tour de larmes.

— Chut, petite sœur ! Ne pleure pas, dit Aï en essayant de la calmer.

Elle se tourna vers Kaede.

— Je suis désolée, elle n'a pas encore surmonté son chagrin. On ne lui a pas encore appris à se comporter correctement.

« Elle apprendra, pensa Kaede, elle fera comme moi. Elle saura qu'il faut dissimuler ses sentiments, accepter que la vie se compose de pertes et de souffrances. Elle pleurera en cachette, si jamais elle pleure encore. »

— Viens, dit Shizuka en prenant Hana par la main. Montre-moi comment préparer les champignons. Je ne connais pas ces espèces locales.

Elle regarda Kaede par-dessus la tête de l'enfant, en lui adressant un sourire plein de chaleur et de gaîté.

— Votre suivante est merveilleuse, dit Aï quand elles furent sorties. Depuis combien de temps est-elle à votre service ?

— Depuis quelques mois. Elle m'a été donnée juste avant mon départ du château de Noguchi.

Les deux sœurs restèrent agenouillées sur les nattes, ne sachant que se dire. La pluie tombait maintenant à verse, comme si une nuée de flèches s'abattait sur la maison. Il faisait presque nuit. « Je ne peux pas dire à Aï que c'est sire Araï lui-même qui m'a envoyé Shizuka, songea Kaede, ni que son arrivée faisait partie du complot visant à renverser Iida. En fait, je ne peux rien lui dire. Elle est si jeune, elle n'a jamais quitté Shirakawa et ignore tout du monde. »

— Je crois que nous devrions aller voir Père, dit-elle.

À cet instant, cependant, elle entendit sa voix appelant à grands cris du fond de la maison :

— Aï ! Ayame !

Ses pas se rapprochèrent. Il se plaignait tout bas :

— Elles sont toutes parties, elles m'ont abandonné, ces indignes !

Il entra dans la pièce et s'arrêta net en voyant Kaede.

— Qui est-ce ? Nous avons des visiteurs ? Qui s'est aventuré dans la pluie à cette heure de la nuit ?

Aï se leva et s'avança vers lui.

— C'est Kaede, votre fille aînée. Elle est de retour, saine et sauve.

— Kaede ?

Il fit un pas dans sa direction. Sans se relever, elle s'inclina profondément, en touchant le sol de son front.

Aï aida son père à s'agenouiller en face de la jeune fille.

— Assieds-toi, assieds-toi, dit-il d'un ton impatient. Montrons-nous l'un à l'autre le pire visage qu'il puisse imaginer.

— Père ? s'étonna-t-elle en levant la tête.

— Je suis un homme déshonoré. J'aurais dû mourir, mais je ne l'ai pas fait. Je suis vide, désormais, je ne vis plus qu'à moitié. Regarde-moi, ma fille.

Effectivement, il avait horriblement changé. Lui qui avait toujours été l'image de la maîtrise et de la dignité, il n'était plus que l'ombre de lui-même. De sa tempe à son oreille gauche courait une balafre mal cicatrisée, autour de laquelle les cheveux avaient été coupés. Ses pieds étaient nus, sa robe tachée, son menton sali par une barbe de plusieurs jours.

— Que vous est-il arrivé ? demanda-t-elle en s'efforçant de bannir toute colère de sa voix.

Elle qui était venue chercher un refuge, pleine de nostalgie pour le foyer de son enfance dont elle avait pleuré la perte pendant huit longues années, elle le retrouvait presque entièrement détruit.

111

— Quelle importance ? dit son père avec lassitude. Tout est perdu, la ruine est consommée. Ton retour est le coup de grâce. Qu'est-il advenu de ton mariage avec sire Otori ? Ne me dis pas qu'il est mort.

— Je n'y suis pour rien, répliqua-t-elle avec amertume. Iida l'a assassiné.

Ses lèvres se serrèrent et il pâlit.

— Nous n'avons eu aucune nouvelle, par ici.

— Iida est mort, lui aussi. L'armée d'Araï s'est emparée d'Inuyama et les Tohan ont été renversés.

En entendant le nom d'Araï, il ne put cacher son trouble.

— Ce traître, marmonna-t-il en scrutant l'obscurité comme si elle grouillait de fantômes. Il a donc vaincu Iida ?

Après un silence, il reprit :

— Il semble que je me retrouve de nouveau du côté des perdants. Ma famille doit être victime d'un mauvais sort. Pour la première fois, je me réjouis de n'avoir pas de fils. Sans héritier, Shirakawa peut disparaître, et nul n'en aura le moindre regret.

— Vous avez trois filles ! s'exclama Kaede soudain furieuse.

— Et l'aînée est elle aussi en proie au mauvais sort, puisqu'elle apporte la mort à tous les hommes qui l'approchent.

— Iida a fait tuer sire Otori ! Il avait tramé ce meurtre depuis le début. Mon mariage n'était qu'un moyen de l'attirer à Inuyama afin qu'il soit à la merci d'Iida.

La pluie battante tambourinait sur les toits, tombait en cascade du haut des auvents. Shizuka entra en silence avec des lampes supplémentaires qu'elle disposa sur le sol avant de s'agenouiller derrière sa maîtresse. « Il faut que je me maîtrise, se dit Kaede. Je ne dois pas tout lui raconter. »

Il la fixait d'un air désorienté.

— Es-tu mariée ou non, au bout du compte ?

Son cœur battait à tout rompre : elle n'avait encore jamais menti à son père. Incapable d'articuler un mot, elle se détourna comme si le chagrin la submergeait.

— Puis-je parler, sire Shirakawa ? chuchota Shizuka.

— Qui est-ce ? demanda-t-il à Kaede.

— C'est ma suivante. Elle est entrée à mon service au château de Noguchi.

Il fit un signe de tête approbateur et se tourna vers Shizuka.

— Qu'as-tu à dire ?

— Dame Shirakawa et sire Otori se sont mariés en secret à Terayama, répondit-elle à voix basse. Votre parente était témoin, mais elle a péri elle aussi à Inuyama, de même que sa fille.

— Maruyama Naomi est morte ? Tout va de mal en pis. Le domaine va tomber aux mains de la famille de sa belle-fille, maintenant. Nous pourrions aussi bien leur céder également Shirakawa.

— Je suis son héritière, lança Kaede. Elle m'a légué tous ses biens.

Il se mit à rire sans gaîté.

— Voilà des années qu'ils revendiquent ce domaine. Le mari est un cousin d'Iida et bénéficie de nombreux appuis aussi bien chez les Tohan que chez les Seishuu. Tu perds la tête si tu t'imagines qu'ils te laisseront en hériter.

Kaede sentit plus qu'elle n'entendit Shizuka s'agiter légèrement dans son dos. Son père n'était que le premier de cette armée d'hommes qui ligueraient contre elle tout un clan et peut-être même l'ensemble des Trois Pays afin de l'empêcher de parvenir à ses fins.

— Peu importe, j'ai l'intention de faire valoir mes droits.

— Tu devras te battre, dit-il d'un ton dédaigneux.

— Eh bien, je me battrai.

La scène lui parut soudain irréelle : leurs silhouettes assises dans la pénombre, devant le jardin trempé de pluie...

— Il nous reste peu d'hommes, observa-t-il avec amertume. Crois-tu que les Otori feront un geste en ta faveur ? J'imagine que tu vas te remarier. Ont-ils proposé un parti possible ?

— Il est trop tôt pour y penser, je suis encore en deuil.

Elle prit une inspiration si profonde qu'il lui sembla qu'il ne pouvait pas ne pas l'entendre.

— Je crois que je suis enceinte.

Ses yeux se fixèrent de nouveau sur elle, scrutateurs, dans l'obscurité.

— Tu attends un enfant de Shigeru ?

Elle n'osa répondre et se contenta de s'incliner en signe d'assentiment.

— Eh bien, voilà qui mérite d'être célébré ! s'exclama-t-il soudain avec une gaîté déplacée. Il a encore fallu qu'un homme meure, mais sa progéniture est vivante. Quelle réussite singulière !

Jusqu'alors ils avaient parlé à voix basse, mais il se mit à crier d'une voix étonnamment forte :

— Ayame !

Kaede ne put s'empêcher de sursauter. Elle se rendit compte de l'affaiblissement de son esprit oscillant entre la lucidité et la confusion. Elle était terrifiée, mais elle s'efforça d'oublier sa peur. Qu'il la croie pour le moment, il serait temps plus tard d'affronter les problèmes.

La servante qu'il avait appelée, Ayame, entra et s'agenouilla devant Kaede.

— Soyez la bienvenue, noble dame. Pardonnez-nous la tristesse de votre retour.

Kaede se leva, prit ses mains et la força à se lever. Elles s'embrassèrent. Ce personnage qui paraissait si solide et indomptable à ses yeux de petite fille n'était plus qu'une femme d'un certain âge. Il lui sembla pourtant se rappeler son parfum, qui réveilla soudain en elle des souvenirs de son enfance.

— Va chercher du vin, ordonna le père de Kaede. Je veux boire en l'honneur de l'enfant de ma fille.

Kaede frissonna, épouvantée, comme si en donnant à l'enfant une fausse identité elle avait faussé sa vie tout entière.

— C'est si récent, murmura-t-elle, attendez encore avant de fêter cet événement.

— Kaede! s'écria Ayame en l'appelant par son prénom comme si elle était une enfant. Ne parlez pas ainsi, vous tentez le sort.

— Apporte du vin, insista son père bruyamment. Et ferme les volets. Pourquoi restons-nous assis comme cela dans le froid?

Tandis qu'Ayame se dirigeait vers la véranda, ils entendirent un bruit de pas et la voix de Kondo appelant :

— Dame Otori!

Shizuka le rejoignit à la porte pour lui parler.

— Dis-lui de venir, commanda Kaede.

Kondo s'avança sur le parquet et tomba à genoux à l'entrée de la pièce. Kaede le vit embrasser les lieux d'un regard et comprit qu'il avait enregistré en un instant le plan de la maison et évalué le nombre de ses habitants. Il choisit de s'adresser à elle, non à son père.

— J'ai pu me procurer des vivres au village. J'ai également sélectionné les hommes que vous aviez demandés. Un jeune homme nommé Amano Tenzo s'est présenté pour s'occuper des chevaux. Maintenant, je vais faire en sorte que les hommes dînent, après quoi je placerai des gardes pour la nuit.

— Merci. Nous nous parlerons demain matin.

Il s'inclina derechef et sortit en silence.

— Qui est ce garçon? demanda le père de Kaede. De quel droit s'abstient-il de solliciter mon opinion ou ma permission?

— Il est à mon service, répliqua-t-elle.

— S'il fait partie des hommes d'Araï, je m'oppose catégoriquement à sa présence dans cette maison.

— J'ai dit qu'il était à mon service, répéta-t-elle à bout de patience. Nous sommes alliés à sire Araï, désormais. Il est le maître de la plus grande partie des Trois Pays, c'est lui notre suzerain. Il faut vous faire à cette idée, Père. Maintenant qu'Iida est mort, tout a changé.

— Cela donne-t-il le droit à une fille de parler de la sorte à son père?

— Ayame, ramène mon père dans sa chambre. Il y prendra son repas ce soir.

Le vieil homme commença à protester. Pour la première fois de sa vie, elle éleva la voix en lui parlant:

— Je suis fatiguée, Père. Nous reprendrons demain cette conversation.

Ayame lui jeta un regard qu'elle ignora délibérément.

— Fais ce que j'ai dit, lança-t-elle sèchement.

Après un instant d'hésitation, la servante vieillissante obéit et emmena le père de Kaede.

— Il faut que vous mangiez, noble dame, dit Shizuka. Asseyez-vous, je vais vous apporter une collation.

— Assure-toi que tout le monde ait de quoi souper. Et ferme les volets, maintenant.

Plus tard, elle resta allongée dans la nuit à écouter la pluie. Ses gens étaient à l'abri, chacun avait soupé tant bien que mal, et ils étaient en sécurité si l'on pouvait se fier à Kondo. Elle repassa dans son esprit les événements de la journée et songea aux problèmes qui l'attendaient : son père, Hana, le domaine de Shirakawa à l'abandon, celui de Maruyama en proie aux convoitises. Comment allait-elle faire pour réclamer et conserver ce qui lui appartenait ?

« Si seulement j'étais un homme, pensa-t-elle. Comme tout serait facile. Si j'étais le fils de Père, que ne ferait-il pas pour moi ? »

Elle savait qu'elle était aussi impitoyable qu'un homme. Quand elle avait poignardé le garde, alors qu'elle était encore retenue en otage au château de Noguchi, elle avait agi sans réfléchir. Mais elle avait tué Iida délibérément, et elle était prête à tuer de nouveau plutôt que de permettre à un homme de l'asservir. Ses pensées se tournèrent vers dame Maruyama. « J'aurais aimé mieux vous connaître et être en mesure d'apprendre davantage de vous. Je regrette le chagrin que je vous ai causé. Si seulement nous avions pu parler librement... » Il lui sembla revoir le beau visage de la dame lui disant qu'elle lui confiait son domaine et ses sujets, et lui demandant d'en prendre soin.

« Comptez sur moi, promit-elle, j'apprendrai comment faire. » L'insuffisance de son éducation la déprimait, mais elle pourrait y remédier. Elle résolut de s'initier à l'art d'administrer un domaine, de parler aux fermiers, d'entraîner des soldats et de livrer des batailles, tout ce qu'on aurait enseigné à un fils dès sa naissance. « Il faudra que Père me serve de professeur. Je vais lui donner l'occasion de penser à autre chose qu'à sa propre personne. »

Elle se sentit agitée d'une émotion confuse. La crainte ou la honte, peut-être, ou les deux à la fois. Quelle métamorphose était à l'œuvre en elle ? Était-elle un monstre ? Une créature maudite, ensorcelée ? Elle était certaine qu'aucune femme avant elle n'avait conçu de telles pensées, à l'exception de dame Maruyama. S'accrochant à la promesse faite à sa parente comme si c'était sa planche de salut, elle s'endormit enfin.

Le lendemain matin, elle prit congé des hommes d'Araï en les pressant de ne pas retarder leur départ. Ils ne demandaient du reste qu'à s'en aller, dans leur impatience de retrouver les champs de bataille de l'Est avant l'hiver. Kaede n'était pas moins désireuse de se débarrasser d'eux, car elle craignait de n'avoir même pas de quoi leur offrir un second souper. Dès qu'ils furent partis, elle organisa le travail des servantes afin de nettoyer la maison et de réparer les dégâts subis par le jardin. Accablée de honte, Ayame lui avoua qu'ils n'avaient pas les moyens de payer des ouvriers. La plupart des objets précieux et tout l'argent des Shirakawa avaient disparu.

— Dans ce cas, nous devrons nous débrouiller par nos propres moyens, dit Kaede.

Quand le travail fut bien engagé, elle se rendit aux écuries avec Kondo. Un jeune homme l'accueillit avec un air déférent qui ne parvenait pas à dissimuler la joie qu'il éprouvait à la voir. C'était Amano Tenzo, qui avait accompagné le père de Kaede au château de Noguchi et qu'elle connaissait depuis son enfance. Il devait avoir maintenant une vingtaine d'années.

— C'est une bête superbe, lança-t-il en faisant avancer Raku pour le seller.

— Il m'a été offert par le fils de sire Otori, dit-elle en caressant l'encolure du cheval.

Radieux, Amano s'exclama :

— Les destriers des Otori sont célèbres pour leur vigueur et leur intelligence. On raconte qu'ils paissent dans les prairies inondées et qu'ils sont engendrés par l'esprit du fleuve. Si vous le permettez, nous l'accouplerons à nos juments de façon à élever ses poulains l'an prochain.

Elle fut contente qu'il lui parle de tels sujets, et sur un ton aussi direct. Les écuries étaient en meilleur état que le reste du domaine. Elles étaient propres et bien entretenues même si, en dehors de Raku, de l'étalon alezan d'Amano et des quatre chevaux appartenant à Kondo et à ses hommes, elles n'abritaient que trois vieux destriers dont l'un boitait de surcroît. Des crânes de chevaux étaient fixés à l'avant-toit et le vent soufflait en gémissant dans leurs orbites creuses. Elle savait qu'ils étaient censés protéger et calmer les animaux de l'écurie, mais pour l'heure les morts l'emportaient en nombre sur les vivants.

— Oui, il faut que nous ayons plus de chevaux, dit-elle. Combien de juments possédons-nous ?

— Pour l'instant, seulement deux ou trois.

— Serait-il possible de s'en procurer davantage avant l'hiver ?

Il s'assombrit.

— La guerre, la famine... Cette année a été désastreuse pour Shirakawa.

— Je veux que tu me montres toute l'étendue des dégâts. Viens faire le tour du domaine avec moi.

Raku gardait la tête dressée, les oreilles tendues, comme s'il regardait et écoutait quelque chose. Quand elle approcha, il hennit doucement mais continua de fixer l'horizon.

— Il regrette quelqu'un, dit Amano. Son maître, je suppose. Mais ne vous inquiétez pas : une fois habitué à nous, il s'en remettra.

Elle flatta l'encolure gris pâle du cheval. « Moi aussi, il me manque, lui dit-elle en silence. Serons-nous capables de nous en remettre, toi et moi ? » Elle sentit se resserrer le lien l'unissant au petit destrier.

Chaque matin, elle explorait à cheval le domaine en compagnie de Kondo et d'Amano. Quelques jours après son arrivée, un vieil homme se présenta à la porte. Il fut accueilli par les servantes avec des larmes de joie. C'était Shoji Kiyoshi, le plus ancien serviteur de son père, qui avait été blessé et dont on craignait qu'il n'eût succombé. Il connaissait à fond la propriété, les villages et les fermiers, et Kaede eut vite fait de se rendre compte qu'il pouvait lui apprendre une grande partie de ce qu'elle avait besoin de savoir. Au début, il répondait sans grand sérieux, car il trouvait étrange et même un peu risible de voir une jeune fille s'intéresser à de telles matières. Il fut surpris par sa vivacité d'esprit et sa mémoire, cependant, au point de commencer à discuter des problèmes avec elle. Même s'il lui semblait toujours qu'au fond il la désapprouvait, elle avait le sentiment qu'elle pouvait se fier à lui.

Son père ne s'intéressait que médiocrement à l'administration quotidienne du domaine. Bien qu'une telle pensée lui parût déloyale, Kaede le soupçonnait de s'être montré négligent, voire injuste. Il passait ses journées à lire et à écrire dans ses appartements. Elle lui rendait visite chaque soir, et restait assise patiemment en le regardant. Il contemplait le jardin pendant des heures, sans dire mot, tandis qu'Ayame et les servantes s'y affairaient infatigablement. Par moments, il marmottait dans sa barbe des plaintes sur son destin malheureux.

Elle lui demandait de lui servir de professeur, en le suppliant de la traiter comme un fils, mais il refusait de la prendre au sérieux.

— Il convient qu'une épouse soit obéissante. Et belle, si possible. Les hommes ne veulent pas d'une femme qui pense, ils sont là pour ça.

— Mais ainsi, ils auraient toujours quelqu'un à qui parler, plaidait-elle.

— Les hommes ne parlent pas à leurs femmes, ils parlent entre eux, rétorquait-il. Du reste, tu n'as pas d'époux. Tu ferais mieux de te remarier au lieu de perdre ton temps.

— Je n'épouserai jamais personne. C'est pourquoi il faut que j'apprenne. J'aurai à faire moi-même tout ce qu'un mari ferait pour moi.

— Bien sûr que tu te marieras, répliquait-il sèchement. On arrangera une union convenable.

Cependant, au grand soulagement de Kaede, il n'entreprit rien dans ce sens.

Elle continua à passer un moment avec lui chaque jour. Agenouillée près de lui, elle le regardait préparer la pierre à encre et les pinceaux, ne perdait pas un geste de sa main traçant les caractères. Elle avait appris l'écriture fluide réservée aux femmes, mais son père écrivait dans la langue des hommes, aux caractères aussi solides et impénétrables que les barreaux d'une prison.

Elle l'observa avec patience, jusqu'au jour où il lui tendit le pinceau en lui disant d'écrire les caractères pour homme, femme et enfant.

Étant gauchère, elle prit le pinceau dans la main gauche, mais en le voyant froncer les sourcils elle se hâta de changer de main. Comme toujours, se servir de sa main droite impliquait pour elle un effort supplémentaire. Elle écrivit hardiment, en imitant les mouvements du bras de son père. Il contempla longuement le résultat.

— Tu écris comme un homme, finit-il par dire.

— Faites comme si j'en étais un.

Elle sentit son regard peser sur elle et leva les yeux à son tour. Il la fixait comme si elle était une inconnue pour lui, qui l'inquiétait et le fascinait à la fois, comme une sorte d'animal exotique.

— Il serait intéressant de voir si une fille peut s'instruire, concéda-t-il. De toute façon, je n'ai pas de fils et je n'en aurai jamais, maintenant.

Sa voix se brisa et ses yeux se perdirent dans les lointains du jardin sans le voir. Ce fut la seule fois qu'il fit une allusion, même discrète, à la mort de la mère de Kaede.

À partir de ce jour, son père lui enseigna tout ce qu'elle aurait appris depuis longtemps si elle avait été un garçon. Ayame ne cacha pas sa désapprobation, que partageaient la plupart des servantes et des serviteurs, notamment Shoji, mais Kaede les ignora. Elle apprenait rapidement, même si une bonne part de ce qu'elle découvrait lui semblait désespérant.

— Tout ce que Père m'enseigne, c'est pourquoi les hommes gouvernent le monde, se plaignit-elle à Shizuka. Chaque texte, chaque loi explique et justifie leur domination.

— C'est dans l'ordre des choses, répliqua Shizuka.

Elles conversaient en chuchotant dans la nuit, couchées côte à côte. Aï, Hana et les autres femmes étaient endormies dans la chambre voisine. Le silence régnait, il faisait froid.

— Tout le monde n'est pas de cet avis. Peut-être existe-t-il des pays où l'on pense différemment. Même ici, certains osent professer une autre opinion. Dame Maruyama, par exemple...

Kaede baissa encore davantage la voix pour ajouter :

— Les Invisibles...

— Que savez-vous des Invisibles ? dit Shizuka en riant doucement.

— Tu m'en as parlé, il y a longtemps, lors de nos premières conversations chez les Noguchi. Tu m'as raconté qu'ils croyaient que leur dieu avait créé tous les hommes égaux. Je me souviens d'avoir pensé que tu devais être folle, et eux encore plus. Mais maintenant que j'ai appris que même l'Illuminé médit des femmes — ou, du moins, c'est ce que font ses prêtres et ses moines —, j'en viens à me demander pourquoi il devrait en être ainsi.

— Qu'espérez-vous ? rétorqua Shizuka. Ce sont les hommes qui écrivent les chroniques historiques et les textes sacrés. Même la poésie leur est réservée de nos jours. Vous ne pouvez changer l'ordre du monde. Il faut que vous appreniez à en tirer le meilleur parti possible.

— Il existe des femmes écrivains. Je me rappelle avoir entendu leurs dits au château de Noguchi. Mais Père prétend que je ne devrais pas les lire, qu'ils corrompraient mon esprit.

Par moments, il lui semblait que son père ne choisissait les ouvrages qu'il lui donnait à lire que pour leurs jugements sévères sur les femmes. Puis elle se disait qu'il n'en existait peut-être pas d'autres. Elle avait une aversion particulière pour Kung Fu Tzu, que son père admirait immensément. Un après-midi, alors qu'elle écrivait les pensées du sage sous la dictée de son père, un visiteur se présenta.

Le temps avait changé pendant la nuit et un froid moite s'était installé. Dans les vallées, la fumée des feux de bois se mêlait aux nappes de brouillard. Les derniers chrysanthèmes du jardin inclinaient leurs têtes lourdes d'humidité. Les femmes avaient passé les semaines précédentes à préparer les tenues d'hiver, et Kaede appréciait la chaleur des vêtements ouatés qu'elle portait désormais sous ses robes. À force de rester assise en lisant et en écrivant, elle avait froid aux mains et aux pieds. Il faudrait bientôt songer à se pourvoir de braseros... Elle redoutait l'approche de l'hiver, qui les trouverait encore si démunis.

Ayame accourut à la porte et lança d'une voix agitée :

— Sire Fujiwara est ici, seigneur.

Kaede reposa son pinceau et se leva en murmurant :

— Je vous laisse.

— Non, reste. Il sera amusé de te voir. Je suis sûr qu'il n'est venu que pour entendre quelles nouvelles tu as pu rapporter de l'Est.

Son père sortit de la pièce pour accueillir son invité. Il se retourna et fit signe à Kaede de l'imiter avant de tomber à genoux.

La cour était remplie de cavaliers et d'autres serviteurs de la suite du seigneur. Sire Fujiwara était en train de descendre d'un palanquin qu'on avait déposé près de l'énorme rocher plat transporté jadis dans le jardin à cette seule fin — Kaede se rappelait encore cet épisode de son enfance. Elle eut un instant d'étonnement à l'idée que quelqu'un puisse choisir volontairement de voyager en palanquin, et espéra non sans mauvaise conscience que les hommes de l'escorte avaient apporté de quoi se nourrir. Puis elle s'agenouilla tandis que l'aristocrate quittait ses sandales pour pénétrer dans la maison.

Avant de baisser les yeux, elle s'arrangea pour jeter un coup d'œil sur lui. Il était grand et mince, avec un visage blanc semblable à un masque et doté d'un front anormalement élevé. Les couleurs de ses vêtements étaient sobres, mais ils étaient d'une élégance encore rehaussée par la beauté des étoffes. Il émanait de lui un parfum séduisant, qui suggérait la hardiesse et l'originalité. Arrivé devant son père, il lui rendit sa révérence avec grâce et répondit à ses paroles de bienvenue en un style aussi fleuri que courtois.

Kaede resta immobile quand il passa devant elle pour entrer dans la pièce, en laissant derrière lui un sillage parfumé.

— Ma fille aînée, dit négligemment son père en suivant son invité à l'intérieur. Otori Kaede.

Elle entendit le seigneur déclarer :

— Dame Otori. Je serais heureux de pouvoir la regarder.

— Entre, ma fille, lança son père d'un ton impatient.

Elle pénétra à genoux dans la pièce.

— Sire Fujiwara, murmura-t-elle.

— Elle est très belle, observa l'aristocrate. Laissez-moi voir son visage.

Elle leva la tête et rencontra son regard.

— Exquise.

Elle lut dans ses yeux appréciateurs de l'admiration, mais non du désir. Étonnée, elle ne put s'empêcher de sourire légèrement. Il semblait non moins surpris, et la courbe sévère de ses lèvres s'adoucit.

— Je vous dérange, s'excusa-t-il en apercevant le nécessaire à écrire et les rouleaux.

La curiosité fut la plus forte, et il demanda d'un air intrigué :

— Une leçon ?

— Ce n'est rien, répondit le père de Kaede avec embarras. Un caprice de jeune fille. Vous allez penser que je suis un père fort indulgent.

— Bien au contraire, je suis fasciné.

Il prit la feuille sur laquelle elle avait écrit.

— Vous permettez ?

— Je vous en prie, assura le vieil homme.

125

— Quelle belle écriture. On ne croirait jamais que c'est celle d'une fille.

Kaede se sentit rougir. Une nouvelle fois, elle était confrontée à la hardiesse et au manque de féminité qu'elle manifestait en osant s'initier au domaine réservé des hommes.

— Aimez-vous Kung Fu Tzu?

Sire Fujiwara s'adressait directement à elle, mettant un comble à sa confusion.

— Je crains que mes sentiments à son égard ne soient partagés, répondit-elle. Il semble m'accorder si peu de prix...

— Ma fille! protesta son père.

Cependant les lèvres du seigneur esquissèrent de nouveau l'ombre d'un sourire.

— Il ne pouvait prévoir d'être examiné de si près, répliqua-t-il d'un ton léger. Mais je crois que vous êtes fraîchement arrivée d'Inuyama. Je dois avouer que ma visite n'est pas étrangère au désir d'apprendre quelques nouvelles.

— Il y a près d'un mois que je suis ici. Je ne suis pas venue directement d'Inuyama, mais de Terayama, où se trouve la tombe de sire Otori.

— Votre époux? Je n'étais pas au courant. Je vous présente mes condoléances.

Son regard s'attarda un instant sur la silhouette de Kaede. «Rien ne lui échappe, songea-t-elle. Ses yeux sont aussi perçants que ceux d'un cormoran.»

— Iida a causé sa mort, dit-elle d'une voix paisible, et les Otori l'ont tué à son tour.

Fujiwara l'assura une nouvelle fois de sa sympathie, et elle parla brièvement d'Araï et de la situation à Inuyama. Il lui sembla cependant discerner sous les propos compassés et élégants du seigneur un désir avide d'en savoir davantage. Sa curiosité la troublait un peu, mais elle était aussi pour elle comme une tentation. Elle sentait qu'elle pourrait tout lui dire, que rien ne le choquerait, et elle était flattée par l'intérêt évident qu'il lui témoignait.

— C'est ce seigneur Araï qui avait juré fidélité aux Noguchi, intervint son père rendu furieux par l'évocation de son principal ennemi. Par sa perfidie, il m'a contraint à combattre des hommes du clan des Seishuu sur mes propres terres, alors que certains étaient mes parents. Je n'ai rien pu contre la trahison et la supériorité numérique de mes ennemis.

— Père ! s'exclama Kaede dans l'espoir qu'il se tairait.

Cette affaire ne regardait en rien sire Fujiwara, et il valait mieux parler le moins possible de ce malheur.

L'aristocrate prit acte des révélations de son hôte en s'inclinant légèrement.

— Il me semble que sire Shirakawa a été blessé.

— Pas assez grièvement, hélas. Que n'ai-je été tué ! Je devrais mettre fin à mes jours, mais mes filles affaiblissent mon courage.

Kaede n'avait pas envie d'en entendre davantage. Par chance, ils furent interrompus par Ayame apportant du thé et de petits gâteaux aux haricots. Après avoir servi les deux hommes, Kaede s'excusa et les laissa continuer leur conversation. Les yeux de Fujiwara la suivirent quand elle s'éloigna, et elle se surprit à espérer avoir un jour l'occasion de parler de nouveau avec lui — mais en l'absence de son père.

Il était impensable qu'elle pût suggérer ouvertement une telle idée, mais il lui arriva de réfléchir à des moyens de provoquer cette rencontre. Quelques jours plus tard, son père lui annonça qu'il avait reçu un message de l'aristocrate invitant Kaede à se rendre chez lui afin de découvrir sa collection de peintures et d'autres objets précieux.

— Je ne sais comment cela se fait mais tu as éveillé son intérêt, admit-il d'un ton légèrement surpris.

Ravie de cette perspective malgré un rien d'appréhension, Kaede dit à Shizuka d'aller aux écuries demander à Amano de préparer Raku. Elle comptait se rendre avec elle à la résidence de Fujiwara, qui se trouvait à un peu plus d'une heure à cheval.

— Il faut que vous y alliez en palanquin, répliqua fermement Shizuka.

— Pourquoi donc?

— Sire Fujiwara est un aristocrate, un homme de la cour. Vous ne pouvez pas vous rendre chez lui à cheval, comme un guerrier.

Shizuka prit un air sérieux mais sans grand effet car elle ne put s'empêcher de pouffer en ajoutant:

— Évidemment, si vous étiez un garçon et qu'il vous voyait arriver sur Raku, il ne vous laisserait sans doute plus repartir! Mais c'est en tant que femme que vous devez l'impressionner: il faut que votre présentation soit impeccable.

Elle observa Kaede d'un air critique.

— Il vous trouvera trop grande, ça ne fait pas l'ombre d'un doute.

— Il a déjà dit que j'étais belle, rétorqua Kaede, piquée.

— Il ne faut pas qu'il découvre le moindre défaut en vous. Vous devez être pareille à une porcelaine précieuse ou à une peinture de Sesshu. De cette façon, il aura envie de vous ajouter à sa collection.

— Je ne veux pas faire partie de sa collection!

— Que voulez-vous, alors? demanda Shizuka d'une voix redevenue sérieuse.

— Je veux remettre mes terres en état, répondit Kaede sur le même ton, et revendiquer ce qui m'appartient. Je veux avoir du pouvoir, comme les hommes.

— Dans ce cas, vous avez besoin d'un allié. Pour que sire Fujiwara accepte de jouer ce rôle, vous devez lui apparaître parfaite. Envoyez-lui un message l'avertissant que vous avez fait un mauvais rêve et que ce jour semble néfaste. Dites-lui que vous serez à sa disposition après-demain. Cela nous donnera du temps.

Après le départ du messager, Kaede s'abandonna aux soins de Shizuka. Ses cheveux furent lavés, ses sourcils épilés, sa peau fut frottée avec du son, massée avec des lotions puis frottée de nouveau énergiquement. Shizuka passa en revue tous les vêtements de la maison et choisit plusieurs robes de la mère de Kaede. Elles n'étaient pas neuves, mais leur tissu était de grande qualité et leurs couleurs — gris comme une aile de colombe, pourpre comme le trèfle sauvage — faisaient ressortir la blancheur ivoirine de la peau de Kaede et les reflets bleutés de sa chevelure.

— Vous êtes certainement assez belle pour attirer son attention, observa Shizuka, mais il faut aussi que vous l'intriguiez. Ne lui en dites pas trop : il me fait l'impression d'un homme qui aime les secrets. Soyez sûre qu'il sera prêt à payer un bon prix pour que vous lui confiiez les vôtres.

Avec les premières gelées, les nuits étaient devenues glaciales, mais les journées étaient claires. Les montagnes encerclant la demeure de Kaede brillaient de l'éclat des érables et des sumacs dont le feuillage flamboyant se détachait sur la masse vert sombre des cèdres et sur le ciel d'un bleu limpide. Ses sens étaient exacerbés par sa grossesse, et lorsqu'elle sortit du palanquin, dans le jardin de la résidence de Fujiwara, elle fut bouleversée par la beauté du spectacle s'offrant à sa vue. L'automne était dans sa perfection, et ce moment durerait si peu, serait emporté à jamais par les vents furieux qui bientôt descendraient des montagnes en mugissant.

La maison était plus vaste que la sienne et incomparablement mieux entretenue. Un torrent parcourait le jardin, et ses eaux coulaient sur des pierres antiques et à travers des bassins où nageaient paresseusement des carpes rouge et or. Les montagnes semblaient surgir du jardin même, et une cascade lointaine se faisait à la fois l'écho et le reflet du torrent. Deux grands aigles planaient dans le ciel sans nuages.

Elle fut accueillie par un jeune homme qui la conduisit dans une vaste véranda menant à la salle de réception, où sire Fujiwara était déjà assis. Kaede franchit le seuil et se jeta à genoux, en touchant le sol de son front. Les nattes étaient neuves et fraîches, si bien qu'elles avaient conservé leur couleur vert pâle et leur parfum pénétrant.

Shizuka resta à l'extérieur, agenouillée sur le parquet. Dans la pièce, le silence régnait. Kaede attendait qu'il prenne la parole, consciente de son regard scrutateur pesant sur elle. Elle essaya de reconnaître de son mieux les lieux sans bouger la tête ni lever les yeux. Elle fut soulagée quand il s'adressa enfin à elle en la priant de s'asseoir.

— Je suis ravi que vous ayez pu venir, déclara-t-il.

Ils échangèrent des politesses. Tout en veillant à s'exprimer d'une voix basse et douce, elle l'écoutait discourir dans un langage si fleuri qu'elle ne pouvait par moments que deviner le sens des mots. Elle espérait qu'en parlant aussi peu que possible elle lui apparaîtrait non pas terne mais mystérieuse.

Le jeune homme revint avec le nécessaire pour le thé, que Fujiwara prépara lui-même en battant la poudre verte de façon à obtenir une infusion mousseuse. Les bols étaient d'aspect fruste, d'un brun rosé, et aussi agréables à regarder qu'à toucher. Elle fit tourner le sien dans sa main pour mieux l'admirer.

— Ils viennent de Hagi, commenta le seigneur, la ville natale de sire Otori. De tous les ustensiles pour le thé, ce sont ceux que je préfère.

Après un silence, il reprit :

— Comptez-vous vous rendre là-bas ?

« Évidemment, ce serait normal, pensa Kaede en un éclair. S'il était vraiment mon mari et si j'attendais son enfant, je me rendrais chez lui, auprès de sa famille. »

— Je ne peux pas, dit-elle simplement en levant les yeux.

Comme toujours, au souvenir de la mort de Shigeru, du rôle qu'elle avait joué dans ce crime et dans la vengeance qui avait suivi, des larmes lui montèrent aux yeux, les rendant plus sombres et plus lumineux que jamais.

— Chacun a ses raisons, répliqua-t-il d'un ton lourd de sous-entendus. Prenez ma propre situation. Mon fils et la tombe de mon épouse se trouvent dans la capitale. Peut-être n'êtes-vous pas au courant : j'ai été prié de m'éloigner, car mes écrits déplaisaient au régent. Après mon exil, la cité fut dévastée par deux tremblements de terre et une série d'incendies. L'opinion générale fut que le Ciel manifestait ainsi son déplaisir devant le traitement injuste infligé à un érudit inoffensif. On ordonna des prières et on me supplia de revenir. Pour l'instant, cependant, la vie que je mène ici m'est agréable, de sorte que je trouve des raisons pour ne pas obéir sur-le-champ même si, bien sûr, je devrais finalement m'exécuter.

— Sire Shigeru est devenu un dieu. Chaque jour, des gens se rendent par centaines auprès de son autel, à Terayama.

— Malheureusement pour nous tous, sire Shigeru est mort. Quant à moi, cependant, je ne suis que trop vivant. L'heure n'est pas venue pour moi de devenir un dieu.

Il lui avait livré un peu de son histoire, et elle sentit qu'elle devait maintenant lui rendre la pareille.

— Ses oncles voulaient sa mort, lança-t-elle. C'est pourquoi je ne veux pas me rendre chez eux.

— Je ne connais pas grand-chose du clan des Otori, en dehors de la magnifique poterie qu'ils produisent à Hagi. Ils ont la réputation de se retrancher dans leur nid d'aigle. L'endroit est tout à fait inaccessible, me semble-t-il. Et ils ont je ne sais quelle antique parenté avec la famille impériale.

Il parlait d'un ton léger, presque badin. Quand il reprit ensuite la parole, cependant, sa voix s'altéra imperceptiblement et Kaede reconnut cette intensité de sentiment qu'elle avait déjà remarquée auparavant.

— Pardonnez-moi si je suis indiscret, mais dans quelles circonstances sire Shigeru a-t-il péri ?

Elle avait si peu parlé des événements terribles d'Inuyama qu'elle brûlait de s'épancher maintenant avec lui mais, quand il se pencha vers elle, elle sentit de nouveau son désir avide non pas de la connaître mais de savoir ce qu'elle avait souffert.

— Je ne puis en parler, souffla-t-elle, décidée à monnayer ses secrets. C'est trop douloureux.

— Je comprends.

Fujiwara baissa les yeux sur le bol qu'il tenait à la main. Kaede s'autorisa à étudier son visage à l'ossature bien dessinée, ses lèvres sensuelles, ses longs doigts délicats. Il posa le bol sur la natte et observa de nouveau la jeune fille. Elle soutint délibérément son regard et laissa les larmes emplir ses yeux avant de les détourner.

— Un jour, peut-être... murmura-t-elle.

Ils restèrent un moment immobiles et silencieux.

— Vous m'intriguez, dit-il enfin. Rares sont les femmes qui en sont capables. Permettez-moi de vous montrer mon humble demeure et ma misérable collection.

Elle reposa à son tour son bol et se leva avec grâce. Il étudiait le moindre de ses mouvements, mais sans rien du désir avide des autres hommes. Kaede comprit ce que Shizuka avait voulu dire. S'il l'admirait, cet aristocrate voudrait l'ajouter à sa collection. Quel prix serait-il prêt à payer pour elle ? Et que pourrait-elle demander en échange ?

Shizuka se prosterna quand ils passèrent près d'elle, et le jeune homme qui les avait accueillies surgit de l'ombre. Il était aussi fin et délicat qu'une fille.

— Mamoru, dit Fujiwara. Dame Otori a la bonté de consentir à jeter un regard sur mes pitoyables objets. Viens avec nous.

Il ajouta, tandis que l'éphèbe s'inclinait devant Kaede :

— Tu devrais l'étudier. Elle pourrait t'apprendre beaucoup : c'est un spécimen parfait.

La jeune fille les suivit au centre de la maison, jusqu'à une cour où une scène était dressée.

— Mamoru est acteur, expliqua le seigneur. Il joue les rôles de femmes. Je me plais à faire représenter des pièces dans cet espace réduit.

Si la place manquait, l'ensemble était exquis. De simples piliers de bois soutenaient un toit richement sculpté, et un pin aux formes tourmentées était peint sur la toile de fond.

— Il faut que vous veniez assister à une représentation, déclara Fujiwara. Les répétitions d'*Atsumori* vont bientôt commencer, nous n'attendons plus que notre flûtiste. Mais auparavant, nous donnerons *Le Fouloir*. Mamoru peut retirer un précieux enseignement de votre présence, et j'aimerais connaître votre avis sur le spectacle.

Comme elle se taisait, il ajouta :

— Le théâtre vous est-il familier ?

— J'ai vu quelques pièces durant mon séjour chez sire Noguchi, mais je ne m'y connais guère.

— Votre père m'a dit que vous étiez là-bas en tant qu'otage.

— C'est exact, depuis l'âge de sept ans.

— Que les femmes ont donc des vies étranges, observa-t-il.

Elle se sentit soudain glacée.

Ils sortirent du théâtre miniature pour gagner une autre pièce de réception qui donnait sur un petit jardin. Il était inondé de soleil, et sa chaleur réconforta Kaede. Cependant l'astre du jour était déjà bas à l'horizon des montagnes. Bientôt il disparaîtrait derrière leurs sommets, dont les ombres déchiquetées recouvriraient la vallée. La jeune fille ne put s'empêcher de frissonner.

— Qu'on apporte un brasero, ordonna le seigneur. Dame Otori a froid.

Mamoru s'éclipsa un instant et revint avec un homme nettement plus âgé qui portait un brasero aux charbons rougeoyants.

— Asseyez-vous à côté, dit Fujiwara. Il est aisé de prendre froid en cette période de l'année.

Mamoru quitta de nouveau la pièce, toujours sans dire mot. Ses mouvements étaient gracieux, déférents et silencieux. Il réapparut chargé d'un coffret en bois de paulownia, qu'il posa sur le sol avec précaution. Il sortit et revint ainsi encore à trois reprises, en apportant à chaque fois un coffret ou une boîte, chacun taillé dans un bois différent — zelkova, cyprès ou cerisier — et poli de façon que sa couleur et son grain évoquent la longue vie de l'arbre, le versant où il avait grandi, les saisons froides ou brûlantes qu'il avait endurées, battu par le vent et la pluie.

Fujiwara les ouvrit un à un. Ils abritaient des objets soigneusement enveloppés dans des étoffes qui étaient elles-mêmes magnifiques, bien que manifestement très anciennes — mais ce qu'abritaient ces soies à la finesse arachnéenne et aux coloris subtils surpassait de loin tout ce que Kaede avait jamais vu. Après les avoir déballés, il les posait sur le sol devant la jeune fille en l'invitant à les prendre, à les caresser, à les effleurer des lèvres ou du front si elle le désirait, car un objet était souvent fait autant pour être touché et humé que pour être regardé. Il les lui montra l'un après l'autre, en les rangeant avec soin avant de sortir le suivant.

— Je ne les contemple pas souvent, dit-il d'une voix amoureuse. Chaque fois qu'un regard indigne tombe sur eux, il les amoindrit. Les sortir de leurs écrins est en soi un acte érotique à mes yeux. Les partager avec quelqu'un dont le regard les exalte au lieu de les diminuer est pour moi un plaisir aussi rare qu'intense.

Kaede garda le silence, dans son ignorance de la valeur ou de la tradition se rattachant aux objets qu'elle découvrait : le bol à thé d'un brun rosé comme celui où elle avait bu, à la fois robuste et délicat ; la statuette en porcelaine de l'Illuminé assis sur le lotus ; la boîte laquée et dorée, d'un art aussi simple que complexe. Elle se contenta de regarder, et il lui sembla que ces objets admirables avaient eux aussi des yeux et répondaient à son regard.

Mamoru n'était pas resté avec eux, mais il revint au bout de ce qui sembla à Kaede un moment interminable — car le temps s'était arrêté pour elle — en apportant un coffret plat. Le seigneur en sortit une peinture représentant un paysage d'hiver avec au premier plan deux corbeaux dont les silhouettes noires se détachaient sur la neige.

— Ah, Sesshu, chuchota-t-elle en rompant le silence pour la première fois.

— En fait, ce n'est pas l'œuvre de Sesshu mais d'un de ses maîtres, la corrigea-t-il. On prétend que l'enfant ne saurait servir de professeur à ses parents, mais dans le cas de Sesshu, il faut convenir que l'élève surpasse le maître.

— N'existe-t-il pas un proverbe qui dit que le bleu de la teinture est plus intense que celui de la fleur ? répliqua-t-elle.

— Je suppose que vous êtes de cet avis.

— Si l'on ne pouvait attendre une sagesse supérieure de l'enfant ou de l'élève, rien ne changerait jamais.

— Ce qui ravirait la plupart des gens !

— Seulement ceux qui ont du pouvoir, car ils désirent préserver leur position. Les autres, en voyant ce même pouvoir, ne rêvent que de le conquérir. Les hommes sont ambitieux, et c'est ce qui les pousse à changer les choses. Les jeunes renversent la puissance des vieillards.

— Et les femmes, sont-elles également dévorées d'ambition ?

— Personne ne se soucie de le leur demander.

Elle regarda de nouveau le tableau.

— Deux corbeaux, le canard et sa compagne, le cerf et la biche... Ils apparaissent toujours par couples dans les peintures.

— Tel est l'ordre de la nature. Il s'agit d'une des cinq relations reconnues par Kung Fu Tzu, après tout.

— Et la seule permise aux femmes. Il ne voit en nous que des épouses.

— C'est bien ce que sont les femmes.

— Pourquoi seraient-elles exclues du pouvoir ou de l'amitié ?

Ses yeux rencontrèrent ceux de l'aristocrate.

— Vous êtes bien hardie, pour une fille !

Elle ne l'avait jamais vu aussi près d'éclater de rire, et elle retourna en rougissant à la contemplation du tableau.

— Les Sesshu de Terayama sont célèbres, reprit-il. Les avez-vous vus ?

— Oui. Sire Otori désirait que sire Takeo en réalise des copies.

— Sire Takeo... Un frère cadet du seigneur ?

— Son fils adoptif.

Parler de Takeo à sire Fujiwara était bien la dernière chose dont Kaede eût envie. Elle essaya de penser à un autre sujet, mais elle ne trouva dans sa mémoire que le petit oiseau de la montagne dont Takeo lui avait offert le croquis.

— C'est lui qui a mené à bien la vengeance ? Il doit être très courageux. Je doute que mon fils en fasse autant pour moi.

— Il était taciturne, dit-elle partagée entre sa crainte et son envie de parler de lui. On n'aurait jamais pensé qu'il fût particulièrement courageux. Il aimait la peinture et le dessin. Les événements ont révélé qu'en fait il ignorait la peur.

En entendant sa propre voix, elle se tut abruptement. Elle était sûre qu'il l'avait percée à jour.

— Eh bien, dit simplement Fujiwara.

Il s'absorba longuement dans la contemplation du tableau avant de reprendre, en se tournant de nouveau vers elle :

— Je n'ai pas à me mêler de vos affaires, mais j'imagine que vous allez sans doute épouser le fils de sire Shigeru.

— D'autres éléments entrent en ligne de compte, dit-elle en s'efforçant de parler d'un ton léger. Je possède des terres ici et à Maruyama, qu'il convient que je revendique. Si je pars pour Hagi me retrancher dans le nid d'aigle des Otori, je risque de perdre mes biens.

— Il me semble que vous avez beaucoup de secrets pour une si jeune personne, murmura-t-il. J'espère pouvoir les entendre un jour.

Le soleil s'abaissait doucement sur les montagnes et les ombres des cèdres immenses commençaient à s'étirer vers la maison.

— Il se fait tard, dit-il. L'idée de vous perdre me désole, mais je crois qu'il faut que je vous laisse partir. Vous reviendrez bientôt.

Il rangea la peinture dans son coffret, et elle sentit le léger parfum du bois et des feuilles de rue placées à l'intérieur pour écarter les insectes.

— Merci de tout cœur, dit-elle en se levant.

Mamoru était rentré sans bruit dans la pièce. Il s'inclina profondément sur son passage.

— Regarde-la, Mamoru, déclara sire Fujiwara. Observe sa démarche, sa façon de te rendre ta révérence. Si tu parviens à capter ces nuances, tu pourras dire à bon droit que tu es un acteur.

Ils échangèrent des adieux. L'aristocrate se rendit en personne dans la véranda pour la voir monter dans son palanquin, et il la fit escorter par une troupe de ses serviteurs.

— Vous avez été parfaite, lui dit Shizuka sur le chemin du retour. Vous l'avez intrigué.

— Il me méprise, observa Kaede.

Elle se sentait épuisée par cette rencontre.

— Il méprise les femmes. Mais à ses yeux, vous êtes différente.

— Comme un monstre de la nature ?

— Peut-être, répliqua Shizuka en riant. Ou comme un objet rare et inestimable, que personne d'autre ne possède.

CHAPITRE V

Le lendemain, Fujiwara lui fit parvenir des présents, assortis d'une invitation à assister à une représentation théâtrale lors de la pleine lune. Kaede
ouvrit les paquets et découvrit deux robes. La première était ancienne, sobre, avec de magnifiques
broderies représentant des faisans et des herbes
d'automne dont l'or et le vert se détachaient sur la
soie couleur d'ivoire. La seconde paraissait neuve et
d'une splendeur plus éclatante, avec ses pivoines
bleu et pourpre foncé sur un fond rose pâle.

Hana et Aï vinrent les admirer. Sire Fujiwara avait
également envoyé des mets choisis : cailles et poissons confits, kakis et gâteaux aux haricots. Cette
vision fit une forte impression sur Hana, qui comme
tous les membres de la maisonnée était toujours à la
limite de la famine.

— Ne les touche pas, la réprimanda Kaede. Tu as
les mains sales.

La petite fille s'était effectivement salie en ramassant des châtaignes, mais elle détestait se faire gron-
der. Elle mit ses mains dans son dos et fixa sa sœur
aînée avec colère.

— Hana, dit Kaede en s'efforçant de parler doucement. Laisse Ayame te laver les mains. Ensuite, tu
pourras regarder.

Ses relations avec sa petite sœur étaient toujours difficiles. Au fond d'elle-même, elle jugeait que Hana avait été trop gâtée par Ayame et Aï. Elle aurait aimé persuader son père de lui donner également des leçons, car il lui semblait qu'elle avait besoin de discipline et de défis à relever dans sa vie. Elle aurait voulu les lui enseigner elle-même, mais elle manquait de temps et de patience, sans compter qu'elle ignorait à peu près tout de l'éducation des enfants. Encore un problème auquel il lui faudrait réfléchir au cours des longs mois d'hiver... En attendant, Hana sortit de la cuisine en courant, les larmes aux yeux.

— Je vais m'occuper d'elle, assura Aï.

— Elle a si mauvais caractère, dit Kaede à Shizuka. Que va-t-elle devenir, belle et obstinée comme elle est?

Shizuka lui jeta un regard moqueur, mais garda le silence.

— Quoi? s'exclama Kaede. Qu'est-ce que tu veux dire?

— Elle vous ressemble, noble dame, murmura Shizuka.

— Tu l'as déjà dit. Elle a plus de chance que moi, cependant.

Kaede se tut et songea à la différence de leurs destinées. Quand elle avait l'âge de Hana, cela faisait plus de deux ans qu'elle vivait solitaire au château de Noguchi. Peut-être était-elle jalouse de sa sœur, peut-être était-ce la vraie raison de son manque de patience. Malgré tout, Hana devenait réellement d'une sauvagerie échappant à tout contrôle.

Elle soupira en contemplant les robes somptueuses. Elle aspirait à sentir la douceur de la soie sur sa peau. Après avoir demandé à Shizuka d'apporter un miroir, elle souleva la robe ancienne à hauteur de son visage afin de voir l'effet des couleurs en contraste avec ses cheveux. Ces cadeaux l'impressionnaient plus qu'elle ne le laissait voir. L'intérêt de sire Fujiwara la flattait. Il avait dit qu'elle l'intriguait, mais elle ne se sentait pas moins intriguée par lui.

Le jour où elle se rendit chez le seigneur pour assister à la représentation, elle revêtit la robe ancienne, qui semblait davantage convenir à la fin de l'automne. Son père, Shizuka et Aï l'accompagnaient. Ils devaient rester la nuit car la pièce durerait jusqu'à une heure tardive, à la lueur de la pleine lune. Hana aurait rêvé d'être elle aussi invitée et elle bouda leur départ, se refusant même à sortir pour leur dire adieu. Kaede aurait aimé que son père reste également à la maison. Son comportement imprévisible l'inquiétait, et elle craignait qu'il ne se couvre encore de honte en public. Il avait été impossible de le dissuader de venir, cependant, tant cette invitation le flattait.

Plusieurs acteurs, dont Mamoru, donnèrent une représentation du *Fouloir*. Le spectacle troubla profondément Kaede. Elle ne s'était pas rendu compte à quel point Mamoru l'avait étudiée, lors de sa brève visite. Elle contemplait maintenant son propre portrait. Elle se voyait bouger, elle entendait sa voix soupirer : « Le vent d'automne parle d'un amour mort », tandis que l'épouse sombrait peu à peu dans la folie en attendant le retour de son mari.

« Éclat de la lune, caresse du vent » — les mots du chœur étaient pour elle comme un coup de poignard.

« Gel qui scintille dans la pâle lumière, glace le cœur tandis que le fouloir résonne et que gémissent les vents nocturnes. »

Ses yeux s'emplirent de larmes. Toute la solitude et la nostalgie de la femme sur la scène, qui avait été modelée d'après elle, semblaient sortir tout droit de sa vie. Cette même semaine, elle avait aidé Ayame à fouler leurs robes de soie afin de leur rendre leur douceur originelle. Son père avait alors observé que le bruit obsédant du fouloir était l'un des sons les plus évocateurs de l'automne. La pièce mettait bas toutes les défenses de Kaede. Elle désirait Takeo de tout son être, avec une intensité douloureuse. Si elle ne pouvait pas l'avoir, elle mourrait. Mais à l'instant même où son cœur se brisait, elle se rappela qu'elle devait vivre pour son enfant. Et elle crut soudain sentir pour la première fois un mouvement presque imperceptible du petit être flottant au plus profond de sa chair.

La lune éclatante du dixième mois baignait la scène d'une lumière froide. La fumée des braseros se perdait dans le ciel. Le roulement assourdi des tambours résonnait dans le silence. Le petit groupe des spectateurs était en extase, subjugué par la beauté de la lune et la puissance de l'émotion théâtrale.

Shizuka et Aï retournèrent ensuite dans leur chambre, mais Kaede fut priée à son grand étonnement par sire Fujiwara de rester en compagnie des hommes tandis qu'ils buvaient du vin et goûtaient les saveurs de mets exotiques — champignons, crabes, châtaignes marinées, calmars minuscules — arrivant de la côte conservés dans de la glace et de la paille. Les acteurs ôtèrent leurs masques pour se joindre à eux. L'aristocrate les félicita et leur donna des cadeaux. Plus tard, quand le vin eut délié les langues et que le bruit des conversations fut devenu assourdissant, il s'adressa à voix basse à Kaede.

— Je me réjouis que votre père vous ait accompagnée. Il me semble que sa santé a causé quelques inquiétudes ?

— Vous êtes plein de bonté pour lui, répliqua-t-elle. Votre compréhension et votre bienveillance nous honorent infiniment.

Elle trouvait peu séant d'évoquer l'état mental de son père avec Fujiwara, mais il insista.

— Lui arrive-t-il souvent de sombrer dans la mélancolie?

— Il est un peu instable, par moments. La mort de ma mère, la guerre...

Kaede jeta un coup d'œil sur son père qui parlait avec agitation au doyen des acteurs. Ses yeux lançaient des éclairs, et il avait vraiment l'air un peu fou.

— J'espère que vous aurez recours à moi si jamais vous avez besoin d'aide.

Elle s'inclina en silence, consciente du grand honneur qu'il lui faisait et confuse de sa prévenance. Elle ne s'était encore jamais trouvée dans une telle situation, assise dans une pièce remplie d'hommes. Elle avait l'impression de ne pas être à sa place, mais ne savait comment prendre congé. L'aristocrate changea de sujet avec adresse.

— Que pensez-vous de Mamoru? Je crois qu'il a bien retenu vos leçons.

Elle ne répondit pas tout de suite mais cessa de regarder son père pour accorder son attention au jeune homme, qui avait quitté ses oripeaux de femme mais gardait en lui la trace de son incarnation de l'héroïne de la pièce — et de Kaede.

— Que puis-je ajouter? dit-elle enfin. Je l'ai trouvé remarquable.

— Remarquable, mais...

— Vous ne nous laissez rien.

Elle avait voulu adopter un ton léger, mais se rendit compte elle-même de l'amertume vibrant dans sa voix.

— À qui s'adresse ce reproche? demanda-t-il un peu décontenancé.

— Aux hommes. Vous dérobez aux femmes tout ce qu'elles ont. Même notre souffrance — cette souffrance dont vous êtes la cause —, vous la volez et vous la représentez sur une scène comme si c'était vous qui la ressentiez.

Il l'observa de ses yeux impassibles.

— Je n'ai jamais vu une interprétation plus convaincante et émouvante que celle de Mamoru.

— Pourquoi les rôles féminins ne sont-ils pas joués par des femmes?

— Quelle idée bizarre. Vous croyez que vous seriez plus authentiques parce qu'il vous semble que ces émotions vous sont familières. Mais le génie d'un acteur réside dans sa capacité à recréer par l'art des émotions qu'il ne peut connaître dans son être intime.

— Vous nous dépossédez.

— Nous vous donnons nos enfants en échange. Le marché n'est-il pas honnête?

Une nouvelle fois, elle eut l'impression qu'il la perçait à jour. «Je ne l'aime pas, pensa-t-elle, même s'il m'intrigue. Shizuka aura beau dire, je ne veux plus entendre parler de lui. »

— Je vous ai blessée, dit-il comme s'il lisait dans ses pensées.

— Je suis trop insignifiante pour que sire Fujiwara se soucie de moi. Mes sentiments sont sans importance.

— Je les trouve au contraire d'un grand intérêt: ils sont toujours aussi originaux qu'inattendus.

Comme Kaede gardait le silence, il reprit au bout d'un instant:

— Il faut que vous veniez voir notre prochaine représentation. Nous donnerons *Atsumori*. Nous n'attendons plus que notre flûtiste, qui devrait arriver d'un jour à l'autre. Vous rappelez-vous la trame de cette pièce ?

— Oui, dit-elle en se concentrant à nouveau sur l'univers de la tragédie.

Elle y pensait toujours quand elle fut de retour dans la chambre qu'elle partageait avec Aï et Shizuka. Elle songea au jeune homme si beau, si doué pour la musique, et au guerrier brutal qui le décapitait après l'avoir tué. Pris de remords, le soudard se faisait moine et recherchait la paix de l'Illuminé. Elle se remémora l'appel du fantôme d'Atsumori dans les ténèbres : « Priez pour moi. Accordez à mon esprit d'être délivré. »

L'excitation de l'inconnu, les émotions éveillées par le spectacle, l'heure tardive, tout se conjuguait pour l'empêcher de trouver le repos. Perdue dans sa rêverie sur Atsumori le flûtiste, suspendue entre la veille et le sommeil, elle crut entendre les notes d'une flûte s'élever dans le jardin. Cette scène lui rappelait quelque chose. Elle allait s'endormir, apaisée par la musique, quand elle se souvint.

Elle se réveilla instantanément. C'était la même mélodie que celle qu'elle avait entendue à Terayama. Oui, le jeune moine qui leur avait montré les peintures avait joué cet air chargé de tant d'angoisse et de nostalgie.

Repoussant sa couverture, elle se leva sans bruit, fit coulisser l'écran de papier et écouta. Un coup léger contre la porte de bois, qui s'ouvrit en craquant. La voix de Mamoru alternant avec celle du musicien. Au bout du couloir, la lampe d'un serviteur éclaira fugitivement leurs visages. Elle ne rêvait pas : c'était bien lui.

Shizuka chuchota dans son dos :

— Tout va bien ?

Kaede referma l'écran et s'agenouilla près d'elle.

— J'ai vu l'un des moines de Terayama.

— Ici ?

— C'est lui le flûtiste qu'ils attendaient.

— Makoto.

— Je n'ai jamais su son nom. Se souviendra-t-il de moi ?

— Comment pourrait-il avoir oublié ? Il faut que vous partiez à la première heure. Vous prétexterez un malaise. Nous devons éviter qu'il ne vous voie à l'improviste. Essayez de dormir un peu, je vous réveillerai dès que le jour sera levé.

Kaede s'étendit, mais le sommeil tarda à venir. Elle finit par s'assoupir un moment, et se réveilla pour découvrir les rayons du jour derrière les volets et Shizuka agenouillée à côté d'elle.

Elle se demanda s'il lui serait possible de s'éclipser discrètement. La maisonnée était déjà éveillée : elle entendait le bruit des volets qu'on ouvrait. Son père se levait toujours de bonne heure. Elle ne pourrait se dispenser de l'informer de son départ.

— Va trouver mon père et dis-lui que je suis malade et dois rentrer chez nous. Demande-lui de m'excuser auprès de sire Fujiwara.

Shizuka revint au bout de quelques instants.

— Sire Shirakawa voit votre départ d'un fort mauvais œil. Il veut savoir si vous vous sentez assez bien pour venir lui parler.

— Où se trouve-t-il ?

— Dans la pièce donnant sur le jardin. J'ai commandé qu'on vous apporte du thé, vous êtes très pâle.

— Aide-moi à m'habiller.

Elle se sentait effectivement d'une faiblesse proche du malaise. Le thé la ranima un peu. Aï était maintenant éveillée sous sa couverture, d'où émergeait son visage bienveillant aux joues roses et aux

148

yeux bouffis de sommeil, qui ressemblait à celui d'une poupée.

— Que se passe-t-il, Kaede ?

— Je ne me sens pas très bien. Il faut que je rentre à la maison.

— Je vais vous accompagner, dit Aï en repoussant sa couverture.

— Il vaudrait mieux que tu restes avec Père et que tu présentes toutes mes excuses à sire Fujiwara.

Prise d'une impulsion subite, elle s'agenouilla et caressa les cheveux de sa sœur.

— Remplace-moi, l'implora-t-elle.

— Je ne crois pas qu'il ait même remarqué mon existence. C'est vous qui l'avez ensorcelé.

Les oiseaux de la volière du jardin chantaient à tue-tête. « Il va découvrir ma tromperie et refusera de me voir à l'avenir », se dit Kaede. Cependant ce n'était pas la réaction de l'aristocrate qui l'effrayait, mais celle de son père.

— Les serviteurs m'ont dit que sire Fujiwara ne se lèverait pas de sitôt, chuchota Shizuka. Allez parler à votre père, j'ai déjà fait avancer le palanquin.

Kaede hocha la tête sans rien dire. Elle fit quelques pas sur le parquet ciré de la véranda, dont elle admira les planches assemblées avec un art merveilleux. En se dirigeant vers la pièce où se trouvait son père, elle regarda la vie du jardin se déployer sous ses yeux : une lanterne de pierre qu'encadraient les dernières feuilles rougeoyantes d'un érable, le soleil brillant sur l'eau paisible d'un bassin, le flamboiement jaune et noir des oiseaux à longue queue sur leurs perchoirs.

Son père était assis, les yeux fixés sur le jardin. Elle ne put s'empêcher d'avoir pitié de lui, car elle savait combien il tenait à l'amitié de sire Fujiwara.

Un héron était aux aguets dans la pièce d'eau, immobile comme une statue.

Elle tomba sur ses genoux et attendit que son père prenne la parole.

— Quelle est cette sottise, Kaede ? Ton impolitesse est inconcevable !

— Pardonnez-moi, je ne me sens pas bien, murmura-t-elle.

Comme il ne répondait pas, elle éleva la voix :

— Je suis souffrante, Père. Je vais rentrer chez nous.

Il s'obstina dans son silence, comme s'il pouvait la faire disparaître en l'ignorant. Le héron s'envola dans un brusque battement d'ailes. Deux jeunes hommes pénétrèrent dans le jardin pour regarder les oiseaux en cage.

Kaede chercha des yeux dans la pièce un écran ou n'importe quel autre meuble derrière lequel se cacher, mais il n'y avait rien.

— Bonjour ! cria son père d'une voix allègre.

Les deux garçons se retournèrent pour répondre à son salut, et Mamoru la vit. Elle crut un instant qu'il allait quitter le jardin sans s'approcher, mais il devait être enhardi par le souvenir de la nuit précédente, où sire Fujiwara n'avait pas hésité à la faire asseoir au milieu des hommes, car il entraîna son compagnon et s'adressa à son père pour faire les présentations d'usage. Elle s'inclina profondément, dans l'espoir de dissimuler son visage. Mamoru donna le nom du moine, Kuba Makoto, et évoqua le temple de Terayama. Makoto s'inclina à son tour.

— Sire Shirakawa, continua l'acteur. Et sa fille, dame Otori.

Le jeune moine ne fut pas maître de sa réaction. Il pâlit et ses yeux se fixèrent sur elle. Il s'exclama en la reconnaissant :

— Dame Otori ? Vous avez donc épousé sire Takeo, finalement ? Se trouve-t-il ici avec vous ?

Il y eut un silence. Puis le père de Kaede déclara :

— L'époux de ma fille était sire Otori Shigeru.

Makoto ouvrit la bouche, comme pour protester, mais il se ravisa et s'inclina sans mot dire.

Le père de Kaede se pencha en avant.

— Vous venez de Terayama ? Ignoriez-vous que le mariage avait eu lieu là-bas ?

Makoto garda le silence. Le vieil homme lança sans tourner la tête :

— Laisse-nous.

Elle fut fière de pouvoir répondre d'une voix qui ne tremblait pas :

— Je rentre chez nous. Veuillez m'excuser auprès de sire Fujiwara.

Il resta impassible. « Il va me tuer », pensa-t-elle. Elle s'inclina en direction des deux jeunes gens, dont l'embarras et le malaise étaient manifestes. Puis elle s'éloigna en s'obligeant à ne pas presser le pas ni remuer la tête, et une vague d'émotion la submergea. Elle serait à jamais exposée à ces regards gênés, à ce mépris. L'intensité de ce sentiment lui coupa le souffle, il la réduisait aux pires extrémités du désespoir. « Mieux vaut mourir, se dit-elle. Mais que deviendra mon enfant, l'enfant de Takeo ? Faut-il qu'il meure avec moi ? »

Shizuka l'attendait au bout de la véranda.

— Nous pouvons partir dès maintenant, noble dame. Kondo nous accompagnera.

Kaede permit à leur protecteur de la hisser dans le palanquin. Elle fut soulagée de se retrouver à l'intérieur, dans la pénombre où nul ne pouvait voir son visage. « Père ne regardera plus jamais mon visage, songea-t-elle. Même pour me tuer, il détournera les yeux. »

En arrivant à la maison, elle ôta la robe offerte par Fujiwara et la plia soigneusement. Elle revêtit une des anciennes robes de sa mère, qu'elle passa par-dessus un vêtement ouaté. Elle était glacée, et ne voulait surtout pas trembler.

— Vous êtes de retour ! s'écria Hana en entrant en courant dans la pièce. Où se trouve Aï ?

— Elle restera encore un peu chez sire Fujiwara.

— Pourquoi êtes-vous revenue ?

— Je me sentais souffrante. Je vais bien, maintenant.

Saisie d'une impulsion, Kaede dit à l'enfant :

— Je vais te donner la robe d'automne, celle qui te plaisait tant. Tu devras la mettre de côté et en prendre soin jusqu'à ce que tu sois en âge de la porter.

— Vous n'en voulez plus ?

— Je veux qu'elle soit à toi. Tu penseras à moi quand tu la porteras, et tu prieras pour moi.

Hana lui jeta un regard aigu.

— Où voulez-vous aller ?

Comme Kaede ne répondait rien, elle reprit :

— Ne nous quittez pas une nouvelle fois, grande sœur !

— Cela te sera bien égal, essaya de la taquiner Kaede. Tu ne regretteras guère ma présence.

À sa grande consternation, Hana se mit à sangloter bruyamment avant de crier :

— Si, je vous regretterai ! Ne me quittez pas ! Ne m'abandonnez pas !

Ayame accourut.

— Qu'est-ce qui te prend, Hana ? Ne sois pas vilaine avec ta sœur.

Shizuka entra à son tour.

— Votre père traverse le gué, dit-elle. Il est revenu seul, à cheval.

— Ayame, lança Kaede. Va passer un moment dans la forêt avec Hana. Que tous les serviteurs vous accompagnent. Je ne veux voir personne dans cette maison.

— Mais il est si tôt, dame Kaede, il fait encore bien froid.

— Je t'en prie, fais ce que je te dis.

Ayame entraîna Hana, qui hurlait de plus belle.

— C'est sa façon d'exprimer son chagrin, murmura Shizuka.

— Je crains de devoir lui en infliger encore ! s'exclama Kaede. Mais il ne faut pas qu'elle soit présente.

Elle se leva et se dirigea vers le petit coffre où elle abritait quelques objets auxquels elle tenait. Elle en sortit son poignard, qu'elle soupesa dans cette main gauche qu'il lui était défendu d'utiliser. Bientôt, plus personne ne se soucierait de quelle main elle se servait...

— Qu'est-ce qui vaut mieux : la gorge ou le cœur ?

— Vous n'avez pas à faire ça, dit Shizuka avec calme. Nous pouvons fuir. La Tribu vous cachera. Pensez à l'enfant.

— Il n'est pas question que je fuie !

Kaede fut elle-même surprise par l'intensité de sa voix.

— Laissez-moi vous donner du poison, alors. Ce sera rapide et sans souffrance. Vous vous endormirez simplement, et plus jamais...

Kaede l'interrompit avec force.

— Je suis la fille d'un guerrier, la mort ne me fait pas peur. Tu sais mieux que quiconque combien j'ai souvent pensé à mettre fin à mes jours. Il convient d'abord que je demande à Père de me pardonner, après quoi je me poignarderai. Tout ce que je te demande, c'est de m'indiquer le meilleur moyen.

Shizuka s'approcha d'elle.

— Placez la pointe ici, sur le côté de votre cou. Enfoncez-la latéralement et poussez vers le haut : l'artère sera tranchée net.

Elle s'efforçait de parler d'un ton neutre, mais sa voix se brisa et Kaede vit des larmes perler à ses yeux.

— Ne faites pas ça, chuchota Shizuka. Gardez encore espoir.

Kaede fit passer son poignard dans sa main droite. Elle entendit les cris du garde, le martèlement des sabots du cheval de son père franchissant le portail, les paroles de bienvenue de Kondo.

Son regard erra sur le jardin. Elle se revit soudain, toute petite, courant d'un bout à l'autre de la véranda en faisant la navette entre son père et sa mère. « J'avais complètement oublié cette scène », se dit-elle. Et elle appela silencieusement : « Mère, Mère ! »

Son père monta dans la véranda. Quand il parut sur le seuil, Kaede et Shizuka tombèrent à genoux et se prosternèrent, le front dans la poussière.

— Ma fille, dit-il d'une voix faible et incertaine.

Elle leva les yeux sur lui et vit son visage sillonné de larmes, sa bouche crispée. Elle avait redouté sa colère mais c'était maintenant sa folie qu'elle découvrait, plus effrayante encore.

— Pardonnez-moi, chuchota-t-elle.

— Je n'ai plus qu'à me tuer, désormais.

Il s'assit pesamment en face d'elle et sortit son poignard de sa ceinture. Il contempla longuement la lame.

— Fais chercher Shoji, lança-t-il enfin. J'ai besoin de son assistance. Dis à ton serviteur d'aller chez lui à cheval et de le ramener ici.

Comme elle ne réagissait pas, il hurla soudain :

— Parle-lui !

— Je vais y aller, murmura Shizuka.

Elle s'approcha à genoux du bord de la véranda. Kaede l'entendit dire quelques mots à Kondo. Ce dernier ne s'éloigna pas, cependant, mais monta à son tour dans la véranda. Elle sentit sa présence aux aguets, juste derrière la porte.

Son père fit brusquement un geste dans sa direction et elle ne put s'empêcher de tressaillir, croyant qu'il allait la frapper.

— Ce mariage n'a jamais eu lieu ! s'écria-t-il.

— Pardonnez-moi, répéta-t-elle. Je vous ai couvert de honte. Je suis prête à mourir.

— Mais tu attends bien un enfant ?

Il ne la quittait pas des yeux, comme si elle était une vipère pouvant attaquer à tout instant.

— Oui, j'attends un enfant.

— Qui est le père ? À moins que tu ne l'ignores, tant les candidats possibles sont nombreux ?

— Quelle différence cela peut-il faire, à présent ? Cet enfant mourra avec moi.

Elle songea : « Enfonce le poignard latéralement et pousse vers le haut. » Mais elle sentit les mains minuscules de l'enfant serrer ses muscles, lui ôtant la force d'exécuter son projet.

— Oui, c'est cela, il faut que tu mettes fin à tes jours.

Sa voix s'enfla, stridente, et il lança avec une énergie frénétique :

— Tes sœurs devront également se tuer. Telle est ma dernière volonté, que je te charge d'accomplir. Ce sera la fin de la famille Shirakawa, qui n'a duré que trop longtemps. Quant à moi, je n'attendrai pas Shoji. Je dois remplir moi-même l'ultime devoir que m'impose l'honneur.

Il dénoua sa ceinture et ouvrit sa robe, en écartant son vêtement de dessous afin de mettre sa chair à nu.

— Ne te détourne pas, ordonna-t-il à Kaede. Il faut que tu regardes. C'est toi qui m'as réduit à cette extrémité.

Il plaça la pointe du poignard sur la peau lâche et ridée, et prit une profonde inspiration.

Elle ne parvenait pas à croire que cette scène était réelle. Elle vit ses mains se serrer autour du manche, son visage se contracter. Il poussa un cri rauque et laissa tomber l'arme. Cependant elle ne vit aucune plaie, aucune trace de sang. Il émit encore une série de cris aigus, auxquels succédèrent des sanglots convulsifs.

— Je ne peux pas, gémit-il. Tout mon courage s'est évanoui. Monstre à visage de femme! Tu as miné mes forces, tu m'as dérobé mon honneur et ma virilité. Tu n'es pas ma fille mais un démon! Tu apportes la mort à tous les hommes. Maudite!

Il l'empoigna et tira sur ses vêtements en criant:

— Laisse-moi te voir un peu! Montre-moi ce qui excite le désir des autres hommes! Apporte-moi la mort comme tu l'as fait aux autres!

— Non! hurla-t-elle.

Elle s'efforça d'échapper à ses mains, de le repousser.

— Père, je vous en supplie!

— Père? Je ne suis pas ton père. Mes vrais enfants, ce sont les fils que je n'ai jamais eus, puisque toi et tes maudites sœurs avez pris leur place. Tes pouvoirs démoniaques ont dû les tuer dans le ventre de votre mère!

La folie décuplait les forces du vieil homme. Elle sentit ses vêtements glisser sur ses épaules, le contact des mains fébriles sur sa peau. Elle ne pouvait faire usage de son poignard, elle était à sa merci. Comme elle luttait pour se dégager, sa robe s'ouvrit et découvrit ses seins, ses cheveux se dénouèrent et se déployèrent autour de ses épaules nues.

— Il faut avouer que tu es belle, s'écria-t-il. Je t'ai désirée. Pendant que je te donnais tes leçons, je te convoitais. C'était mon châtiment pour avoir enfreint les lois de la nature. Tu m'as corrompu jusqu'à l'os. Apporte-moi la mort, maintenant !

— Père, laissez-moi ! implora-t-elle en tentant de rester calme dans l'espoir de le raisonner. Vous êtes hors de vous. Si nous devons mourir, faisons-le avec dignité.

Mais tous les mots semblaient faibles et vains face au délire qui l'emportait.

Ses yeux étaient humides, ses lèvres tremblaient. Il s'empara du poignard de Kaede et le jeta à l'autre bout de la pièce. De la main gauche, il emprisonna ses poignets et l'attira vers lui. Il glissa sa main droite sous les cheveux de la jeune fille, les écarta, se pencha sur elle et posa ses lèvres sur sa nuque.

Elle fut envahie par l'horreur et le dégoût, puis par une colère incontrôlable. Elle avait été prête à mourir conformément au code sévère de sa classe, afin de sauver l'honneur de sa famille. Cependant son père, qui lui avait inculqué ce code avec tant de rigueur et l'avait imprégnée si constamment de l'idée de la supériorité masculine, s'abandonnait maintenant à la folie. Il lui révélait ainsi ce qui se cachait sous les règles inflexibles gouvernant le comportement de la classe des guerriers : la lubricité et l'égoïsme des hommes. La colère réveilla en elle le pouvoir qu'elle savait posséder au fond d'elle-même, et elle se souvint qu'elle avait dormi dans le domaine de glace. Elle appela à son secours la Déesse Blanche : « Aidez-moi ! »

Elle se rendit compte qu'elle criait bel et bien — Aidez-moi ! Aidez-moi ! — et au même instant, l'étreinte de son père se relâcha. « Il est revenu à la raison », se dit-elle tout en le repoussant. Elle se leva péniblement, rajusta sa robe et renoua sa ceinture. Presque incapable de penser, elle tituba jusqu'à l'autre bout de la pièce, en sanglotant dans son saisissement et sa fureur.

Elle se retourna et vit Kondo à genoux devant son père qui s'était redressé, soutenu, crut-elle d'abord, par Shizuka. Puis elle réalisa que les yeux de son père ne voyaient rien. Kondo sembla enfoncer sa main dans le ventre du père de Kaede. Il taillada la chair qui se déchira avec un bruit affreusement doux, et le sang jaillit en écumant.

Shizuka lâcha le cou du vieillard, qui s'effondra en avant. Kondo glissa le poignard dans sa main droite.

Kaede fut prise de nausée et se plia en deux avec un haut-le-cœur. Shizuka se dirigea vers elle et lui dit avec un visage impassible :

— C'est fini.

— Sire Shirakawa a perdu l'esprit, martela Kondo. Il a mis fin à ses jours. Il n'en était pas à son premier accès de démence, et il parlait fréquemment de se tuer. Il est mort dans l'honneur, avec un grand courage.

Il regarda Kaede bien en face. À cet instant, elle aurait pu appeler les gardes, dénoncer les deux assassins et les faire exécuter. Mais cet instant passa, et elle ne fit rien. Elle savait qu'elle ne révélerait ce meurtre à personne.

Kondo eut un sourire presque imperceptible et continua :

— Dame Otori, vous devez demander aux hommes de vous prêter serment d'allégeance. Il faut que vous soyez forte, sans quoi l'un d'eux mettra la main sur votre domaine et usurpera vos droits.

— J'étais prête à me tuer, dit-elle lentement, mais il semble que ce ne soit plus nécessaire.

— Ce n'est plus du tout nécessaire, approuva-t-il. Du moment que vous soyez forte.

— Vous devez vivre pour votre enfant, l'exhorta Shizuka. Personne ne se souciera de savoir qui est son père, si vous êtes suffisamment puissante. Mais vous devez agir sur-le-champ. Kondo, fais venir les hommes le plus vite possible.

Kaede laissa Shizuka l'emmener dans les appartements des femmes, la laver et changer ses vêtements. Son esprit était sous le choc, mais elle se raccrochait à la conscience de son propre pouvoir. Son père était mort et elle vivait. Il avait voulu mourir, et elle n'aurait guère à se forcer pour prétendre qu'il avait vraiment mis fin à ses jours et connu ainsi la mort honorable dont il avait souvent exprimé le désir. En fait, songea-t-elle avec amertume, elle ne faisait que respecter ses vœux et protéger son nom. Mais elle n'obéirait pas à sa dernière injonction : elle ne se tuerait pas, et elle ne permettrait pas que ses sœurs meurent.

Kondo avait rassemblé les gardes, et des messagers furent envoyés au village pour faire venir les fermiers. Une heure plus tard, la plupart des vassaux de son père étaient réunis. Les femmes avaient sorti les vêtements de deuil qu'on venait à peine de ranger après la mort de sa mère, et on avait envoyé chercher le prêtre. Le soleil était plus haut dans le ciel et le gel fondait. Il flottait dans l'air une odeur de fumée et d'aiguilles de pin. Maintenant que le premier choc était passé, Kaede était mue par un sentiment qu'elle comprenait à peine elle-même : un besoin impérieux de mettre son bien en sûreté, de protéger ses sœurs et sa maisonnée, d'empêcher qu'aucune de ses possessions ne soit perdue ou volée. N'importe lequel de ces hommes serait capable de s'emparer de ses terres. Au moindre signe de faiblesse de sa part, ils n'hésiteraient pas un instant. Elle avait vu quelle force sans pitié se cachait derrière la légèreté de surface de Shizuka et l'apparence ironique de Kondo. Cette force lui avait sauvé la vie, et elle se promit de se montrer aussi impitoyable qu'eux.

Elle se rappela la fermeté manifestée par Araï. C'était elle qui poussait les hommes à le suivre et avait fait de lui le maître de la plus grande partie des Trois Pays. Il fallait maintenant qu'elle fasse preuve de la même résolution. Araï respecterait son alliance avec elle, mais n'entrerait-il pas en guerre si elle était remplacée par un autre ? Elle ne permettrait pas que ses gens soient massacrés et ses sœurs emmenées en otage.

Elle était encore attirée par la mort, mais cet esprit indomptable qui s'était éveillé en elle lui interdisait de répondre à ses avances. « Je dois vraiment être possédée », songea-t-elle au moment de pénétrer dans la véranda pour parler aux hommes assemblés dans le jardin. Elle se souvint des foules que commandait son père quand elle était enfant, et elle pensa : « Qu'ils sont peu nombreux. » Il y avait les dix soldats d'Araï choisis par Kondo, auxquels s'ajoutaient une vingtaine d'hommes encore au service des Shirakawa. Elle les connaissait tous par leur nom, s'étant fait un devoir depuis son retour de se mettre au courant de leur position et même de leurs traits de caractère.

Arrivé parmi les premiers, Shoji s'était prosterné devant la dépouille de son père. Le visage encore humide de larmes, il s'était placé à la droite de Kaede. Kondo se tenait à sa gauche, et en observant la déférence qu'il manifestait envers son aîné elle se rendit compte qu'il jouait la comédie, comme toujours ou presque. « Cependant il a tué mon père pour me sauver, se dit-elle. Il est lié à moi, désormais. Mais que va-t-il exiger en retour ? »

Les hommes s'agenouillèrent devant elle en inclinant la tête, puis s'assirent sur leurs talons quand elle prit la parole.

— Sire Shirakawa a mis fin à ses jours, commença-t-elle. Tel fut son choix, et malgré mon chagrin je dois le respecter et l'honorer. Mon père comptait faire de moi son héritière. C'est dans ce dessein qu'il a entrepris de m'instruire comme si j'étais son fils. J'ai l'intention d'accomplir ce qu'il souhaitait.

Elle s'interrompit un instant. Elle se rappela les derniers mots, bien différents, qu'il lui avait adressés : « Tu m'as complètement corrompu. Apporte-moi la mort, maintenant. »

Elle resta impassible, mais les hommes qui la regardaient eurent l'impression qu'un pouvoir venu des profondeurs émanait d'elle. Il illuminait ses yeux et rendait sa voix irrésistible.

— Je demande aux vassaux de mon père de me prêter serment d'allégeance, ainsi qu'ils l'ont fait jadis pour lui. Sire Araï et moi-même étant alliés, je compte que ses hommes continueront à me servir. En contrepartie, je promets d'assurer votre sécurité et votre avancement. J'entends rendre sa puissance à Shirakawa et prendre possession dès l'an prochain des terres qui me reviennent à Maruyama. L'enterrement de mon père aura lieu demain.

Shoji fut le premier à s'agenouiller devant elle. Kondo imita son exemple, mais elle perçut de nouveau dans son geste une affectation irritante. « Il joue la comédie, pensa-t-elle. L'allégeance n'a aucun sens pour lui : il appartient à la Tribu. Quels projets ont-ils pour moi, dont je n'ai même pas idée ? Puis-je leur

161

faire confiance ? Que ferai-je si je découvre que je ne puis me fier à Shizuka ? »

Elle sentait son cœur défaillir, mais aucun des hommes défilant devant elle n'aurait pu s'en douter. Elle reçut leurs serments un à un, en prenant note à chaque fois de leurs particularités et des vêtements, armes et cuirasses qu'ils portaient. La plupart étaient mal équipés et arboraient des cottes élimées et des casques cabossés. Cependant ils avaient tous des arcs et des sabres, et elle savait qu'ils possédaient presque tous des chevaux.

Seuls deux hommes s'abstinrent de tomber à genoux devant elle. L'un d'eux, un géant nommé Hirogawa, s'exclama bruyamment :

— Je présente mes respects à la noble dame, mais je n'ai jamais servi une femme et je suis trop vieux pour m'y mettre aujourd'hui.

Il s'inclina négligemment et se dirigea vers le portail avec un air suffisant qui la mit en fureur. Nakao, un homme plus petit, le suivit sans daigner prononcer un mot ni même s'incliner.

Kondo la regarda.

— Dame Otori ?

— Tue-les, lança-t-elle.

Elle savait qu'elle devait se montrer impitoyable, et qu'elle devait commencer dès maintenant.

Il réagit avec une promptitude qui la stupéfia. Nakao fut transpercé avant même d'avoir pu réaliser ce qui se passait. Hirogawa se retourna sous la voûte du portail et dégaina son sabre.

— Vous devrez payer votre infidélité de la mort ! lui cria Kondo.

— Tu n'es même pas de Shirakawa, ricana le géant. Qui crois-tu pouvoir intéresser ?

Il empoigna son sabre des deux mains, prêt à frapper. Kondo s'élança en avant et, à l'instant où le sabre s'abattit, il para le coup en faisant preuve d'une force inattendue. Il fit tournoyer sa propre arme comme une hache, et elle s'enfonça dans le ventre sans protection de Hirogawa. Avec la précision d'un rasoir, la lame déchira la chair. Le géant chancela, et Kondo en profita pour le contourner et lui porter encore un coup par-derrière, qui lui déchira le dos de haut en bas.

Sans perdre son temps à regarder l'homme agoniser, il fit face aux autres assistants et lança :

— Je suis au service de dame Otori Kaede, héritière de Shirakawa et de Maruyama. Y a-t-il encore quelqu'un qui serait tenté de ne pas la servir aussi fidèlement que moi ?

Personne ne bougea. Kaede crut lire de la colère sur le visage de Shoji, mais il se contenta de serrer les lèvres sans mot dire.

En considération des services rendus jadis à son père par les deux hommes, elle autorisa leurs familles à emporter leurs corps pour les inhumer. Comme ils lui avaient désobéi, cependant, elle ordonna à Kondo de chasser leurs gens et de confisquer leurs terres.

— C'était la seule chose à faire, assura Shizuka. Si vous leur aviez laissé la vie sauve, ils auraient fomenté des troubles ici ou rejoint les rangs de vos ennemis.

— Qui sont mes ennemis ?

La nuit était tombée et les deux femmes se trouvaient dans la pièce préférée de Kaede. Les volets étaient fermés mais les braseros suffisaient à peine à réchauffer l'air glacé. Elle s'emmitoufla plus étroitement dans ses robes ouatées. Les psalmodies des prêtres s'élevaient dans la salle principale, où ils veillaient le corps du défunt.

— La belle-fille de dame Maruyama est mariée à un cousin de sire Iida nommé Nariaki. Ils seront vos principaux rivaux quand il s'agira de revendiquer le domaine.

— Mais la plupart des Seishuu détestent les Tohan, observa Kaede. Je crois qu'ils m'accueilleront avec joie. C'est moi l'héritière légitime, après tout, la plus proche par le sang de dame Maruyama.

— Personne ne remet en doute vos droits légaux, répliqua Shizuka. Il n'empêche qu'il vous faudra combattre pour recueillir votre héritage. Ne pourriez-vous pas vous contenter de votre propre domaine de Shirakawa ?

— Les hommes que j'ai ici sont si peu nombreux et si mal équipés, répondit Kaede d'une voix pensive. Rien que pour garder Shirakawa, j'aurai besoin d'une petite armée. Il m'est impossible d'en entretenir une avec les seules ressources de ce domaine. Comment me passer des richesses de Maruyama, dans ces conditions ? Dès que la période de deuil sera terminée, tu enverras un messager au chef des serviteurs de dame Naomi, Sugita Haruki. Tu le connais, nous l'avons rencontré lors de notre voyage pour Tsuwano. Espérons qu'il n'a pas perdu sa charge.

— Qui dois-je envoyer ?

— Kondo. Tu peux aussi y aller toi-même, ou recourir à un de vos espions.

— Vous voulez employer la Tribu ? s'étonna Shizuka.

— Je t'emploie déjà, toi, répliqua Kaede. J'ai envie de mettre à profit vos talents, désormais.

Elle avait encore beaucoup de questions à poser à Shizuka, mais elle était épuisée et se sentait oppressée au niveau du ventre. « Je lui parlerai dans les jours à venir, se promit-elle. Pour l'instant, il faut absolument que je me couche. »

Elle avait mal au dos. Quand elle fut enfin au lit, elle ne parvint pas à trouver une position confortable et le sommeil la fuit. Elle était sortie vivante des épreuves de ce jour terrible, mais maintenant que la maison était silencieuse, que les pleurs et les litanies s'étaient tus, elle se sentait en proie à une angoisse profonde. Les paroles de son père résonnaient à ses oreilles. Son visage et ceux de tous les hommes morts pour elle dansaient devant ses yeux. Elle redoutait que leurs fantômes n'essaient de lui arracher l'enfant de Takeo. Elle finit par s'endormir, les bras serrés sur son ventre.

Elle rêva que son père l'attaquait. Il sortait son poignard de sa ceinture, mais au lieu de l'enfoncer dans son propre ventre il s'approchait d'elle, la maintenait par la nuque et la transperçait. Déchirée par une souffrance atroce, elle se réveilla en criant. La douleur continua de déferler en vagues régulières. Ses jambes étaient déjà inondées de sang.

Les funérailles de son père eurent lieu sans elle. L'enfant s'échappa de son ventre comme une anguille, et le sang de sa vie suivit son exemple. Elle fut assaillie par la fièvre, qui troubla sa vue et sa parole et la tourmenta de visions effroyables.

Shizuka et Ayame firent infuser toutes les herbes qu'elles connaissaient, puis en désespoir de cause brûlèrent de l'encens et firent résonner des gongs pour chasser les esprits malins qui la possédaient. Pour en venir à bout, elles firent même appel à des prêtres et à un médium.

Au bout de trois jours, l'état de la malade sembla désespéré. Aï ne quittait pas son chevet un instant, même Hana était au-delà des larmes. Vers l'heure de la Chèvre, alors que Shizuka était sortie pour aller chercher de l'eau fraîche, un des gardes de l'entrée l'appela.

— Nous avons de la visite. Plusieurs cavaliers et deux palanquins. Ce doit être sire Fujiwara.

165

— Il ne faut pas qu'il entre. Cette demeure est souillée à la fois par le sang et par la mort.

Les porteurs déposèrent les palanquins devant le portail, et elle tomba à genoux quand le seigneur regarda à l'extérieur du véhicule.

— Sire Fujiwara, pardonnez-moi. Il n'est pas possible de vous laisser entrer.

— J'ai appris que dame Otori était gravement malade. Permettez-moi de vous parler dans le jardin.

Elle resta agenouillée tandis qu'il passait devant elle, puis elle se leva pour le suivre dans le pavillon près du torrent. Il écarta ses serviteurs d'un geste et se tourna vers Shizuka.

— Est-elle en danger ?

— Je ne pense pas qu'elle passera la nuit, répondit-elle à mi-voix. Nous avons tout essayé.

— J'ai amené mon médecin avec moi. Montrez-lui où se trouve la chambre puis revenez ici.

Après s'être inclinée devant lui, elle retourna au portail et vit sortir du second palanquin le médecin, un petit homme entre deux âges au visage brillant d'intelligence et de bonté. Elle le mena à la chambre où gisait Kaede, et son cœur se serra en la voyant si pâle, les yeux égarés. La malade haletait en poussant de temps en temps un cri aigu, dont il était impossible de dire s'il lui était arraché par la peur ou par la souffrance.

Quand Shizuka revint, sire Fujiwara contemplait l'extrémité du jardin, où le torrent s'abattait sur des rochers. L'air devenait glacial et le bruit de la cascade semblait triste et solitaire. Shizuka s'agenouilla de nouveau et attendit qu'il parle.

— Ishida est très doué, dit-il. Ne désespérez pas encore.

— La bonté de sire Fujiwara est extrême, murmura-t-elle.

Elle était hantée par le pâle visage et les yeux éperdus de Kaede. Elle brûlait d'envie de retourner à son chevet, mais il lui était impossible de s'en aller sans la permission de l'aristocrate.

— Je ne suis pas bon, répliqua-t-il. Je n'obéis guère qu'aux impulsions de mes désirs, de mon égoïsme. Le fond de ma nature est la cruauté.

Il lui jeta un bref coup d'œil et lança :

— Depuis combien de temps êtes-vous au service de dame Shirakawa ? Vous n'êtes pas originaire de cette région, n'est-ce pas ?

— On m'a envoyée auprès d'elle au printemps, alors qu'elle se trouvait encore au château de Noguchi.

— Qui vous a envoyée ?

— Sire Araï.

— Vraiment ? Et vous lui rapportez ce que vous voyez ?

— Je ne sais ce que veut dire sire Fujiwara.

— Vous ne ressemblez pas à une servante ordinaire. Je me suis demandé si vous n'étiez pas une espionne.

— Vous avez une trop haute opinion de mes capacités, seigneur.

— J'espère que vous ne me donnerez jamais l'occasion d'exercer ma cruauté.

La menace implicite ne pouvait échapper à Shizuka, qui garda le silence.

Il poursuivit comme s'il se parlait à lui-même :

— Sa personne, sa vie m'emplissent d'un intérêt que je n'avais encore jamais ressenti, alors que je ne croyais plus depuis longtemps pouvoir être touché par une émotion nouvelle. Je ne permettrai pas qu'elle me soit enlevée par rien ni personne. Pas même par la mort.

167

— Elle ensorcelle tous ceux qui l'approchent, chuchota Shizuka, mais le destin s'est montré envers elle d'une rare cruauté.

— J'aimerais tant connaître sa vraie vie. Je sais qu'elle cache bien des secrets. J'imagine que la mort récente de son père en fait partie. J'espère que vous me les direz un jour, si elle ne peut le faire elle-même...

Sa voix se brisa et il lança :

— L'idée qu'une telle beauté périsse me perce le cœur.

Shizuka trouva que son ton manquait de naturel, mais il avait les yeux pleins de larmes.

— Si elle vit, je l'épouserai, déclara-t-il. De cette façon, je l'aurai toujours avec moi. Vous pouvez la rejoindre, maintenant. Mais aurez-vous la bonté de lui répéter mes propos ?

— Sire Fujiwara.

Shizuka se prosterna et s'éloigna à reculons.

« Si elle vit... »

CHAPITRE VI

Matsue était une ville du Nord, froide et austère. Nous arrivâmes au milieu de l'automne, à l'époque où le vent venu du continent souffle en mugissant sur une mer d'un gris métallique. Quand les premières neiges tomberaient, la cité serait coupée du reste du pays pour trois mois, comme Hagi. C'était un endroit idéal pour apprendre ce que j'avais à apprendre.

Pendant une semaine, nous avions passé les journées à marcher, en suivant la route côtière. Il ne pleuvait pas mais le ciel était souvent couvert, et chaque jour était plus court et plus froid que le précédent. Nous fîmes halte dans d'innombrables villages, où nous amusions les enfants en jonglant, en faisant tournoyer nos toupies ou en exécutant avec une corde des jeux où Yuki et Keiko étaient expertes. La nuit, nous trouvions toujours un abri chez des marchands appartenant au réseau de la Tribu. Je restais longtemps allongé sans dormir, à écouter les conversations chuchotées, au milieu des relents de brasserie ou de préparation du soja. Je songeais à Kaede avec nostalgie et parfois, quand j'étais seul, je sortais la lettre de sire Shigeru et lisais ses dernières volontés par lesquelles il m'avait chargé de venger sa mort et de prendre soin de dame Shirakawa. J'assumais certes ma décision de rejoindre les rangs de la Tribu, mais même en ces premiers jours je ne pouvais m'empêcher d'être hanté avant de m'endormir par l'image des oncles du seigneur, vivant impunis à Hagi, ou par celle de son sabre, Jato, attendant à Terayama l'heure de sortir de sa torpeur.

Quand nous arrivâmes à Matsue, Yuki et moi étions amants. Il me sembla que j'obéissais ainsi à la fatalité, mais non à ma volonté. Sa présence m'obsédait sur la route, tous mes sens s'éveillaient à sa voix, à son parfum. Cependant j'étais trop incertain de mon avenir, de ma position dans le groupe, ma prudence et ma méfiance étaient trop vives pour que je lui fasse la moindre avance. Il était clair qu'Akio était lui aussi sensible à son charme. Il se montrait plus ouvert avec elle qu'avec quiconque et recherchait sans cesse sa compagnie, marchant à côté d'elle sur la route ou s'asseyant près d'elle lors des repas. Je n'avais aucune envie d'attiser encore son hostilité à mon égard.

La position de Yuki dans le groupe était ambiguë. Bien qu'elle obéît à Akio et le traitât toujours avec respect, elle semblait être son égale, et j'étais bien placé pour savoir qu'elle l'emportait sur lui par ses talents. Keiko occupait manifestement un rang inférieur — peut-être était-elle issue d'une famille moins importante ou d'une branche collatérale. Elle persistait à m'ignorer, mais faisait preuve d'une loyauté aveugle envers Akio. Quant à Kazuo, le plus âgé d'entre nous, chacun semblait le considérer à mi-chemin entre un oncle et un serviteur. Doué de nombreux talents pratiques, c'était en particulier un habile voleur.

Akio était Kikuta par son père comme par sa mère. Il était ainsi un cousin éloigné pour moi et ses mains avaient la même forme que les miennes.

Ses dons physiques étaient extraordinaires : je n'ai jamais rencontré quelqu'un doté de réflexes aussi rapides, et il était capable de faire de tels bonds qu'il semblait voler. En dehors de sa capacité à déceler un adversaire invisible ou dédoublé et de son adresse à jongler, cependant, il n'avait hérité d'aucun des talents plus rares des Kikuta. Yuki m'en parla un jour, alors que nous précédions les autres de quelques pas :

— Les maîtres redoutent que les dons ne soient en voie de disparition. Ils semblent s'amoindrir à chaque génération.

Elle me jeta un regard de côté et ajouta :

— C'est pourquoi il est si important pour nous de vous garder.

Sa mère avait dit la même chose et j'aurais aimé en entendre davantage, mais Akio me cria que c'était mon tour de pousser la charrette. En m'avançant vers lui, je vis sur son visage combien il était jaloux. Je ne comprenais que trop bien son hostilité à mon égard. Fanatiquement attaché à la Tribu, il avait grandi en accord avec ses enseignements et son mode de vie. Je ne pouvais ignorer que ma soudaine entrée en scène risquait de réduire à néant nombre de ses ambitions et de ses espérances. Mais comprendre son antipathie ne la rendait pas plus aisée à supporter, et ne suffisait pas à me rendre Akio sympathique.

Sans rien dire, j'empoignai les bras de la charrette. Il courut en avant pour marcher à côté de Yuki. Il l'entreprit à voix basse en oubliant, comme souvent, que j'entendais tout ce qu'ils disaient. Il avait pris l'habitude de m'appeler le Chien, et il faut avouer que ce surnom m'allait comme un gant. Comme je l'ai déjà noté, j'ai une affinité avec les chiens. Outre mon ouïe aussi fine que la leur, je sais par expérience ce qu'on éprouve quand on est incapable de parler.

— Qu'étiez-vous en train de raconter au Chien? lui demanda-t-il.

— J'essayais juste de parfaire son éducation, répondit-elle avec désinvolture. Il a tant à apprendre.

Cependant ses talents d'éducatrice se révélèrent surtout hors pair dans l'art d'aimer.

En voyage, Yuki et Keiko jouaient toutes deux les prostituées si cela s'avérait nécessaire. Bien d'autres membres de la Tribu, hommes et femmes, en usaient de même sans être déconsidérés le moins du monde. Il ne s'agissait que d'un rôle de plus, qu'ils abandonnaient aussi aisément qu'ils l'avaient endossé. Bien entendu, les clans des guerriers avaient une tout autre conception de la virginité de leurs fiancées et de la fidélité de leurs épouses. Alors que les hommes pouvaient agir à leur guise, les femmes étaient censées être chastes. L'éducation que j'avais reçue dans ma famille était à mi-chemin de ces deux visions : les Invisibles sont supposés résister aux désirs impurs, mais dans la pratique ils accueillent les défaillances des uns et des autres avec l'esprit de pardon qui leur est coutumier.

Nous passâmes la quatrième nuit de notre voyage dans un village important, où nous fûmes reçus par une famille de riches marchands. Malgré la disette qui frappait la région du fait des tempêtes, ils disposaient de réserves abondantes et se montrèrent fort généreux. Notre hôte nous proposa la compagnie de servantes de la maison. Tandis qu'Akio et Kazuo acceptaient avec empressement, je saisis un prétexte quelconque pour m'abstenir. Je m'attirai ainsi une foule de quolibets, mais l'affaire n'alla pas plus loin. Plus tard, quand ces filles entrèrent dans la chambre pour coucher avec mes compagnons, je transportai mon matelas dehors, dans la véranda. Je restai là à frissonner sous la lumière glacée des étoiles, en proie à une nostalgie torturante de Kaede et à un désir que n'importe quelle femme, pour être honnête, aurait pu satisfaire à cet instant. La porte coulissa doucement et je crus qu'une des servantes venait me rejoindre. Quand elle la referma, cependant, je reconnus le parfum de Yuki.

Elle s'agenouilla près de moi. Tendant les bras, je l'attirai à moi et découvris que sa ceinture était dénouée et que sa robe s'ouvrait déjà. Je me souviens que je ressentis pour elle une reconnaissance sans borne. Elle défit mes vêtements et s'ingénia à me rendre la tâche facile — un peu trop, même, puisque je cédai à mon impatience. Elle me gronda pour ma fougue excessive et promit de m'apprendre à me contrôler... Elle tint sa promesse.

Le lendemain matin, Akio me fixa d'un air inquisiteur.

— Vous avez changé d'avis, la nuit dernière ?

Je me demandai comment il était au courant. Peut-être nous avait-il entendus à travers les écrans minces, à moins qu'il ne fît que deviner.

— Une des filles est venue me retrouver. Il aurait été impoli de la renvoyer.

Il poussa un grognement et n'insista pas, mais il nous observa avec attention, Yuki et moi. Même si nous évitions de nous parler, il semblait se rendre compte que quelque chose avait changé entre nous. Je ne cessais de penser à elle, avec un mélange d'allégresse et de désespoir. J'étais heureux de savourer avec elle une extraordinaire volupté amoureuse, mais désespéré car elle n'était pas Kaede et aussi parce que notre liaison resserrait plus que jamais mes liens avec la Tribu.

Je ne pouvais m'empêcher de me rappeler la remarque que Kenji avait faite en partant : « C'est une bonne chose que Yuki soit dans les environs pour veiller sur toi. » Il savait ce qui allait arriver. Avait-il tout machiné avec elle, lui avait-il donné des instructions ? Si Akio était au courant, n'était-ce pas tout simplement parce qu'ils l'avaient informé de leur plan ? J'étais assailli de doutes et n'avais aucune confiance en Yuki, mais je ne cessais pas pour autant de la rejoindre dès que j'en avais l'occasion. Et elle, qui en savait incomparablement plus long que moi dans ce domaine, faisait en sorte que les occasions soient nombreuses. Quant à la jalousie d'Akio, elle devenait de jour en jour plus évidente.

C'est ainsi que notre petit groupe arriva à Matsue, uni en apparence par des liens harmonieux mais en fait déchiré par des sentiments violents qu'en vrais membres de la Tribu nous cachions au monde extérieur et ne nous révélions pas même les uns aux autres.

La maison des Kikuta où nous habitions était encore une demeure de marchand, imprégnée de l'odeur du soja en train de fermenter. Gosaburo, le maître de maison, était le plus jeune frère de Kotaro et donc un cousin germain de mon père. Nous n'avions plus besoin de nous montrer aussi discrets, car nous étions maintenant à bonne distance des Trois Pays, hors de portée d'Araï. Le clan des Yoshida, qui contrôlait la ville de Matsue, n'était pas en conflit avec la Tribu, dont elle appréciait les services, qu'il s'agît de prêt d'argent, d'espionnage ou d'assassinat. Nous apprîmes qu'Araï était occupé à soumettre l'Est et le Pays du Milieu, à nouer des alliances, pacifier ses frontières et mettre en place son administration. Nous entendîmes également parler pour la première fois de sa campagne contre la Tribu et de son intention d'en purger ses terres. Cette rumeur était du reste l'objet de force commentaires ironiques.

Je ne m'étendrai pas en détail sur mon entraînement. Son but était d'endurcir mon cœur et de me rendre impitoyable. Aujourd'hui encore, à des années de distance, le souvenir de cette discipline aussi cruelle que rigoureuse me fait frémir et me donne envie de détourner les yeux. Cette époque était empreinte de dureté. Peut-être le Ciel était-il en colère, peut-être les hommes étaient-ils possédés par des démons. Il est possible que l'affaiblissement du bien donne l'occasion à la violence de s'engouffrer, car elle est toujours à l'affût du moindre relent de décomposition. C'était un âge prospère pour les membres de la Tribu, qui l'emportaient sur tous en cruauté.

Je n'étais pas le seul à recevoir un tel entraînement. Je travaillais en compagnie d'autres garçons, plus jeunes que moi pour la plupart et tous nés Kikuta, qui grandissaient au sein de la famille. Le plus proche de moi par l'âge était un jeune homme au corps robuste et au visage jovial, répondant au nom de Hajime. Sans s'opposer ouvertement à l'acharnement d'Akio contre moi, ce qui aurait constitué une désobéissance inconcevable, il s'arrangeait souvent pour en atténuer la brutalité. Il m'était sympathique, même si je n'irais pas jusqu'à dire que j'avais confiance en lui. Ses talents de combattant étaient bien supérieurs aux miens. C'était un lutteur, et sa force était telle qu'il pouvait également bander les arcs énormes des maîtres archers. Pour ce qui était des talents innés et non acquis, cependant, ni lui ni aucun autre ne pouvait rivaliser avec moi. Je ne commençai qu'à cette époque à réaliser combien mes dons étaient exceptionnels. Je pouvais rester invisible plusieurs minutes de suite, même dans la salle d'entraînement aux murs blancs et nus. Parfois, Akio lui-même était incapable de déceler ma présence. Je pouvais me dédoubler en combattant et regarder à l'autre bout de la salle mon adversaire aux prises avec mon second moi. J'étais aussi capable de me déplacer sans que personne ne m'entende, alors que ma propre ouïe s'affinait encore. Les autres garçons apprirent vite à ne jamais me regarder dans les yeux, car je les avais tous endormis à un moment ou un autre. En m'exerçant sur eux, je parvins peu à peu à contrôler ce don. Quand je plongeais mes yeux dans les leurs, je voyais les faiblesses et les peurs qui les rendaient vulnérables à mon regard — tantôt c'étaient leurs propres craintes intérieures, tantôt la terreur que leur inspiraient les pouvoirs mystérieux dont j'étais doué.

Chaque matin, je faisais des exercices avec Akio afin d'accroître ma force et ma rapidité. J'étais plus faible et plus lent que lui dans presque tous les domaines, et il n'avait pas gagné en patience. Il faut cependant reconnaître qu'il mit une vraie détermination à m'enseigner comment m'envoler dans les airs, et il y réussit. J'avais des aptitudes naturelles — mon beau-père ne me traitait-il pas de petit singe ? — et sa méthode brutale mais efficace m'apprit à les redécouvrir et à les maîtriser. Dès les premières semaines, j'eus conscience du changement s'opérant en moi, de l'endurcissement de mon corps et de mon esprit.

Nous finissions toujours par un combat à mains nues. La Tribu n'en faisait guère usage, car elle préférait le meurtre à l'affrontement ouvert, cependant nous étions tous initiés au corps à corps. Nous restions ensuite assis à méditer en silence, après avoir enveloppé dans une robe nos corps en train de se refroidir, en maintenant notre température interne par la seule force de notre volonté. Le plus souvent, ma tête était encore ébranlée par un coup ou une chute, et au lieu de vider mon esprit, comme j'étais supposé le faire, j'imaginais avec une volupté féroce les souffrances que j'aurais aimé voir infliger à Akio. Je lui faisais subir tous les tourments de Jo-An tels qu'il me les avait décrits.

Mon entraînement était conçu pour favoriser la cruauté. À l'époque, je m'y consacrai sans réserve, heureux des talents qu'il me permettait d'acquérir et des progrès qu'il me faisait faire dans les arts auxquels j'avais été initié avec les fils des guerriers Otori, au temps où sire Shigeru vivait encore. Le sang de mon père Kikuta faisait entendre sa voix en moi, alors que j'oubliais la compassion prêchée par ma mère et tous les autres enseignements de mon enfance. Je ne priais plus : ni le Dieu Secret, ni l'Illuminé, ni les esprits anciens n'avaient la moindre signification à mes yeux. Je ne croyais pas en leur existence, et il me semblait qu'ils ne favorisaient pas spécialement les croyants. Il m'arrivait de me réveiller brusquement au milieu de la nuit, et l'image de ce que j'étais en train de devenir s'imposait à moi sans faux-fuyants. Cette vision me faisait frémir, et je me levais sans faire de bruit afin de retrouver Yuki, si c'était possible, de m'étendre à son côté et de m'oublier en elle.

Nous ne passions jamais toute la nuit ensemble. Nos rencontres étaient presque toujours aussi brèves que silencieuses. Un après-midi, cependant, nous nous trouvâmes seuls dans la maison, en dehors des serviteurs s'occupant de la boutique. Akio et Hajime avaient emmené les garçons plus jeunes au sanctuaire, pour je ne sais plus quelle cérémonie de consécration, et j'avais été chargé de copier des

177

documents pour Gosaburo. J'étais heureux d'avoir à faire ce travail. Je ne touchais plus que rarement à un pinceau, et j'avais appris si tard à écrire que je craignais toujours que les caractères ne désertent ma mémoire. Le marchand possédait quelques livres que je lisais dès que je pouvais, comme sire Shigeru me l'avait recommandé, mais j'avais perdu ma pierre à encre et mes pinceaux à Inuyama et n'avais presque plus jamais écrit depuis.

Je copiai avec assiduité les documents — registres de la boutique ou montants des quantités de soja et de riz achetés à des fermiers du cru. Cependant l'envie de dessiner démangeait mes doigts, et je me rappelai ma première visite à Terayama, l'éclat de cette journée d'été, la beauté des peintures, le petit oiseau de la montagne dont j'avais donné le croquis à Kaede.

Comme toujours quand je pensais au passé sans surveiller mon cœur, elle reprenait sur moi tout son empire et il me semblait qu'elle était présente. Je croyais sentir le parfum de ses cheveux, entendre sa voix. Elle s'imposait à moi avec tant de force qu'il m'arrivait d'avoir peur, comme si son fantôme s'était introduit dans la pièce. Son esprit devait être plein de colère et de ressentiment, elle devait m'en vouloir affreusement de l'avoir abandonnée. Ses paroles résonnaient à mes oreilles : « J'ai peur de moi-même. Je ne me sens en sécurité qu'avec toi. »

Il faisait glacial dans la pièce et la nuit tombait déjà, chargée de toutes les menaces de l'hiver à venir. Je frissonnai, en proie au remords et au regret. Le froid engourdissait mes mains.

J'entendis les pas de Yuki venant de l'arrière de la maison et je me remis à écrire. Elle traversa la cour, ôta ses sandales en arrivant dans la véranda du bureau des registres. Je sentis l'odeur du charbon de

bois : elle avait apporté un petit brasero, qu'elle posa
par terre à côté de moi.

— Vous avez l'air frigorifié, dit-elle. Voulez-vous
que je vous prépare du thé ?

— Plus tard, peut-être.

Je posai mon pinceau et tendis mes mains vers la
chaleur. Elle les saisit et les frotta entre les siennes.

— Je vais fermer les volets, déclara-t-elle.

— Il faudra apporter une lampe, alors. J'ai besoin
d'y voir clair pour écrire.

Elle rit doucement. Les volets de bois coulissèrent
l'un après l'autre. L'obscurité envahit la pièce, que
n'éclairait que le rougeoiement assourdi du charbon.

Quand Yuki revint vers moi, elle avait déjà des-
serré sa robe. Bientôt, nous fûmes tous deux brû-
lants. Mais après l'étreinte amoureuse, toujours
aussi enivrante, je fus repris par mon malaise. L'esprit de Kaede était de nouveau avec moi dans cette
pièce. Étais-je en train de la mettre au supplice,
d'éveiller sa jalousie et son dépit ?

Blottie contre moi, irradiant la chaleur, Yuki
annonça :

— Un message de votre cousine est arrivé.

— Laquelle ?

J'avais des cousines par dizaines, maintenant.

— Muto Shizuka.

Je me détachai de Yuki afin qu'elle n'entende pas
les battements accélérés de mon cœur.

— Quelles nouvelles ?

— Dame Shirakawa est mourante. Shizuka semblait craindre qu'elle n'en ait plus pour longtemps.

D'une voix indolente, repue de plaisir, Yuki ajouta :

— Pauvre petite.

Elle resplendissait de vie et de volupté. Cependant
rien n'existait pour moi dans la pièce que Kaede, sa
fragilité, son intensité, sa beauté surnaturelle. Je

l'implorai en mon âme : « Tu ne dois pas mourir. Il faut que je te revoie. Je vais revenir, ne meurs pas avant que je t'aie revue ! »

Son fantôme fixa sur moi ses yeux assombris de reproche et de chagrin.

Yuki se retourna et m'observa, étonnée de mon silence.

— Shizuka pensait qu'il fallait vous prévenir. Y avait-il quelque chose entre vous ? Mon père l'insinuait, mais il prétendait que ce n'était qu'une amourette. D'après lui, il était impossible d'approcher la noble dame sans succomber à son charme.

Je ne répondis rien. Yuki s'assit et s'enveloppa dans sa robe.

— C'était plus sérieux que cela, n'est-ce pas ? Vous l'aimiez.

Elle s'empara de mes mains et me força à la regarder en face.

— Vous l'aimiez, répéta-t-elle d'une voix où commençait à percer la jalousie. Est-ce fini ?

— Ce ne sera jamais fini. Même si elle meurt, je ne cesserai jamais de l'aimer.

Maintenant qu'il était trop tard pour le dire à Kaede, je savais que c'était la vérité.

— Cette partie de votre vie est terminée, lança Yuki d'un ton calme mais impérieux. Tout cela est du passé. Oubliez-la ! Vous ne la reverrez jamais.

Elle ne parvenait pas à cacher sa colère et sa frustration.

— Je ne vous en aurais jamais parlé si vous n'aviez pas mentionné son nom.

Je dégageai mes mains et entrepris de me rhabiller. La chaleur m'avait abandonné aussi vite qu'elle était venue. Le brasero s'éteignait lentement.

— Vous devriez aller chercher du charbon supplémentaire, dis-je à Yuki. Et des lampes. Il faut que
je finisse mon travail.

— Takeo... commença-t-elle.

Elle s'interrompit abruptement.

— Je vais vous envoyer la servante, dit-elle en se
relevant.

Elle m'effleura la nuque en s'en allant, mais je ne
répondis pas à sa caresse. Nous avions été liés physi-
quement de toutes les manières : ses mains m'avaient
massé pour m'apaiser et frappé pour me châtier,
nous avions tué côte à côte et nous avions fait
l'amour. Cependant elle n'avait jamais touché mon
cœur en profondeur, et en cet instant nous en étions
tous deux conscients.

Je ne laissai rien transparaître de mon chagrin,
mais je pleurai en moi-même le destin de Kaede et la
vie que nous aurions pu avoir ensemble. Je n'entendis plus d'autres nouvelles de Shizuka, bien que je ne
cessasse de guetter l'arrivée de messagers. Yuki ne
mentionna plus jamais ce sujet. Je ne pouvais croire
que Kaede fût morte, et dans la journée je me rac-
crochais à cette conviction — mais la nuit, c'était différent.

Toute trace de couleur disparut avec les dernières
feuilles des érables et des saules. Des processions
d'oies sauvages volant vers le sud traversaient le ciel
maussade. Avec la venue de l'hiver, la ville commença
à se replier sur elle-même et les messagers arrivèrent
en moins grand nombre. De temps en temps, cependant, l'un d'eux venait nous informer des activités de
la Tribu ou des combats déchirant les Trois Pays. Ils
ne manquaient jamais d'apporter également de nouvelles commandes pour notre commerce.

Tel était en effet le nom que nous donnions à nos
contrats d'espions et d'assassins. Un commerce où

les vies humaines étaient considérées comme des marchandises... Je servis de copiste également pour ces affaires particulières. Je restais souvent assis jusqu'à une heure avancée de la nuit avec Gosaburo, le marchand, en passant de la récolte du soja à d'autres moissons plus meurtrières. Dans les deux cas, les profits étaient conséquents, avec cette différence que le rendement du soja avait été affecté par les tempêtes alors que celui des meurtres restait inchangé. Une des futures victimes de nos tueurs s'était pourtant noyée avant que la Tribu ait pu remplir son contrat, de sorte qu'un conflit s'était élevé autour du paiement.

La nature impitoyable des Kikuta était censée faire d'eux des assassins plus doués que les Muto, lesquels excellaient traditionnellement plutôt dans l'espionnage. Ces deux familles constituaient l'aristocratie de la Tribu. Les trois autres familles, appelées respectivement Kuroda, Kudo et Imaï, se vouaient à des tâches plus serviles et quotidiennes et travaillaient comme serviteurs, voleurs à la tire ou mouchards. Comme les talents traditionnels étaient estimés plus que tout, les mariages étaient fréquents entre les Muto et les Kikuta. Ces derniers s'alliaient plus rarement aux autres familles, même si ces unions exceptionnelles donnaient souvent de véritables génies, tel l'assassin Shintaro.

Après en avoir terminé avec les comptes, Kikuta Gosaburo me donnait des leçons de généalogie en m'expliquant les finesses du réseau serré de relations que la Tribu avait tissé comme la toile d'une araignée d'automne à travers les Trois Pays, dans le Nord et au-delà. C'était un gros homme doté d'un double menton de matrone et d'un visage lisse et dodu, à l'expression d'une trompeuse douceur. L'odeur du soja en fermentation imprégnait ses vêtements et sa peau. S'il était de bonne humeur, il faisait venir du vin et passait de la généalogie à l'histoire. J'apprenais ainsi la chronique de mes ancêtres de la Tribu et découvrais qu'il n'y avait guère eu de changements au cours des siècles. Les seigneurs de la guerre pouvaient bien prendre et perdre le pouvoir, les clans prospérer puis disparaître, le commerce de la Tribu, qui concernait l'essentiel de la vie, ne s'interrompait jamais. Alors que tous les autres puissants seigneurs travaillaient avec elle, cependant, voilà qu'Araï désirait changer le cours des choses. Il était le seul à vouloir détruire la Tribu.

À cette idée, Gosaburo était saisi d'une hilarité qui faisait tressaillir son menton.

Les premiers temps, on ne recourut qu'à mes talents d'espion. On m'envoyait surprendre des conversations dans les tavernes et les maisons de thé, ou escalader la nuit des murs et des toits afin d'écouter des hommes se confier à leurs fils ou à leurs épouses. J'entendis les secrets et les craintes des habitants de la ville, les plans du clan des Yoshida pour le printemps, les soucis des maîtres du château quant aux intentions d'Araï au-delà des frontières ainsi que devant les révoltes paysannes qui grondaient aux portes de la cité. Je me rendis dans les villages de la montagne pour épier les paysans en colère et identifier leurs meneurs.

Un soir, Gosaburo fit entendre un clappement désapprobateur à la vue d'un compte dont le retard s'éternisait. Non seulement le client en question n'avait rien payé, mais il avait commandé de nouvelles marchandises. Il s'agissait d'un certain Furoda, un guerrier de rang inférieur qui était redevenu fermier pour subvenir aux besoins dus à sa nombreuse famille et à son goût pour les plaisirs de l'existence. Je lus sous son nom les signes indiquant les diverses mesures d'intimidation déjà prises à son encontre : on avait incendié une grange, enlevé une de ses filles, roué de coups un de ses fils, abattu plusieurs chiens et chevaux. Ce qui ne l'empêchait pas d'aggraver encore sa dette envers les Kikuta.

— Il pourrait faire l'affaire pour le Chien, dit le marchand à Akio qui était venu boire du vin avec nous.

Comme tout le monde, à l'exception de Yuki, il avait adopté le surnom que m'avait donné Akio.

Ce dernier prit le rouleau et lut rapidement la triste histoire de Furoda.

— Il a eu droit à un traitement de faveur.

— C'est un garçon sympathique, vois-tu. Je le connais depuis mon enfance. Cela dit, je ne puis continuer éternellement à lui faire des fleurs.

— Mon oncle, si vous ne vous occupez pas de lui, est-ce que tous les autres ne vont pas s'attendre à la même indulgence ?

— C'est là que le bât blesse. Personne ne paie dans les délais, en ce moment. Ils croient tous pouvoir s'en dispenser à cause de l'exemple de Furoda.

Gosaburo soupira si profondément que ses yeux disparurent presque dans les plis de ses joues.

— J'ai le cœur trop tendre, c'est mon problème. Mes frères ne cessent de me le répéter.

— Le Chien aussi a le cœur tendre, dit Akio. Mais nous l'entraînons afin qu'il s'endurcisse. Il peut se charger de Furoda pour vous, ça lui fera du bien.

— Si je le tue, il ne pourra jamais payer ses dettes, observai-je.

— Mais tous les autres le feront, lança Akio comme s'il révélait une évidence à un simple d'esprit.

— Il est souvent plus facile de réclamer à un mort qu'à un vivant, ajouta Gosaburo d'un ton d'excuse.

Je ne connaissais pas cet homme accommodant, voluptueux et irresponsable, et je n'avais aucune envie de le tuer. Ce qui ne m'empêcha pas de le faire, quelques jours plus tard. Après avoir gagné le faubourg où il habitait, j'arrivai devant sa demeure, fis taire les chiens, me rendis invisible et entrai sans attirer l'attention des gardes. La maison elle-même était barricadée, mais je l'attendis à l'extérieur des toilettes. J'avais épié la maisonnée et je savais qu'il se levait toujours au petit matin pour aller se soulager. C'était un homme grand et gros, qui avait depuis longtemps abandonné toute activité physique et confié à ses fils les durs travaux des champs. Ce guerrier adouci par l'âge mourut presque sans un bruit.

Quand je desserrai la cordelette, il avait commencé à pleuvoir. Les tuiles surmontant les murs étaient glissantes. Il faisait nuit noire et peut-être la pluie était-elle mêlée de neige. En regagnant la maison des Kikuta, je me sentis réduit au silence par le froid et les ténèbres, comme s'ils étaient entrés en moi et avaient laissé une ombre sur mon âme.

Les fils de Furoda payèrent ses dettes, et Gosaburo fut content de moi. Je ne laissai voir à personne combien ce meurtre m'avait perturbé, mais le suivant fut encore pire. Il s'agissait d'une commande des seigneurs Yoshida. Décidés à mettre fin à l'agitation des villageois avant l'hiver, ils demandèrent la liquidation du meneur des révoltés. Je connaissais cet homme. J'avais découvert ses champs secrets, mais je n'en avais encore parlé à personne. Cette fois je révélai à Gosaburo et Akio où il se rendait chaque soir, seul, et ils m'envoyèrent là-bas afin de lui régler son compte.

Il cachait du riz et des patates douces dans une petite grotte creusée à flanc de montagne et recouverte de pierres et de broussailles. Il travaillait sur les levées du champ quand je m'approchai en silence. Je l'avais sous-estimé : il était plus fort que je ne croyais et se défendit avec sa houe. Pendant que nous luttions, mon capuchon glissa et il vit mon visage. Ses yeux s'emplirent d'une sorte d'horreur incrédule. Je profitai de cet instant de désarroi pour me dédoubler, le contourner et lui couper la gorge par-derrière, mais j'eus le temps de l'entendre appeler mon second moi :

— Sire Shigeru !

J'étais couvert de son sang et du mien, et étourdi par le coup que je n'avais pu entièrement esquiver. La houe avait atteint mon crâne, qui saignait abondamment. Le cri de l'homme me troubla profondément. Avait-il appelé à son secours l'esprit de sire Shigeru, ou m'avait-il pris pour lui, abusé par notre ressemblance ? J'aurais voulu l'interroger, mais ses yeux fixaient désormais sans le voir le ciel du crépuscule. Il était à jamais au-delà des mots.

Je me rendis invisible et le restai presque jusqu'à la maison Kikuta. Jamais encore je n'avais eu recours si longtemps à l'invisibilité, et j'aurais prolongé indéfiniment cet état si je l'avais pu. Incapable d'oublier les dernières paroles du paysan, je me remémorai ce que sire Shigeru avait dit à Hagi, il y avait si longtemps : « Je n'ai jamais attaqué un homme désarmé, ni tué pour le plaisir. »

Les seigneurs Yoshida furent extrêmement satisfaits. Avec cet homme, c'était l'âme de la révolte qui avait disparu. Les villageois retrouvèrent rapidement leur docilité, et une bonne partie d'entre eux moururent de faim avant la fin de l'hiver. D'après Gosaburo, on ne pouvait que se féliciter de ce résultat.

Cependant je me mis à rêver de sire Shigeru toutes les nuits. Il entrait dans la chambre, s'immobilisait devant moi comme s'il venait juste de sortir du fleuve, ruisselant d'eau et de sang, et me fixait en silence. On aurait dit qu'il m'attendait, de la même façon qu'il avait attendu jadis que je retrouve la parole, avec autant de patience que le héron.

Je commençais lentement à me rendre compte que la vie que je menais m'était insupportable, mais je ne savais comment lui échapper. J'avais conclu avec les Kikuta un marché qu'il me semblait à présent impossible de respecter. Je m'étais engagé dans un moment d'exaltation passionnée, alors que je ne pensais pas survivre à la nuit et que je ne comprenais pas ma propre personnalité. J'avais cru que le maître Kikuta, qui paraissait me connaître, m'aiderait à surmonter les contradictions et les divisions profondes de ma nature. Mais il m'avait envoyé avec Akio à Matsue, où ma vie au sein de la Tribu pouvait peut-être m'enseigner à dissimuler ces problèmes mais ne contribuait en rien à les résoudre. Mon déchirement intérieur n'avait fait que s'approfondir avec le temps.

Mon humeur s'assombrit encore davantage après le départ de Yuki. Elle s'était volatilisée du jour au lendemain, sans un mot pour me prévenir. Un matin, pendant l'entraînement, j'entendis sa voix et le bruit de ses pas. Elle se dirigea vers la porte d'entrée et sortit sans dire adieu à personne. J'épiai son retour toute la journée, mais elle ne revint pas. Par la suite, j'essayai de demander négligemment où elle se trouvait, mais je n'obtins que des réponses évasives, et il n'était pas question pour moi d'interroger directement Akio ou Gosaburo. Elle me manquait extrêmement, mais j'étais aussi soulagé de n'avoir plus à affronter la question de nos relations. Depuis qu'elle m'avait parlé de Kaede, je décidais chaque jour que je ne coucherais plus avec elle, et chaque nuit je la rejoignais...

Deux jours plus tard, alors que je pensais à elle pendant la méditation terminant nos exercices du matin, j'entendis une servante s'approcher de la porte et appeler Akio à voix basse. Celui-ci ouvrit les yeux avec lenteur, se leva et la rejoignit avec cette maîtrise de soi paisible qu'il affectait toujours après avoir médité et dont j'étais persuadé qu'elle n'était qu'une comédie.

— Le maître est ici, murmura la fille. Il vous attend.

— Viens ici, le Chien! me cria Akio.

Les autres restèrent assis, imperturbables, sans lever les yeux quand je me redressai. Akio me fit signe de le suivre et je me dirigeai avec lui vers la salle de réception de la maison, où Kikuta Kotaro buvait du thé avec Gosaburo.

En pénétrant dans la pièce, nous nous prosternâmes devant lui.

— Asseyez-vous, dit-il.

Il m'examina un instant puis s'adressa à Akio :

— Y a-t-il eu des problèmes?

— Pas vraiment, répondit le jeune homme d'un ton qui donnait à entendre qu'il ne les comptait plus.

— Et son attitude? Vous n'avez pas à vous en plaindre?

Akio secoua lentement la tête.

— Avant votre départ pour Yamagata, pourtant...

J'eus l'impression que Kotaro voulait que je sache qu'il n'ignorait aucun de mes faits et gestes.

— Nous nous en sommes occupés, assura Akio d'une voix brève.

— Il m'a été très utile, glissa Gosaburo.

— Je suis heureux de l'entendre, répliqua sèchement Kotaro.

Son frère se releva en s'excusant de devoir nous quitter — les affaires n'attendaient pas, il ne pouvait rester plus longtemps absent de la boutique...

Après son départ, le maître lança :

— J'ai parlé avec Yuki, la nuit dernière.

— Où se trouve-t-elle ?

— Peu importe. En revanche, elle m'a dit quelque chose qui m'inquiète un peu. Nous ne savions pas que Shigeru s'était rendu à Mino dans le seul dessein de te trouver. Il a toujours fait croire à Muto Kenji que votre rencontre était le fruit du hasard.

Il fit une pause, mais je ne dis rien. Je me souvenais du jour où Yuki avait fait cette découverte, pendant qu'elle me coupait les cheveux. Elle avait jugé l'information d'importance, au point même d'en aviser le maître. Sans aucun doute, elle devait lui avoir rapporté tout ce qu'elle savait de moi.

— J'en suis venu à me demander si Shigeru ne connaissait pas la Tribu beaucoup mieux que nous ne le pensions, reprit Kotaro. Était-ce le cas ?

— Il est vrai qu'il connaissait mon identité, répliquai-je. Pour le reste, il était ami avec le maître Muto depuis des années. C'est tout ce que je sais de ses relations avec la Tribu.

— Il ne t'en a jamais dit davantage ?

— Non.

Je mentais. En fait, sire Shigeru m'en avait dit bien davantage, lors de notre conversation nocturne à Tsuwano. Il m'avait confié qu'il avait entrepris d'enquêter sur les membres de la Tribu et qu'il les connaissait sans doute mieux que n'importe quel autre étranger. Je n'avais jamais fait part de ces révélations à Kenji, et je ne voyais aucune raison pour les communiquer à Kotaro. Sire Shigeru était mort et j'étais désormais lié à la Tribu, mais il n'était pas question que je trahisse les secrets du seigneur.

Je tentai de prendre un air innocent et demandai :

— Yuki m'a posé la même question. Mais quelle importance, maintenant ?

— Nous croyions connaître Shigeru, répondit Kotaro. Nous pensions que sa vie n'avait plus de mystère pour nous, et voici qu'il continue de nous surprendre même après sa mort. Kenji lui-même ignorait certains détails — ses liens avec Maruyama Naomi, par exemple. Qu'a-t-il pu encore nous cacher ?

Je haussai imperceptiblement les épaules. Je pensai à sire Shigeru, surnommé le Fermier, à son sourire plein de franchise, à sa simplicité apparente. Tout le monde l'avait sous-estimé, en particulier les membres de la Tribu. Aucun d'entre eux ne s'était douté de sa vraie valeur.

— Serait-il possible qu'il ait tenu des registres de ce qu'il savait de la Tribu ?

C'était donc cela qui inquiétait Kotaro !

— Il tenait des registres sur toutes sortes de sujets, dis-je d'un air perplexe. Les saisons, ses expériences agricoles, les terres et les cultures, ses serviteurs... Ichiro, son ancien professeur, lui apportait son aide, mais il lui arrivait souvent de les rédiger seul.

Je le revoyais en train d'écrire, tard dans la nuit glacée, à la lumière tremblante de la lampe. L'expression alerte et intelligente de son visage contrastait avec le masque affable qui était habituellement le sien.

— L'as-tu accompagné lors de ses voyages ?

— Non, sauf quand nous nous sommes enfuis de Mino.

— Voyageait-il beaucoup ?

— Je n'en suis pas sûr. Pendant mon séjour à Hagi, il n'a pas quitté la ville.

Kotaro poussa un grognement. Le silence s'installa dans la pièce, si profond que j'entendais à peine mes compagnons respirer. À l'extérieur, la rumeur de midi résonnait dans la maison et dans la boutique — claquements secs du boulier, voix des clients, appels des colporteurs dans la rue. Le vent se levait. Il mugissait sous les avant-toits et agitait les écrans — son souffle semblait déjà annoncer la neige.

Le maître finit par lancer :

— Il semble plus que probable qu'il tenait des registres, auquel cas nous devons absolument les récupérer. S'ils venaient à tomber aux mains d'Araï en ce moment, ce serait un désastre. Il faut que tu te rendes à Hagi pour découvrir si ces registres existent et les rapporter ici le cas échéant.

Je pouvais à peine en croire mes oreilles. Alors que j'étais certain de ne plus jamais y retourner, voilà qu'on me renvoyait dans cette demeure que j'aimais tant.

— C'est à cause du parquet du rossignol, reprit Kotaro. Je crois savoir que Shigeru en a fait construire un autour de sa maison et que tu as appris à déjouer ses pièges.

J'avais l'impression d'être de retour là-bas. Je sentais l'air étouffant de la nuit du sixième mois, je me voyais courir dessus, aussi silencieux qu'un fantôme, et j'entendais la voix de sire Shigeru : « Peux-tu le refaire ? »

J'essayai de rester impassible, mais je sentis un sourire se dessiner malgré moi sur mes lèvres.

— Tu vas partir immédiatement, continua le maître. Il faut que tu sois de retour ici avant les premières neiges, la fin de l'année approche. Dès la seconde moitié du premier mois, Hagi aussi bien que Matsue seront coupés du monde.

Il était parvenu jusqu'alors à cacher son irritation, mais je me rendis compte soudain qu'il était furieux. Peut-être avait-il remarqué mon sourire.

— Pourquoi n'en as-tu parlé à personne? demanda-t-il. Pourquoi as-tu dissimulé ces faits à Kenji?

Je sentis la colère m'envahir à mon tour.

— Sire Shigeru s'est tu et j'ai suivi son exemple. Ma fidélité allait d'abord à lui. Jamais je n'aurais révélé quelque chose qu'il voulait garder secret. Après tout, j'appartenais alors au clan des Otori.

— Et il n'a pas cessé de le croire, intervint Akio. C'est une question de loyauté pour lui, et il en sera toujours ainsi.

Il ajouta en sourdine:

— Un chien n'a jamais qu'un maître.

Je tournai les yeux vers lui, dans l'espoir qu'il me regarderait et que je pourrais le faire taire en l'endormant, mais il ne me jeta qu'un bref coup d'œil chargé de mépris avant de fixer de nouveau le sol.

— Eh bien, nous allons bientôt pouvoir le vérifier, répliqua Kotaro. Je pense que cette mission sera une occasion idéale de mettre ta loyauté à l'épreuve. Si le nommé Ichiro connaît l'existence et le contenu des registres, il devra évidemment être éliminé.

Je m'inclinai sans mot dire, en me demandant si mon cœur s'était endurci au point que je puisse tuer Ichiro, le vieil homme qui avait été le professeur de sire Shigeru avant d'être le mien. J'avais souvent rêvé de me débarrasser de lui, lorsqu'il me châtiait et me forçait à étudier, mais il appartenait aux Otori, à la maisonnée de sire Shigeru. J'étais lié à lui par le devoir et la loyauté aussi bien que par un respect empreint de rancœur mais aussi, je m'en rendais compte maintenant, d'affection.

En même temps, j'éprouvais la qualité particulière de la colère du maître, je la goûtais pour ainsi dire, et il m'apparut qu'elle ressemblait à la fureur qui animait presque constamment Akio contre moi. On aurait dit qu'ils ressentaient tous deux envers moi une haine mêlée de peur. « Les Kikuta étaient ravis de découvrir qu'Isamu avait laissé un fils », avait affirmé la femme de Kenji. Si vraiment ils étaient ravis, pourquoi m'en voulaient-ils ainsi ? Mais n'avait-elle pas ajouté : « Nous avons tous partagé cette joie. » Or Yuki m'avait appris que sa mère avait jadis été éprise de Shintaro. Était-il possible dans ces conditions que sa mort lui ait fait plaisir ?

Sur le moment, elle m'était apparue comme une vieille femme bavarde, et je l'avais crue sur parole. Mais par la suite, elle m'avait donné un aperçu de ses talents. Elle avait flatté mon amour-propre exactement comme elle avait caressé mes tempes avec ses mains fantômes. La réaction des Kikuta face à mon apparition soudaine était beaucoup plus obscure et complexe qu'ils n'auraient voulu me le faire croire. Peut-être étaient-ils ravis de mes talents, mais il y avait aussi en moi quelque chose qui les alarmait — et je ne comprenais toujours pas ce que c'était.

Confronté à leur rage, je devenais encore plus rebelle au lieu d'être réduit à l'obéissance. En fait, elle ne faisait qu'attiser ma révolte et me remplir d'une énergie dont je sentais la force au fond de moi, tandis que je m'émerveillais du destin qui me renvoyait à Hagi.

— Nous entrons dans une période dangereuse, déclara le maître en m'observant comme s'il pouvait lire dans mes pensées. La maison des Muto à Yamagata a été fouillée et mise à sac. Quelqu'un avait soupçonné que tu y avais séjourné. Araï est rentré à Inuyama, du reste, et se trouve donc bien loin de

Hagi. Même si tu cours un risque en retournant là-bas, ce n'est rien auprès de ce qui arriverait si d'autres que nous s'emparaient des registres.

— Et si nous ne les trouvons pas dans la maison de sire Shigeru ? Ils pourraient être cachés n'importe où.

— Ichiro saura sans doute où ils sont. Interroge-le et, où qu'ils se trouvent, rapporte-les.

— Dois-je partir sur-le-champ ?

— Le plus tôt sera le mieux.

— Déguisé en acteur ?

— Aucun acteur ne voyage à cette époque de l'année, me reprit Akio d'un ton dédaigneux. De plus, nous ne serons que deux.

Moi qui avais fait une prière silencieuse pour qu'il ne m'accompagne pas...

— Akio viendra avec toi, confirma le maître. Son grand-père — votre grand-père — est mort, et vous retournez à Hagi pour la cérémonie en sa mémoire.

— Je préférerais ne pas voyager avec Akio, dis-je.

Akio en eut le souffle coupé, et Kotaro lança :

— Il n'est pas question pour toi d'avoir des préférences, mais d'obéir.

Sentant soudain ma révolte éclater, je le regardai en face. Il plongea ses yeux dans les miens, comme en ce jour lointain où il m'avait ainsi endormi sur-le-champ. Cette fois, cependant, je pus soutenir son regard sans succomber. Il me sembla qu'il se détournait imperceptiblement, comme pour se dérober, et je le fixai avec une attention redoublée. D'un seul coup, je fus pris d'un terrible soupçon.

« C'est cet homme qui a tué mon père. »

Je fus un instant terrifié par ma propre audace, puis mon regard se fit plus intense et plus insistant. J'ouvrais légèrement la bouche, bien que je fusse à mille lieues de sourire. Je vis le maître me regarder avec stupéfaction, puis ses yeux se voilèrent. Akio sauta sur ses pieds et me gifla si violemment que je faillis tomber à la renverse.

— Comment osez-vous agir ainsi avec le maître ? Les rebuts d'humanité de votre genre ignorent donc le respect !

— Assieds-toi, Akio, dit Kotaro.

Mes yeux se fixèrent de nouveau sur lui, mais il ne me regardait pas.

— Je suis désolé, maître, murmurai-je. Pardonnez-moi.

Nous savions tous deux que mes excuses étaient de pure forme. Il se leva brusquement et donna libre cours à sa colère.

— Depuis que nous t'avons découvert, nous n'avons cessé d'essayer de te protéger contre toi-même.

Il n'avait pas élevé la voix, mais sa fureur était tangible.

— Nous n'agissions pas uniquement dans ton intérêt, bien entendu. Tu connais tes talents, et tu sais combien ils pourraient nous être utiles. Mais ton éducation, tes origines mêlées et ton caractère se conjuguent pour te desservir. Je pensais que l'entraînement que tu recevrais ici pourrait t'amender, mais nous n'avons pas le temps de le poursuivre. Akio va t'accompagner à Hagi, et tu continueras à lui obéir en toute chose. Il a incomparablement plus d'expérience que toi. Il connaît les maisons où il est possible de séjourner en sûreté et les gens de confiance qu'il convient de contacter.

Il fit une pause tandis que je m'inclinais en signe de soumission, puis reprit :

— Nous avons fait un marché à Inuyama, toi et moi. Tu as choisi de désobéir à mes ordres et de retourner au château. Les suites de la mort d'Iida ne nous sont absolument pas favorables, et son règne nous convenait beaucoup mieux que celui d'Araï. Sans même parler des lois de l'obéissance, que tous nos enfants apprennent avant l'âge de sept ans, ta propre promesse me donne le droit de disposer de ta vie.

Je ne répliquai pas. Je sentais qu'il était sur le point de renoncer à moi, qu'il arrivait au bout de sa patience à mon égard. Son intuition de ma nature, qui m'avait jadis calmé et soulagé, était à peu près épuisée — de même que ma confiance en lui. Une fois conçu mon terrible soupçon, il m'était impossible de l'effacer. Mon père était mort assassiné par un membre de la Tribu, peut-être même par Kotaro lui-même, pour avoir essayé de les quitter. Plus tard, je devais me rendre compte que ce fait expliquait une grande partie du comportement des Kikuta envers moi : leur insistance sur mon obéissance, leur attitude ambiguë devant mes talents, leur mépris pour ma loyauté vis-à-vis de sire Shigeru. À l'époque, cependant, je ne m'en sentais que plus déprimé. Akio me détestait, j'avais insulté et offensé le maître Kikuta, Yuki m'avait quitté, Kaede était sans doute morte... Je n'avais pas envie de continuer la liste. Je fixai le plancher sans le voir, tandis que Kikuta et Akio discutaient des détails du voyage.

*

Nous partîmes le lendemain matin. La route était pleine de voyageurs profitant des dernières semaines avant la neige pour retourner chez eux célébrer la fête du nouvel an. Nous nous mêlâmes à cette foule comme deux frères regagnant leur ville natale afin d'assister à un enterrement. Je n'avais aucun mal à faire semblant d'être accablé de chagrin. Il semblait

être devenu mon état naturel, et l'abatte...
j'étais plongé n'était un peu adouci que par la ...
pective de revoir la maison de Hagi et d'entendre un...
dernière fois sa chanson d'hiver.

Mon camarade d'entraînement, Hajime, nous
accompagna le premier jour car il devait rejoindre
pour la durée de l'hiver une écurie de lutteurs avec
lesquels il se préparerait aux tournois du printemps.
Nous passâmes la nuit chez les athlètes et parta-
geâmes leur dîner. Ils engloutissaient d'énormes
ragoûts de légumes et de poulet — une viande censée
leur porter chance sous prétexte que les mains du
poulet ne touchent jamais le sol —, ainsi que des
nouilles de riz et de blé noir, dont ils mangeaient chacun davantage en un soir que la plupart des familles
en une semaine. Avec sa masse imposante et son
visage placide, Hajime leur ressemblait déjà. Il était
en rapport depuis son enfance avec cette écurie, qui
était évidemment dirigée par les Kikuta, et les lutteurs le taquinaient avec affection.

Avant le repas, nous nous baignâmes avec eux
dans le vaste pavillon de bains empli des vapeurs sul-
fureuses de la source bouillante autour de laquelle
il était bâti. Des masseurs et des entraîneurs se
mêlaient à eux pour frotter et frictionner les
membres et les torses massifs, et semblaient évoluer
au milieu d'une race de géants. Tous les athlètes
connaissaient évidemment Akio, qu'ils traitaient
avec une déférence ironique, due à un membre de la
famille du chef, mitigée d'un mépris bienveillant car
il n'était pas lutteur. Il ne fut pas question de moi, et
personne ne me prêta la moindre attention. Ils
étaient absorbés par leur propre monde. Comme
je lui étais manifestement totalement étranger,
je n'avais aucun intérêt à leurs yeux.

Je gardai donc le silence, mais j'écoutai. Je surpris ainsi des plans échafaudés en vue des tournois du printemps, les espoirs et les désirs des lutteurs, les plaisanteries chuchotées par les masseurs, les propositions accueillies avec mépris ou empressement. Et beaucoup plus tard, alors qu'Akio m'avait ordonné d'aller me coucher et que je reposais déjà sur une natte dans la salle commune, je l'entendis parler avec Hajime. Ils avaient décidé de s'asseoir un moment dans la pièce du bas afin de boire ensemble avant la journée du lendemain qui devait les séparer.

J'ignorai les ronflements des dormeurs pour me concentrer sur les voix des deux hommes, que j'entendais distinctement à travers le plancher. J'étais toujours stupéfié de constater qu'Akio semblait oublier combien j'avais l'ouïe fine. Je supposais qu'il se refusait à reconnaître mes dons et était ainsi amené à me sous-estimer. Au début, je crus que c'était une faiblesse chez lui — presque la seule. Par la suite, j'en vins à penser qu'il avait pu lui-même désirer que j'entende certaines choses.

Ils n'échangèrent que des banalités — l'entraînement qui attendait Hajime, les amis qu'ils avaient retrouvés — jusqu'au moment où le vin commença à délier leurs langues.

— Vous irez à Yamagata, je suppose ? s'enquit Hajime.

— C'est peu probable. Le maître Muto se trouve toujours dans les montagnes, et la maison est vide.

— J'avais cru que Yuki était retournée dans sa famille.

— Non, elle s'est rendue dans le village Kikuta, au nord de Matsue. Elle y restera jusqu'à la naissance de son enfant.

— Son enfant ? s'exclama Hajime, qui semblait aussi abasourdi que moi.

Il y eut un long silence. J'entendis Akio boire et déglutir. Quand il reprit la parole, sa voix était nettement moins forte.

— Elle attend un enfant du Chien.

Hajime siffla entre ses dents.

— Pardonnez-moi, cousin, je ne veux pas vous indisposer, mais cela faisait-il partie du plan ?

— Pourquoi pas ?

— J'avais toujours pensé qu'elle et vous... que vous deviez vous marier.

— Nous avons été promis l'un à l'autre dès notre enfance. Il est encore possible que nous nous mariions. Les maîtres voulaient qu'elle couche avec lui, afin de le calmer, de le distraire et si possible de concevoir un enfant.

Si jamais il souffrait, il n'en laissait rien paraître.

— Je devais faire semblant d'être jaloux et soupçonneux, continua-t-il d'une voix sans expression. Si le Chien avait su qu'on le manipulait, il ne serait peut-être jamais allé avec elle. Je n'avais pas besoin de faire semblant, pour être honnête. Je n'avais pas imaginé à quel point elle y prendrait plaisir. Son comportement avec lui était incroyable, elle le recherchait de jour comme de nuit, une vraie chienne en chaleur...

Sa voix se brisa. Je l'entendis vider d'un trait une coupe de vin puis se resservir.

Hajime retrouva un peu de sa bonne humeur pour suggérer :

— Malgré tout, le résultat peut être positif. L'enfant héritera de talents exceptionnels.

— C'est ce que pense le maître Kikuta. Et cet enfant sera avec nous dès sa naissance. Il recevra une éducation convenable, qui lui évitera tous les défauts du Chien.

— Voilà des nouvelles surprenantes. Pas étonnant que vous ayez été préoccupé.

— Je passe la plus grande partie de mon temps à imaginer comment je le tuerai, avoua Akio avant de boire de nouveau à longs traits.

— Vous en avez reçu l'ordre ? demanda Hajime d'un ton désolé.

— Tout dépend de ce qui arrivera à Hagi. On peut dire que c'est sa dernière chance.

— Sait-il qu'il s'agit d'un test pour lui ?

— S'il ne le sait pas, il ne tardera pas à le découvrir.

Ils restèrent une nouvelle fois longtemps silencieux, puis Akio lança :

— Si les Kikuta avaient connu son existence, ils l'auraient revendiqué dès son enfance et l'auraient élevé eux-mêmes. Mais il a été entièrement gâté par son éducation puis par la fréquentation des Otori.

— Son père est mort avant sa naissance. Savez-vous qui l'a tué ?

— Ils ont tiré au sort, chuchota Akio. En fait, personne ne sait qui l'a fait, mais la décision a été prise par l'ensemble de la famille. Le maître me l'a dit à Inuyama.

— Quelle tristesse, murmura Hajime. Un tel talent gâché.

— C'est le problème des origines mêlées. Il arrive qu'on obtienne ainsi des talents d'exception, c'est vrai, mais ils semblent toujours s'accompagner de stupidité. Et le seul remède à la stupidité, c'est la mort.

Ils montèrent se coucher peu après. Je feignis le sommeil et restai immobile jusqu'à l'aube, à ruminer inutilement ce que je venais d'apprendre. Quel que soit mon comportement à Hagi, j'étais persuadé qu'Akio sauterait sur le premier prétexte venu pour me tuer.

Quand nous prîmes congé de Hajime, le lendemain matin, il évita mes yeux. Sa voix était faussement joyeuse et il nous regarda nous éloigner d'un air malheureux. J'imagine qu'il pensait ne jamais me revoir.

Nous voyageâmes pendant trois jours, sans échanger un mot ou presque, avant d'atteindre la barrière qui marquait la frontière du domaine des Otori. Nous n'eûmes aucun mal à passer, Akio étant muni des documents nécessaires. Qu'il s'agît des repas, des haltes pour la nuit ou de la route à prendre, il assumait toutes les décisions et je le suivais passivement. Je savais qu'il ne me tuerait pas avant notre arrivée à Hagi : il avait besoin de moi pour franchir le parquet du rossignol et pénétrer dans la maison de sire Shigeru. Au bout d'un moment, je commençai à regretter vaguement que nous ne fussions pas deux bons amis cheminant ensemble. Il me semblait que nous gâchions ce voyage. Je regrettais de ne pas avoir un compagnon, quelqu'un comme Makoto ou comme Fumio, mon ancien ami de Hagi, afin de pouvoir parler avec lui chemin faisant et lui faire partager le trouble de mes pensées.

Après avoir pénétré en territoire Otori, je m'attendais à trouver des campagnes aussi prospères que la première fois que je les avais vues, en compagnie de sire Shigeru, mais elles portaient partout les stigmates des tempêtes qui les avaient ravagées et de la famine qui avait suivi. De nombreux villages paraissaient abandonnés, les maisons endommagées n'avaient pas été réparées et des miséreux faméliques mendiaient au bord de la route. Je surpris des bribes de conversations qui m'apprirent que les seigneurs Otori exigeaient maintenant soixante pour cent du riz récolté, au lieu de quarante pour cent précédemment, afin de payer l'armée qu'ils étaient en train de lever pour combattre Araï. Certains paysans affirmaient qu'ils préféreraient se tuer avec leurs enfants plutôt que d'attendre de mourir lentement de faim pendant la mauvaise saison.

Si l'année avait été moins avancée, nous aurions voyagé plus vite en prenant le bateau, mais les bourrasques de l'hiver partaient déjà à l'assaut des côtes et précipitaient sur le rivage noir des vagues grises couronnées d'écume. Les pêcheurs avaient mouillé leurs bateaux dans des criques aussi abritées que possible ou les avaient tirés sur les galets, et des familles y vivaient jusqu'au printemps. Tout au long de l'hiver, ils faisaient des feux afin de récupérer le sel de l'eau de mer. Nous nous arrêtâmes une fois ou deux dans leurs campements afin de nous réchauffer et de manger avec eux — Akio les payait avec de la menue monnaie. La chère était maigre : du poisson salé, de la soupe de varech, des oursins et de petits crustacés.

Un homme nous supplia d'acheter sa fille et de l'emmener avec nous à Hagi, afin d'en faire nousmêmes usage ou de la vendre à un bordel. Elle devait à peine avoir dépassé l'âge de la puberté, n'ayant sans doute guère plus de treize ans. Elle n'était pas jolie, mais je me souviens encore de son visage, de ses yeux à la fois effrayés et implorants, de ses larmes et de son regard soulagé quand Akio refusa poliment, au grand désespoir de son père.

Cette nuit-là, Akio pesta contre le froid et se mit à regretter sa décision.

— Elle m'aurait tenu chaud, répéta-t-il à plusieurs reprises.

Je pensai à elle, endormie contre sa mère, forcée de choisir entre mourir de faim ou subir un véritable esclavage. Je pensai aussi à la famille de Furoda, chassée de sa maison aussi délabrée que confortable, à l'homme que j'avais tué dans son champ secret, au village qui allait mourir par ma faute.

Personne ne se souciait de ces choses, c'était le cours normal du monde — mais elles me hantaient. Et bien sûr, comme toutes les nuits, je me mis à examiner les pensées qui m'avaient habité secrètement pendant le jour.

Yuki attendait un enfant de moi. Il serait élevé par la Tribu, et je n'aurais sans doute même pas l'occasion de le voir une fois en ma vie.

Les Kikuta avaient tué mon père pour avoir enfreint les règles de la Tribu, et ils n'hésiteraient pas à faire de même avec moi.

Je ne décidais rien, je ne concluais rien, au cours de ces longues heures sans sommeil. Je restais simplement étendu dans la nuit, seul avec mes pensées semblables à des cailloux noirs que j'aurais tenus dans ma main pour les regarder.

*

Les montagnes autour de Hagi tombaient à pic dans la mer, et nous dûmes faire un détour par l'intérieur et gravir des versants escarpés avant de traverser le dernier col derrière lequel commençait la descente vers la ville.

Mon cœur débordait d'émotion, même si je gardais le silence et ne laissais rien paraître. La cité reposait toujours dans le berceau de sa baie, entourée par ses fleuves jumeaux et par la mer. Le jour du solstice d'hiver tirait à sa fin et un pâle soleil peinait à percer des nuages gris. Les arbres avaient perdu leurs feuilles, qui formaient à leur pied un tapis épais. On brûlait les derniers chaumes de riz et une fumée bleue flottait sur les fleuves, à hauteur du pont de pierre.

Les préparatifs pour la fête du nouvel an battaient déjà leur plein : des cordes sacrées en paille tressée étaient suspendues partout et les portes des maisons s'ornaient de pins aux sombres feuillages. Les visiteurs commençaient à affluer dans les sanctuaires. Le fleuve était grossi par la marée, dont le reflux s'amorçait à peine. Il faisait retentir son chant sauvage, et je croyais entendre sous la rumeur de ses eaux écumeuses la voix du maçon muré dans son œuvre et poursuivant sans fin son entretien avec le fleuve. À notre approche, un héron s'envola au-dessus des bas-fonds.

Quand nous traversâmes le pont, je relus l'inscription que sire Shigeru avait déchiffrée pour moi : « Le clan des Otori souhaite la bienvenue aux hommes justes et loyaux. Quant aux injustes et aux déloyaux, qu'ils prennent garde. »

Les injustes et les déloyaux... Je me sentais doublement visé. J'étais déloyal envers sire Shigeru, lequel m'avait chargé de veiller sur ses terres, et injuste comme tous ceux de la Tribu, qui ignorent aussi bien la justice que la pitié.

Je marchai dans les rues en baissant la tête et en modifiant mes traits comme Kenji m'avait appris à le faire. Il me semblait du reste que personne ne pourrait me reconnaître. Durant les derniers mois, j'avais un peu grandi et étais devenu à la fois plus maigre et plus musclé. Mes cheveux étaient courts, et j'étais habillé à la façon des artisans. Mon apparence physique, mon langage, ma démarche, tout en moi avait changé depuis les jours lointains où j'étais un jeune seigneur Otori arpentant ces rues.

Nous nous rendîmes dans une brasserie, à l'orée de la ville. J'étais passé devant des dizaines de fois sans me douter du commerce que ses murs abritaient en réalité. «Mais sire Shigeru devait le savoir», pensai-je. J'étais ravi à l'idée qu'il avait suivi à la trace les activités des membres de la Tribu et qu'il avait su des choses qu'ils ignoraient, à commencer par mon existence.

L'établissement bruissait des préparatifs en vue de la production hivernale. D'énormes quantités de bois avaient été amassées afin de chauffer les cuves, et l'air était imprégné de l'odeur du riz en fermentation. Nous fûmes accueillis par un petit homme éperdu, qui ressemblait à Kenji. Il s'appelait Yuzuru et appartenait à la famille Muto. Il ne s'attendait pas à recevoir des visiteurs si tard dans l'année, et ma présence et ce qu'il apprit de notre mission semblèrent l'affoler. Il nous entraîna hâtivement à l'intérieur, dans une pièce secrète.

— Quelle époque épouvantable, gémit-il. Il est certain que les Otori vont entreprendre au printemps les préparatifs de leur guerre avec Araï. Seul l'hiver nous protège encore.

— Avez-vous entendu parler de la campagne d'Araï contre la Tribu? demanda Akio.

— Tout le monde en parle. C'est pour cette raison qu'on nous a exhortés à tout faire pour aider les Otori à le combattre.

Il me lança un regard noir avant d'ajouter :

— La situation était bien meilleure au temps d'Iida. Du reste, vous avez certainement eu grand tort d'amener ce garçon ici. Si jamais quelqu'un le reconnaît...

— Nous repartons dès demain, répliqua Akio. Il doit seulement récupérer quelque chose dans son ancienne demeure.

— Chez sire Shigeru? C'est de la folie. Il se fera prendre.

— Je ne crois pas. Il ne manque pas de talent.

Il me sembla que son compliment était ironique, et j'y vis un indice supplémentaire de son intention de me tuer.

Yuzuru fit la moue.

— Même le singe tombe de l'arbre. Vous avez donc un motif bien pressant, pour prendre de tels risques ?

— Nous pensons qu'Otori tenait des registres détaillés concernant les affaires de la Tribu.

— Shigeru ? Le Fermier ? C'est impossible !

Le regard d'Akio se durcit.

— Comment pouvez-vous en être si sûr ?

— Tout le monde sait... Enfin, Shigeru était un brave homme, aimé de tous. Sa mort a été une terrible tragédie. Mais s'il est mort, c'est que...

Yuzuru rougit violemment et me regarda d'un air contrit :

— Il était trop confiant. Innocent, pour ainsi dire. Il n'avait rien d'un conspirateur, il ignorait tout de la Tribu.

— Nous avons des raisons de penser le contraire, rétorqua Akio. De toute façon, nous serons fixés dès cette nuit.

— Si tôt ?

— Nous devons être de retour à Matsue avant les premières chutes de neige.

— Eh bien, elles ne devraient pas tarder. Il est même possible qu'elles commencent avant la fin de l'année, dit Yuzuru qui semblait soulagé de parler d'un sujet aussi anodin que le temps. Tout indique que nous aurons un hiver long et rigoureux. D'ailleurs, si le printemps doit nous apporter la guerre, j'aimerais autant qu'il n'arrive jamais.

Il faisait glacial dans notre réduit obscur — la troisième cachette de ce genre dont je faisais l'expérience. Yuzuru nous apporta lui-même de la nourriture, du vin et du thé, lequel était déjà froid quand nous y trempâmes nos lèvres. Akio but le vin, mais je n'imitai pas son exemple car je ne voulais pas émousser mes sens. Nous restâmes assis sans rien dire tandis que la nuit tombait.

La brasserie s'assoupit peu à peu, bien que son odeur restât toujours aussi pénétrante. J'écoutais les bruits de la ville, si familiers à mon oreille qu'il me semblait que je pouvais identifier précisément les rues et les maisons dont ils provenaient. Je me détendis en me sentant ainsi chez moi, et ma dépression s'allégea un peu. Les cloches du Daishoin, le temple le plus proche, se mirent à sonner pour les prières du soir. Je me représentai ses bâtiments délabrés, la pénombre verdoyante de son bois sacré, les lanternes de pierre indiquant l'emplacement où étaient enterrés les seigneurs Otori et leurs serviteurs. Je sombrai dans une sorte de rêve éveillé, où je croyais marcher parmi les tombes.

Puis je vis sire Shigeru s'avancer de nouveau vers moi. Il semblait émerger d'une brume blanchâtre, ruisselant d'eau et de sang, ses yeux lançant des éclairs furieux, porteur d'un message dont le sens n'était que trop clair pour moi. Je me réveillai en sursaut, tremblant de froid.

— Buvez donc du vin, lança Akio. Ça calmera vos nerfs.

Je fis non de la tête et me levai pour me livrer aux exercices d'assouplissement pratiqués par la Tribu, jusqu'au moment où je me sentis réchauffé. Je m'assis alors en méditation, m'efforçant de retenir la chaleur, concentrant mon esprit sur ce qui m'attendait cette nuit et rassemblant mes forces — toutes choses que j'avais jadis faites par instinct, et que je savais désormais accomplir à volonté.

207

Les cloches du Daishoin retentirent. Minuit.

J'entendis Yuzuru approcher et la porte s'ouvrit. Il nous fit signe de le suivre et nous conduisit à travers la maison jusqu'au portail. Il avertit les gardes de nous laisser escalader le mur. Un chien se mit à aboyer, mais une taloche le fit taire.

Il faisait nuit noire, l'air était glacial et un vent âpre soulevait la mer. Par un temps pareil, il n'y avait pas un chat dans les rues. Après avoir rejoint en silence la rive du fleuve, nous marchâmes vers le sud-ouest pour gagner l'endroit où il s'unissait à son jumeau. Le barrage à poissons, que j'avais souvent emprunté pour atteindre la rive opposée, était maintenant à découvert du fait de la marée basse. La maison de sire Shigeru se trouvait juste de l'autre côté. Des barques étaient amarrées sur la berge : nous les utilisions pour traverser le fleuve et rejoindre les terres du seigneur. Nous explorions les rizières et les fermes, où il essayait de m'enseigner l'agriculture et l'irrigation, les secrets des champs et des taillis. C'était également par ce chemin qu'avaient été acheminé le bois pour le pavillon du thé et le parquet du rossignol, sur des bateaux qui s'enfonçaient dans les eaux sous le poids des planches odorantes fraîchement coupées dans les forêts s'étendant au-delà des fermes. Mais il faisait si sombre, cette nuit-là, qu'on ne distinguait pas même les versants des montagnes où avaient grandi les arbres.

Accroupis au bord de la route étroite, nous observâmes la maison. Aucune lumière ne l'éclairait, en dehors de la faible lueur d'un brasero dans le pavillon des gardes du portail. J'entendis la respiration profonde des hommes et des chiens endormis, et je me dis qu'ils ne se seraient jamais abandonnés au sommeil du vivant de sire Shigeru. J'étais en colère pour lui — contre eux, mais aussi contre moi-même.

— Vous savez ce que vous avez à faire ? chuchota Akio.

J'acquiesçai de la tête.

— Alors allez-y.

Nous n'élaborâmes pas d'autre plan. Il se contenta de me lâcher, comme si j'étais un faucon ou un chien de chasse. Je me doutais de ce qu'il projetait pour son compte : lorsque je reviendrais avec les registres, il s'en emparerait. Quant à moi, il déclarerait que j'avais été malheureusement tué par les gardes et que mon corps avait été jeté dans le fleuve.

Je traversai la rue, me rendis invisible, sautai par-dessus le mur et atterris dans le jardin. Aussitôt, le chant assourdi de la maison m'enveloppa : les soupirs du vent dans les arbres, le murmure du torrent, l'éclaboussement de la cascade, les remous du fleuve tandis que la marée commençait à monter. Je fus envahi par le chagrin. Comment pouvais-je revenir ainsi dans la nuit, comme un voleur ? Presque malgré moi, je modifiai les traits de mon visage et repris mon apparence de seigneur Otori.

Le parquet du rossignol faisait tout le tour de la maison, mais il n'était pas un problème pour moi. Même dans l'obscurité, je pouvais encore le traverser sans qu'il chante. J'escaladai ensuite le mur jusqu'à la fenêtre de la salle du haut, en empruntant le même itinéraire que Shintaro, l'assassin de la Tribu, un an plus tôt. Arrivé en haut, je prêtai l'oreille : la pièce semblait vide.

On avait fermé les volets pour empêcher l'air glacé de la nuit d'entrer, mais ils n'étaient pas verrouillés et il me fut aisé de les écarter pour me glisser à l'intérieur. La salle était à peine plus chaude et encore plus sombre que le jardin. Il y flottait une odeur aigre de renfermé, comme si on ne l'ouvrait plus depuis longtemps, comme si seuls des fantômes venaient encore s'y asseoir.

J'entendais les respirations de la maisonnée. J'identifiai le sommeil de tous les habitants de la maison, à l'exception de celui qu'il me fallait trouver : Ichiro. Après avoir descendu l'escalier étroit, dont chaque craquement m'était aussi familier que mes propres mains, je m'immobilisai en m'apercevant que la maison n'était pas tout entière plongée dans l'obscurité, comme elle le paraissait de l'extérieur. Dans la pièce du fond, la retraite favorite d'Ichiro, une lampe était allumée. Je m'avançai dans sa direction à pas de loup. L'écran de papier était fermé, mais la lampe y projetait l'ombre du vieillard. Je fis coulisser la porte.

Il leva la tête et me regarda sans paraître étonné. Avec un sourire triste, il esquissa un geste de salut.

— Que puis-je faire pour vous ? Vous savez que je serais prêt à tout pour vous rendre la paix, mais je suis vieux. Je suis plus habitué à manier le pinceau que le sabre.

— Maître, chuchotai-je. C'est moi, Takeo.

Je pénétrai dans la pièce, refermai la porte et tombai à genoux devant lui.

Il frissonna. On aurait dit qu'il avait dormi précédemment et venait de se réveiller, ou qu'il s'était trouvé dans le royaume des morts et avait été rappelé par les vivants. Me saisissant par les épaules, il m'attira à lui dans la lumière de la lampe.

— Takeo ? Est-ce réellement toi ?

Il toucha ma tête et mes bras, comme s'il craignait que je ne fusse un spectre. Des larmes ruisselaient sur ses joues. Puis il me serra dans ses bras en appuyant ma tête contre son épaule, comme si j'étais son fils depuis longtemps disparu. Je sentais sa poitrine maigre se soulever.

Il m'écarta légèrement de lui et contempla mon visage.

— J'ai cru que tu étais Shigeru. Il me rend souvent visite la nuit. Il reste immobile sur le seuil et je sais bien ce qu'il désire, mais que puis-je faire ?

Il essuya ses larmes avec ses manches.

— Tu lui ressembles tellement, maintenant. C'est vraiment confondant. Où étais-tu, pendant tout ce temps ? Nous pensions que tu devais avoir été tué, toi aussi. Cependant quelqu'un vient régulièrement ici demander de tes nouvelles, de sorte que nous avons supposé que tu étais encore vivant.

— J'ai été caché par la Tribu, dis-je en me demandant dans quelle mesure il était au courant de mes origines. J'ai d'abord séjourné à Yamagata, puis j'ai passé les deux derniers mois à Matsue. J'ai conclu un marché avec eux. Ils m'ont enlevé, à Inuyama, mais ils m'ont permis de retourner au château pour délivrer sire Shigeru. En échange, j'ai accepté d'entrer à leur service. Vous savez peut-être que je suis lié à eux par les liens du sang.

— Disons que je m'en doutais. Comment expliquer autrement l'arrivée de Muto Kenji dans cette maison ?

Il prit ma main et la serra d'un air ému.

— Chacun sait comment tu as porté secours à Shigeru et tué Iida pour le venger. Je te dirai franchement que j'ai toujours pensé qu'il commettait une grave erreur en t'adoptant, mais cette nuit-là tu as fait taire tous mes doutes et payé toutes tes dettes à son égard.

— Pas tout à fait. Les seigneurs Otori l'ont livré traîtreusement à Iida et n'ont pas encore été punis.

— Est-ce dans ce but que tu es venu ? Leur mort apaiserait son esprit.

— Non, j'ai été envoyé ici par la Tribu. Ils croient que sire Shigeru a tenu des registres les concernant et ils veulent les récupérer.

Ichiro grimaça un sourire.

— Il tenait des registres sur de nombreux sujets. Je les parcours chaque nuit. Les seigneurs Otori prétendent que ton adoption était illégale et que de toute façon tu es sans doute mort, de sorte que Shigeru n'a pas d'héritier et que ses terres doivent revenir au château. J'ai recherché des preuves supplémentaires de ton bon droit, afin que tu puisses conserver ce qui t'appartient.

Il continua avec force, d'une voix qui se faisait pressante :

— Tu dois revenir, Takeo. La moitié du clan te soutiendra, après ce que tu as accompli à Inuyama. Beaucoup soupçonnent ses oncles d'avoir tramé l'assassinat de Shigeru et sont indignés d'un tel forfait. Reviens et achève ta vengeance !

La présence de sire Shigeru nous environnait. Je m'attendais à le voir entrer d'un instant à l'autre, avec sa démarche énergique, son sourire plein de franchise et son regard qui semblait si limpide et cachait tant de secrets.

— Je sens que tel est mon devoir, dis-je lentement. Je ne connaîtrai la paix qu'à cette condition. Mais les membres de la Tribu essaieront certainement de me supprimer si je les abandonne. En fait, ils n'auront de cesse qu'ils ne m'aient tué.

Ichiro prit une profonde inspiration et lança :

— Je ne crois pas m'être trompé sur ton compte. Si c'est le cas, cependant, je sais que tu as l'intention de m'éliminer. Je suis vieux, je suis prêt à m'en aller. Mais j'aurais aimé voir l'œuvre de Shigeru menée à bien. Il tenait des registres au sujet de la Tribu, c'est vrai. Il pensait que nul ne pourrait faire régner la paix dans le Pays du Milieu tant que la Tribu serait aussi puissante. C'est pourquoi il s'est consacré à découvrir tout ce qu'il pouvait sur son compte et à le noter par écrit. Il fit en sorte que personne ne connaisse le contenu de ces registres, pas même moi. Il était très secret, beaucoup plus que ne pouvaient l'imaginer ceux qui l'approchaient. Il avait de bonnes raisons pour être ainsi : pendant dix ans, ses oncles aussi bien qu'Iida n'ont cessé d'essayer de se débarrasser de lui.

— Pouvez-vous me les remettre ?

— Je ne veux pas qu'ils tombent aux mains de la Tribu.

La flamme de la lampe se mit à vaciller et éclaira soudain son visage, où je découvris une expression rusée que je ne lui avais encore jamais vue.

— Il faut que j'aille chercher de l'huile, ou nous allons nous retrouver dans le noir. Je vais réveiller Chiyo.

J'aurais été heureux de revoir cette vieille femme qui dirigeait la maisonnée et m'avait traité comme son fils, mais le temps pressait.

— Il vaut mieux la laisser dormir. Je ne peux pas rester.

— Es-tu venu seul ?

Je secouai la tête.

— Kikuta Akio m'attend dehors.

— Il est dangereux ?

— Il va certainement essayer de me tuer. Surtout si je reviens les mains vides.

Je me demandai quelle heure il était. Que faisait Akio ? J'entendais tout autour de moi la chanson d'hiver de la maison, je n'avais pas envie de la quitter. Manifestement, j'avais de moins en moins le choix. Ichiro n'accepterait jamais de remettre les registres à la Tribu, et je ne pourrais jamais le tuer pour m'en emparer. Je pris mon poignard et soupesai dans ma main son poids familier.

— Je devrais mettre fin à mes jours, maintenant.

— Ce serait certainement une solution, répliqua Ichiro en reniflant, mais pas très satisfaisante. Je me retrouverais avec deux fantômes inapaisés venant me rendre visite la nuit. Et les assassins de Shigeru resteraient impunis.

La lampe menaçait de s'éteindre. Le vieil homme se leva.

— Je vais chercher de l'huile, marmonna-t-il.

J'écoutai son pas traînant à travers la maison, et je pensai à sire Shigeru. Combien de fois était-il resté assis dans cette pièce, à écrire jusque tard dans la nuit ? J'étais environné de boîtes remplies de rouleaux. Alors que je les contemplais paresseusement, je revis soudain en un éclair le coffret de bois que j'avais porté en haut de la colline afin que sire Shigeru l'offre à l'abbé, le jour où nous nous étions rendus au temple pour voir les peintures de Sesshu. Je crus voir le seigneur me lancer un sourire.

Ichiro revint, arrangea la lampe puis lança :

— De toute façon, ils ne sont pas ici.

— Je sais. Ils se trouvent à Terayama.

Ichiro sourit de toutes ses dents.

— Si tu veux mon avis, bien que tu n'en aies jamais tenu le moindre compte dans le passé, tu devrais te rendre là-bas. Pars dès cette nuit. Je vais te donner de l'argent pour le voyage. Les moines te cacheront pour la durée de l'hiver, et tu pourras élaborer un plan pour te venger des seigneurs Otori. C'est ce que veut Shigeru.

— Je le veux aussi, mais j'ai conclu un marché avec le maître Kikuta. Je suis maintenant lié à la Tribu par ma parole.

— Il me semble que tu as d'abord prêté serment de fidélité aux Otori. Shigeru ne t'a-t-il pas sauvé la vie avant même que la Tribu ait entendu parler de ton existence ?

J'acquiesçai de la tête.

— Et tu disais qu'Akio voulait te tuer ? Ils ont d'ores et déjà rompu leur pacte avec toi. Peux-tu sortir sans qu'il te voie ? Où se trouve-t-il ?

— Je l'ai laissé dans la rue, mais maintenant il peut se trouver n'importe où.

— Enfin, tu l'entendras le premier, n'est-ce pas ? Sans parler de tous ces tours dont tu te servais à mes dépens. Je te croyais en train d'étudier, alors que tu t'étais envolé depuis longtemps...

— Maître... commençai-je.

Je voulais lui présenter des excuses mais il me fit signe de me taire.

— Je te pardonne tout. Ce n'est pas mon enseignement qui t'a rendu capable de délivrer Shigeru à Inuyama.

Il sortit de nouveau et revint avec une petite bourse remplie de pièces et plusieurs gâteaux de riz enveloppés dans du varech. Je n'avais ni boîte ni baluchon où les ranger, et de toute façon il me fallait garder les mains libres. J'attachai la bourse à mon pagne, sous mes vêtements, et je glissai les gâteaux dans ma ceinture.

— Tu sauras trouver le chemin ?

Il avait toujours fait des embarras pour la moindre visite à un sanctuaire ou n'importe quelle autre excursion.

— Il me semble.

— Je vais t'écrire une lettre afin que tu passes la frontière sans encombre. Tu joueras le rôle d'un serviteur de cette maison — d'ailleurs, tu en as l'aspect. Tu te rends au temple pour préparer la visite que je dois y effectuer l'an prochain. Je te retrouverai à Terayama à l'époque de la fonte des neiges. Attends-moi là-bas. Shigeru était allié à Araï. Je ne sais pas où en sont vos rapports, mais tu devrais chercher sa protection. Il accueillera avec reconnaissance toute information susceptible d'être utilisée contre la Tribu.

Il prit son pinceau et se mit à écrire avec vivacité.

— Sais-tu encore écrire ? demanda-t-il sans lever les yeux.

— Je suis loin d'être un virtuose.

— Tu auras tout l'hiver pour t'entraîner.

Il cacheta la lettre et se leva.

— À propos, qu'est-il advenu de Jato ?

— Je suis entré en sa possession. On me le garde à Terayama.

— Il est temps que tu le retrouves.

Il sourit derechef et grommela :

— Chiyo ne me pardonnera jamais de ne pas l'avoir réveillée.

Je glissai la lettre dans mes vêtements et nous nous étreignîmes.

— Un destin étrange te lie à cette demeure, dit-il. Je crois que tu ne peux te soustraire à cet engagement.

Sa voix se brisa et je vis qu'il était de nouveau au bord des larmes.

— J'en ai conscience, chuchotai-je. J'obéirai en tout à vos suggestions.

Je savais que je ne pouvais renoncer à cette maison et à cet héritage. Ils étaient à moi. J'allais faire valoir mes droits sur eux. Tout ce que disait Ichiro était parfaitement sensé : il fallait que j'échappe à la Tribu. Les registres de sire Shigeru me mettraient à couvert de sa vengeance. Grâce à eux, j'aurais aussi une monnaie d'échange avec Araï. Si seulement je pouvais arriver vivant à Terayama...

CHAPITRE VII

Pour sortir de la maison, j'empruntai le même chemin qu'à l'aller. Je passai par la fenêtre de l'étage, descendis le mur et franchis le parquet du rossignol. Il resta silencieux sous mes pieds, mais je fis le vœu que la prochaine fois que j'y passerais je le ferais chanter. Au lieu d'escalader le mur d'enceinte pour regagner la rue, je traversai sans bruit le jardin, me rendis invisible et m'agrippai comme une araignée aux pierres pour me faufiler dans l'ouverture par où le torrent se déversait dans le fleuve. Je me laissai tomber dans la barque la plus proche, détachai l'amarre, ramassai la rame posée à l'arrière et entrepris de m'éloigner de la rive.

La barque gémit légèrement sous mon poids et l'eau du fleuve se mit à clapoter plus fort contre la coque. À ma grande consternation, le ciel s'était dégagé. Il faisait beaucoup plus froid et la lune bientôt pleine répandait une vive clarté. Lorsque j'entendis des pas assourdis sur la berge, j'envoyai aussitôt mon second moi près du mur et me tapis au fond de la barque. Mais Akio ne se laissa pas abuser par mon subterfuge. Comme s'il prenait son envol, il bondit du haut du mur. Je me rendis de nouveau invisible, même si je savais que c'était sans doute inutile avec lui, puis je sautai par-dessus bord et me précipitai en nageant sous l'eau vers une autre des barques amarrées au quai. Je détachai fiévreusement la corde et poussai au large. Je vis alors Akio atterrir sur l'embarcation secouée par le courant. Pendant qu'il reprenait son équilibre, je me dédoublai et bondis en laissant derrière moi mon image. Il s'élança vers cette dernière, et nous nous croisâmes presque en plein vol. De retour sur ma première barque, je saisis la rame et me mis à pagayer avec une énergie désespérée. Mon second moi se dissipa sous les mains d'Akio, et mon ennemi se prépara de nouveau à bondir. Gagner le fleuve était le seul moyen de m'échapper. Je sortis mon poignard et lui assenai un coup à la main quand il atterrit près de moi. Avec sa rapidité coutumière, il se pencha pour esquiver le coup, mais j'avais anticipé son mouvement et je le frappai à la tête avec la rame. Sous le choc, il s'effondra tandis que je perdais l'équilibre et manquais culbuter par-dessus bord. Laissant tomber la rame, je m'agrippai au flanc de l'embarcation. Je ne voulais pas sombrer dans les eaux glaciales à moins de l'entraîner avec moi et de le noyer. Comme je me glissais de l'autre côté de la barque, Akio sortit de son étourdissement. Il s'envola littéralement et s'abattit sur moi. Nous roulâmes au sol, et il me saisit à la gorge.

J'étais encore invisible mais impuissant, coincé sous lui comme une carpe sur le marbre du cuisinier. Ma vision commença à se troubler, puis il relâcha légèrement son étreinte.

— Sale traître! lança-t-il. Kenji nous avait prévenus que tu finirais par rejoindre les Otori. Je m'en réjouis, car j'ai souhaité ta mort depuis le premier instant que je t'ai vu. Tu vas payer, maintenant! Pour ton insolence envers les Kikuta. Pour ma main abîmée. Et pour Yuki.

— Allez-y. Tuez-moi comme votre famille a tué mon père. Vous n'échapperez jamais à nos fantômes. Vous serez maudits et hantés par nous jusqu'à votre dernier souffle. Vous avez assassiné votre propre famille.

La barque dérivait, entraînée par la marée. Si Akio s'était servi à cet instant de ses mains ou de son poignard, je ne serais pas là pour raconter cette histoire. Mais il ne put résister à la tentation d'un ultime sarcasme.

— Ton enfant sera à moi. Je veillerai à l'élever comme un vrai Kikuta.

Il me secoua violemment.

— Montre-moi ton visage, gronda-t-il. Je veux te voir quand je t'explique comment je vais lui apprendre à haïr ta mémoire. Et je veux te regarder mourir.

Il se pencha en cherchant des yeux mon visage. La barque pénétra dans le sillage lumineux de la lune. En apercevant sa clarté, je mis fin à mon invisibilité et fixai Akio droit dans les yeux. Comme je l'espérais, j'y découvris une haine mêlée de jalousie qui obscurcissait son jugement et le mettait en position de faiblesse.

En un éclair, il comprit ce qui se passait et essaya de détourner son regard, mais le coup de rame devait avoir ralenti ses réflexes : c'était trop tard. Étourdi par l'invincible sommeil des Kikuta, il s'affaissa en essayant désespérément de garder les yeux ouverts. La barque se mit à tanguer dangereusement. Entraîné par son propre poids, il tomba la tête la première dans le fleuve.

La barque continua de dériver. Elle s'éloignait plus rapidement, maintenant, portée par la marée montante. À la clarté de la lune, je vis le corps d'Akio refaire surface et flotter doucement. Je n'avais pas l'intention de revenir en arrière pour l'achever. J'espérais qu'il se noierait ou mourrait de froid, mais je laissai le destin décider. Saisissant la rame, je dirigeai mon embarcation vers la rive opposée.

Parvenu sur la berge, je tremblais de froid. Les premiers coqs chantaient et la lune était basse à l'horizon. L'herbe du rivage était raidie par le gel, et les pierres et les brindilles scintillaient. Je dérangeai le sommeil d'un héron et me demandai si c'était lui qui venait pêcher dans le jardin de sire Shigeru. Avec ce claquement d'ailes qui m'était familier, il émergea des plus hautes branches du saule et s'envola.

J'étais épuisé mais trop excité pour songer à dormir. D'ailleurs, il fallait que je continue de bouger pour me réchauffer. Je me contraignis à marcher d'un bon pas en direction du sud-ouest, sur l'étroite route de montagne. La lune brillait et je connaissais le chemin. Au lever du jour, j'avais franchi le premier col et descendais vers un petit village. Tout dormait encore, mais une vieille femme soufflait sur les braises de son âtre. Elle me fit chauffer une soupe en échange de quelques pièces. Je me plaignis de la sénilité de mon vieux maître, qui m'envoyait loin de tout à la recherche d'un temple perdu dans les montagnes. J'étais sûr qu'il ne passerait pas l'hiver, de sorte que je me retrouverais coincé là-bas.

— Vous devrez vous faire moine, alors! gloussa-t-elle.

— Ce n'est pas pour moi. J'aime trop les femmes.

Ma réplique lui plut, et elle dénicha quelques pruneaux marinés tout frais pour agrémenter mon petit déjeuner. En voyant mon pécule, elle voulut m'offrir le gîte aussi bien que le couvert. La satiété rendait plus tentant encore le démon du sommeil et je mourais d'envie de me coucher, mais j'avais trop peur d'être reconnu et me repentais déjà d'en avoir trop dit à la vieille. J'avais abandonné Akio aux flots, mais savais que le fleuve rendait toujours ses victimes, mortes ou vivantes, et je redoutais qu'il ne me poursuive. Je n'étais pas fier d'avoir déserté après avoir juré obéissance à la Tribu, et dans la froide lumière du matin je commençai à réaliser ce que serait maintenant mon existence. Ayant choisi de reprendre ma place parmi les Otori, je vivrais à jamais dans la terreur d'être assassiné. Une organisation secrète se dresserait tout entière contre moi pour me punir de ma déloyauté. Si je voulais passer entre les mailles du filet, il fallait me montrer plus rapide que leurs messagers. Et je devais arriver à Terayama avant qu'il ne commence à neiger.

Le ciel avait pris la couleur du plomb quand j'atteignis Tsuwano, l'après-midi du second jour. Je ne cessais de penser à ma rencontre avec Kaede dans cette ville, à cette séance d'entraînement au bâton durant laquelle j'étais tombé amoureux d'elle. Son nom était-il déjà inscrit dans le grand livre des morts ? Devrais-je désormais allumer des bougies pour elle chaque année, lors de la fête des Morts, jusqu'à ma propre disparition ? Serions-nous réunis dans l'au-delà, ou condamnés à ne jamais nous retrouver dans ce monde comme dans l'autre ? J'étais rongé de honte et de chagrin. « Je ne me sens en sécurité qu'avec toi », avait-elle dit, et je l'avais abandonnée. Si le destin se montrait bienveillant, s'il la plaçait de nouveau sur mon chemin, je ne la laisserais plus jamais repartir.

Je regrettais amèrement ma décision de rejoindre les rangs de la Tribu, et je passai plus d'une fois en revue les raisons qui m'avaient poussé à ce choix. Je croyais avoir conclu un marché avec eux, avoir remis ma vie entre leurs mains — c'était un fait. Mais je me blâmais d'avoir obéi également à un mouvement de vanité. J'avais voulu connaître et développer les aspects de ma nature que m'avait légués mon père Kikuta, cet héritage obscur de la Tribu qui me valait des talents dont j'étais fier. Je n'avais été que trop prêt à céder à leur séduction, à ce mélange de flatterie, de compréhension et de brutalité qui leur avait permis de m'utiliser et de me manipuler. Je me demandais quelles étaient mes chances de leur échapper.

Mes pensées tournaient en rond, interminablement, et je marchais dans une sorte de transe. J'avais un peu dormi vers midi dans un creux sur le côté de la route, mais le froid m'avait réveillé. Marcher était le seul moyen de me tenir chaud. Je contournai la ville, descendis en empruntant le col et rattrapai la route près du fleuve. Le niveau des eaux avait baissé après la crue provoquée par les tempêtes qui nous avaient retenus à Tsuwano, et les levées avaient été réparées. Cependant le pont en bois était toujours impraticable, et c'était le seul à des lieues à la ronde. Je payai un batelier afin qu'il me fît passer sur l'autre rive. Il n'y avait plus de voyageur à cette heure, j'étais son dernier client. Je sentis son regard curieux peser sur moi, mais il ne me parla pas. Même si je n'avais pas l'impression qu'il appartînt à la Tribu, son attitude me mettait mal à l'aise. Une fois de l'autre côté du fleuve, je m'éloignai en hâte. En tournant au coin de la rue, je vis qu'il me regardait toujours. Je fis un mouvement de la tête, mais il ne réagit pas.

Il faisait plus froid que jamais, l'air était imprégné d'une humidité glacée. Je regrettais déjà de n'avoir pas trouvé un abri pour la nuit. Si j'étais surpris par une tempête de neige avant la prochaine ville, j'aurais peu de chances de survivre. Yamagata se trouvait encore à plusieurs jours de marche. Il y aurait une petite garnison à la frontière du fief, mais malgré la lettre d'Ichiro et mon déguisement de serviteur je n'avais pas envie d'y passer la nuit — trop de curieux, trop de gardes. Ne sachant à quoi me résoudre, je continuai de marcher.

La nuit tomba. Même mes yeux entraînés de membre de la Tribu avaient peine à distinguer la route. Je m'en écartai à deux reprises et dus revenir sur mes pas. À un moment, je trébuchai dans une sorte de trou ou de fossé rempli d'eau, d'où je sortis trempé jusqu'aux genoux. Le vent mugissait et des bruits étranges s'élevaient dans les bois, réveillant en moi le souvenir des monstres et des lutins de la légende et me faisant craindre d'être suivi par des morts.

Lorsque le ciel commença à pâlir à l'orient, j'étais frigorifié et secoué de frissons irrépressibles. Je fus soulagé de voir l'aube, mais elle n'adoucit pas le froid coupant. Au contraire, elle me rendit plus sensible ma solitude. Pour la première fois, il me vint l'idée insidieuse de me livrer aux hommes d'Araï s'ils contrôlaient la frontière du fief. Ils me mèneraient à leur seigneur, mais auparavant ils me donneraient sûrement une boisson chaude. Après m'avoir fait asseoir bien à l'abri dans le poste frontière, ils me prépareraient du thé. La pensée de ce thé finit par m'obséder. Je croyais sentir sa fumée brûlante sur mon visage, le bol réchauffant mes mains. J'étais si bien hanté par ces images que je ne remarquai pas qu'on marchait derrière moi.

Soudain, je pris conscience d'une présence dans mon dos. Je me retournai, stupéfait de n'avoir pas entendu les pas sur la route ni même le bruit d'une respiration. Cette défaillance de mon ouïe m'emplit d'étonnement et même de terreur. J'avais l'impression que ce voyageur était tombé du ciel, à moins qu'il ne flottât au-dessus du sol à la manière des morts. Puis je me dis que l'épuisement devait avoir dérangé mon esprit ou que je voyais bel et bien un fantôme, car l'homme qui me suivait n'était autre que Jo-An, le paria que je croyais mort à Yamagata sous les tortures des soldats d'Araï.

J'éprouvai un tel choc que je pensai défaillir. Je chancelai, blanc comme un linge, et je serais tombé si Jo-An ne m'avait pas rattrapé de ses mains qui semblaient bien réelles, avec leur force solide et leur odeur de tannerie. Le ciel et la terre se mirent à tourner autour de moi et des taches noires obscurcirent ma vue. Il me laissa glisser au sol et poussa ma tête entre mes genoux. Mes oreilles bourdonnaient, il me semblait que j'allais devenir sourd. Je restai accroupi, ses mains sur ma tête, jusqu'au moment où le bourdonnement s'atténua et où ma vue s'éclaircit de nouveau. Je fixai le sol : l'herbe était blanche de gel et de minuscules glaçons luisaient entre les cailloux. En dehors du vent mugissant dans les cèdres, on n'entendait que le claquement de mes dents.

Jo-An prit la parole. C'était bien sa voix, cela ne faisait pas de doute.

— Pardonnez-moi de vous avoir fait peur, seigneur. Je n'avais pas l'intention de vous effrayer.

— On m'avait dit que tu étais mort. J'ignorais si tu étais un être vivant ou un fantôme.

— Peut-être ai-je été mort un moment, chuchota-t-il. En tout cas, les hommes d'Araï l'ont cru et ont jeté mon corps dans les marécages. Mais le Dieu Secret avait d'autres projets pour moi, aussi m'a-t-il renvoyé dans ce monde. Mon œuvre ici-bas n'est pas encore achevée.

Je levai la tête avec précaution et le regardai. Une nouvelle cicatrice, guérie depuis peu, courait de son nez à son oreille, et il avait perdu plusieurs dents.

Saisissant son poignet, j'approchai sa main de mes yeux : les ongles avaient été arrachés, les doigts tordus et écrasés.

— Je devrais implorer ton pardon, lançai-je, horrifié.

— Tout ce qui advient est conforme aux desseins de Dieu, répliqua-t-il.

Je me demandai comment un dieu pouvait inclure la torture dans ses desseins, mais je ne confiai pas cette pensée à Jo-An. Je préférai lui demander :

— Comment as-tu fait pour me trouver ?

— Le batelier est venu me dire qu'il avait fait traverser le fleuve à un voyageur correspondant à votre signalement. J'attendais que vous me fassiez signe. Je savais que vous reviendriez.

Il souleva le baluchon qu'il avait posé au bord de la route et entreprit de le défaire.

— Il fallait que la prophétie s'accomplisse, après tout.

— Quelle prophétie ?

Je me souvins soudain que la femme de Kenji l'avait appelé « le fou »...

Sans répondre, il sortit deux petits gâteaux au millet du baluchon, fit une prière et m'en tendit un.

— Tu me donnes toujours à manger, dis-je. Mais je ne crois pas que je sois en état d'avaler une nourriture solide.

— Alors buvez.

Il me remit un flacon grossièrement taillé dans du bambou. Même boire ne me paraissait pas évident, mais je me dis que le breuvage me réchaufferait. Dès qu'il atteignit mon estomac, cependant, mon malaise revint et je me mis à vomir avec tant de force que mon corps fut secoué de violents frissons.

Jo-An fit clapper sa langue, comme pour apaiser un cheval ou un bœuf. Il avait les mains patientes d'un homme habitué à s'occuper des animaux, même si évidemment ses rapports avec eux se limitaient à leur donner la mort puis à écorcher leur cadavre.

Quand je fus de nouveau capable de parler, je lançai en claquant des dents :

— Je dois continuer mon voyage.

— Où vous rendez-vous ?

— À Terayama. Je passerai l'hiver là-bas.

— Je vois.

Il retomba dans un de ses silences coutumiers. Il priait, à l'écoute d'une voix intérieure qui lui dirait que faire.

— C'est bien, dit-il enfin. Nous passerons par la montagne. Si vous prenez la route, ils vous arrêteront à la frontière et de toute façon le voyage sera trop long : il neigera avant même que vous n'arriviez à Yamagata.

— Passer par la montagne ? m'exclamai-je en levant les yeux vers les sommets déchiquetés s'étendant jusqu'au nord-est.

La route de Tsuwano à Yamagata les contournait, mais Terayama se trouvait en fait juste derrière eux. Les nuages s'accrochaient aux cimes, bas et gris, et leur éclat humide et assourdi annonçait la neige.

— L'ascension sera rude, déclara Jo-An. Il faut d'abord que vous vous reposiez un peu.

Je commençai à songer à me relever.

— Je n'ai pas le temps. Je dois arriver au temple avant qu'il ne se mette à neiger.

Jo-An observa le ciel et huma le vent.

— Il fera trop froid pour que la neige puisse tomber cette nuit, mais elle pourrait bien commencer demain. Nous demanderons au Secret de la retenir.

Il se leva et m'aida à me remettre sur mes pieds.

— Vous pouvez marcher, maintenant ? L'endroit où j'habite ne se trouve pas très loin. Vous pourrez vous y reposer, après quoi je vous mènerai aux hommes qui vous montreront le chemin pour franchir la montagne.

Je me sentais horriblement faible, comme si mon corps avait perdu sa substance. Il me semblait quasiment avoir disparu avec mon image après m'être dédoublé. Je rendis grâce à l'entraînement de la Tribu qui m'avait appris à puiser dans ces réserves de force dont la plupart des hommes n'ont même pas conscience. En concentrant mon souffle, je sentis lentement mon énergie et ma résistance se réveiller. Jo-An dut sans aucun doute attribuer mon rétablissement au pouvoir de ses prières. Il me regarda brièvement de ses yeux enfoncés, puis il se retourna en esquissant un sourire et commença à redescendre le chemin.

J'hésitai un instant. Je détestais l'idée de revenir sur mes pas, après m'être donné tant de mal pour arriver à ce point, mais j'éprouvais aussi une réticence à l'idée de suivre ce paria. Parler avec lui la nuit était une chose, mais marcher près de lui, être vu en sa compagnie... C'était une autre affaire. Je m'exhortai à me souvenir que je n'étais pas encore un seigneur Otori, que je n'appartenais plus à la Tribu, que Jo-An m'offrait une aide et un refuge précieux, mais je ne lui emboîtai le pas qu'avec répugnance.

Après moins d'une heure de marche, nous quittâmes la route pour nous engager sur un sentier longeant une rivière étroite. Nous traversâmes deux villages misérables, où des enfants accoururent pour mendier de la nourriture mais battirent en retraite dès qu'ils reconnurent le paria. Dans le second village, deux garçons plus âgés furent assez hardis pour nous lancer des pierres. L'une d'elles m'aurait atteint dans le dos si je ne l'avais pas entendue à temps pour l'éviter. J'étais prêt à châtier les garnements, mais Jo-An m'en dissuada.

Bien avant que nous n'ayons rejoint la tannerie, elle s'annonça par son odeur. La rivière s'élargit et finit par se jeter dans un fleuve. Au confluent des deux cours d'eau se dressaient des rangées de cadres en bois, sur lesquels étaient étendues des peaux. Dans cet endroit humide et abrité, elles étaient protégées du gel. Quand l'hiver se ferait plus rude, cependant, on les décrocherait pour les entreposer jusqu'au printemps. Des hommes étaient déjà au travail — tous des parias, bien sûr, à moitié nus malgré le froid, arborant la même maigreur squelettique que Jo-An et le même regard de chien battu. Le fleuve était voilé par une brume qui se mêlait à la fumée des feux de bois. Il était traversé par un pont flottant construit avec des roseaux et des bambous liés par des cordes. Je me rappelai que Jo-An m'avait dit de me rendre au pont des parias si un jour j'avais besoin d'aide. J'y avais été conduit par le destin — ou plutôt, aurait sans doute affirmé Jo-An, par la puissance du Dieu Secret.

Derrière les cadres se dressaient quelques petites cabanes en bois, qui donnaient l'impression de devoir s'envoler au premier coup de vent. Tandis que je suivais Jo-An, qui se dirigeait vers l'une d'elles, les hommes continuèrent leur tâche mais je sentis leurs regards peser sur moi. Leurs yeux étaient intenses et suppliants, comme s'ils attendaient de moi un secours.

Je m'efforçai de cacher ma répugnance et entrai sans avoir à me déchausser, car le sol était en terre. Un petit feu brûlait dans l'âtre et la hutte était remplie d'une fumée épaisse qui piquait mes yeux. Quelqu'un était pelotonné dans un coin, sous une pile de peaux de bêtes. Je crus d'abord qu'il s'agissait de l'épouse de Jo-An, mais quand il s'approcha à genoux et se prosterna devant moi dans la poussière crasseuse je reconnus le batelier qui m'avait fait traverser le fleuve.

— Il a marché une bonne partie de la nuit pour me dire qu'il vous avait vu, expliqua Jo-An d'un ton d'excuse. Il avait besoin d'un peu de repos avant de rentrer.

J'avais conscience du sacrifice que cela impliquait : au cours de sa marche solitaire, il avait dû affronter non seulement l'obscurité hantée d'esprits mais aussi le danger des bandits et des patrouilles, sans compter le salaire d'une journée qu'il avait perdu.

— Pourquoi a-t-il fait cela pour moi ?

À cet instant, il s'assit et leva fugitivement les yeux pour m'observer. Il garda le silence mais j'avais lu dans son regard, comme dans celui des ouvriers de la tannerie, une passion ardente. C'est ainsi que les gens avaient considéré sire Shigeru, quelques mois plus tôt, sur la route de Terayama à Yamagata : leurs regards étaient autant d'appels. Le seigneur représentait à leurs yeux la promesse de quelque chose — justice ou compassion —, que maintenant ces hommes recherchaient en moi. Quoi que Jo-An leur eût raconté sur mon compte, il avait fait de moi leur espoir.

Et quelque chose en moi répondait à cet appel, comme à celui des villageois ou des fermiers cultivant leurs champs secrets. On les traitait comme des chiens, ils étaient battus, réduits à mourir de faim, mais je voyais en eux des êtres humains, doués d'une intelligence et d'un cœur, au même titre que n'importe quel guerrier ou négociant. J'avais été élevé parmi leurs semblables, et j'avais appris que le Dieu Secret regardait tous les hommes d'un œil égal. Peu importait ce que j'étais devenu par la suite, les autres enseignements que j'avais pu recevoir des Otori ou de la Tribu, et même ma propre répugnance : il m'était impossible d'oublier cette réalité.

Jo-An lança :

— Il est à vous, maintenant. Comme moi, comme nous tous. Vous n'avez qu'à faire appel à nous.

Il eut un large sourire et ses dents cassées brillèrent dans la pénombre. Il avait préparé du thé et me tendit un petit bol en bois. Je sentis la vapeur brûlante contre mon visage. Le thé était à base de brindilles, comme celui que nous buvions à Mino.

— Pourquoi ferais-je appel à vous ? Ce dont je vais avoir besoin, c'est une armée !

Je sentis en buvant la chaleur commencer à se répandre dans mon corps.

— Une armée, exactement, répliqua Jo-An. Bien des combats vous attendent, ainsi que l'annonce la prophétie.

— Comment pourrez-vous m'aider, dans ce cas ? Il vous est interdit de tuer.

— Les guerriers s'en chargeront. Mais il existe d'autres tâches qui ne sont pas moins nécessaires et auxquelles ils refuseront de s'abaisser, comme bâtir les campements, abattre les animaux ou enterrer les morts. Vous vous en rendrez compte quand vous aurez besoin de nous.

Le thé calma mes maux d'estomac. Jo-An sortit deux nouvelles boulettes de millet. Comme je n'avais pas faim, j'offris ma part au batelier. Jo-An s'abstint également de manger, mais rangea la seconde boulette. Je vis son compagnon la suivre des yeux avec avidité, et je lui donnai quelques pièces avant son départ. Il ne voulait pas les accepter, mais je les lui glissai de force dans les mains.

Jo-An marmonna à son intention la bénédiction des voyageurs, puis il écarta les peaux de bêtes pour que je puisse me blottir dessous. Je me sentais encore réchauffé par le thé. Les peaux sentaient mauvais, mais elles me protégeaient du froid et du bruit. Je songeai fugitivement que n'importe lequel de ces hommes affamés pourrait me trahir pour un bol de soupe, mais je n'avais pas le choix : je devais faire confiance à Jo-An. Je m'abandonnai à l'obscurité où j'eus tôt fait de trouver le sommeil.

Le paria me réveilla quelques heures plus tard. L'après-midi était déjà avancé. Il me donna à boire du thé qui n'était guère que de l'eau chaude, et s'excusa de n'avoir pas de nourriture à me proposer.

— Nous devons partir dès maintenant si nous voulons rejoindre les charbonniers avant la nuit.

— Les charbonniers ? m'étonnai-je.

Moi qui habituellement étais réveillé en un clin d'œil, je me sentais assommé par le sommeil.

— Ils sont encore dans la montagne. Ils connaissent des sentiers à travers la forêt qui vous permettront de passer sans encombre la frontière. À la première neige, cependant, ils s'en iront.

Il se tut un instant puis ajouta :

— Il faut que nous parlions à quelqu'un sur le chemin.

— À qui ?

— Ce ne sera pas long, assura-t-il en m'adressant un de ses sourires timides.

Nous sortîmes de la cabane et je me mis à genoux sur la berge du fleuve afin de m'asperger le visage. L'eau était glaciale : comme l'avait prédit Jo-An, la température avait chuté et l'air était moins humide. Il faisait trop froid et trop sec pour qu'il neige.

Je séchai mes mains en les agitant. Pendant ce temps, Jo-An parlait aux hommes dont les yeux brillants se posèrent sur moi. Quand nous nous éloignâmes, ils interrompirent leur tâche et s'agenouillèrent en inclinant la tête sur mon passage.

— Ils savent qui je suis ? demandai-je à voix basse à Jo-An.

Une nouvelle fois, je redoutai d'être trahi par ces hommes si démunis.

— Ils savent que vous êtes Otori Takeo, l'Ange de Yamagata, qui apportera la justice et la paix. C'est ce que dit la prophétie.

— Quelle prophétie ?

— Vous allez avoir l'occasion de l'entendre vous-même.

J'étais assailli de doutes. Comment pouvais-je confier ainsi ma vie à ce fou ? Il me semblait qu'à force de gaspiller de précieux instants je n'atteindrais jamais Terayama avant d'être rattrapé par la neige ou par la Tribu. Cependant je me rendais compte que mon seul espoir était de prendre le chemin de la montagne. Il fallait que je suive Jo-An.

Nous traversâmes la rivière étroite un peu en amont, près d'un barrage à poissons. En fait de rencontres, nous ne vîmes que deux pêcheurs et des filles portant à manger aux hommes occupés à brûler des chaumes de riz et à répandre du fumier sur les champs vides. Les filles grimpèrent sur la levée plutôt que de croiser notre chemin. L'un des pêcheurs cracha dans notre direction, l'autre reprocha à Jo-An avec force injures de souiller l'eau. Je baissai la tête et détournai les yeux, mais ils ne me prêtèrent pas attention. En fait, ils évitaient de nous regarder directement, comme si même ce contact pouvait être source d'impureté et de malheur.

Insensible à leur hostilité, Jo-An semblait s'être retiré en lui-même comme dans un abri protecteur. Quand nous les eûmes dépassés, cependant, il lança :

— Ils nous interdisaient d'emprunter le pont de pierre pour transporter les peaux, de sorte que nous avons dû nous-mêmes en bâtir un. Maintenant l'autre est détruit, mais ils se refusent toujours à passer sur le nôtre.

Il secoua la tête et chuchota :

— Si seulement ils connaissaient le Secret.

Sur la rive opposée, nous marchâmes le long de la rivière sur encore un peu moins d'une lieue avant d'obliquer vers le nord-est et de commencer l'ascension. Les érables et les chênes dénudés cédèrent la place aux pins et aux cèdres. Plus nous nous enfoncions dans la forêt, plus le chemin s'assombrissait et grimpait en pente raide. Nous finîmes par escalader tant bien que mal des rochers, sur lesquels nous devions souvent progresser à quatre pattes. Ragaillardi par le sommeil, je sentais revenir mes forces. Jo-An grimpait infatigablement et semblait à peine essoufflé. Il était difficile de lui donner un âge. La pauvreté et la souffrance l'avaient si bien usé qu'il avait l'air d'un vieillard, mais peut-être n'avait-il pas plus de trente ans. Il y avait quelque chose de surnaturel en lui, comme si vraiment il était revenu d'entre les morts.

Nous arrivâmes enfin sur un sommet formant un petit plateau, où se dressait un énorme rocher tombé du versant qui le surplombait. À nos pieds, j'aperçus le ruban étincelant du fleuve, presque aussi lointain que Tsuwano. La vallée était voilée de brume et de fumée, les nuages bas dissimulaient la chaîne de montagnes nous faisant face. L'ascension nous avait si bien échauffés que nous étions presque en sueur, mais dès que nous fîmes halte notre haleine se condensa dans l'air glacé. En dehors de quelques baies tardives rougeoyant encore sur des arbustes sans feuilles, le paysage était absolument dépourvu de couleurs. Même les épines des conifères étaient devenues presque noires. J'entendais de l'eau ruisseler, et deux corbeaux échangèrent des appels sur le versant. Quand ils se turent, je perçus le bruit d'une respiration.

Lente et régulière, elle semblait s'élever du fond du rocher. Je suspendis mon propre souffle, touchai le bras de Jo-An et fis un geste en direction de la roche.

Il sourit et assura d'une voix paisible :

— Tout va bien. C'est la personne que nous sommes venus voir.

Les corbeaux se remirent à croasser bruyamment, menaçants. Je commençais à frissonner. Le froid m'investissait, s'emparait de moi sournoisement. Les peurs de la nuit passée menaçaient de resurgir et je voulais continuer mon chemin. Je n'avais aucune envie de rencontrer la créature cachée derrière le rocher et dont la respiration était si lente qu'elle n'était certainement pas humaine.

— Venez, dit Jo-An.

Je le suivis autour du rocher, en évitant de regarder l'abîme se déployant à nos pieds, et découvris l'entrée d'une grotte creusée dans la montagne. De l'eau dégoulinant de la voûte depuis des siècles avait formé des piliers et des colonnes et frayé un passage sur le sol à un chenal se jetant dans un petit bassin dont les parois étaient aussi régulières que celles d'une citerne. La blancheur du calcaire contrastait avec l'eau noire.

La voûte s'élevait comme la pente de la montagne, et j'aperçus dans la partie la plus haute et sèche de la caverne une silhouette assise que j'aurais prise pour une statue si je ne l'avais pas entendue respirer. Elle était du même blanc grisâtre que le calcaire, comme si elle était restée assise là si longtemps qu'elle avait commencé à se pétrifier. Il aurait été difficile de dire s'il s'agissait d'un homme ou d'une femme. Je compris que c'était une de ces très vieilles personnes, ermite, moine ou nonne, qui n'ont plus de sexe et se sont rapprochées de l'autre monde au point de devenir presque de purs esprits. Ses cheveux l'enveloppaient comme une écharpe blanche, et son visage et ses mains étaient gris comme du vieux papier.

Assise en méditation sur le sol de la grotte, elle ne semblait ressentir ni tension ni inconfort. Devant elle se dressait une sorte d'autel en pierre chargé de fleurs fanées, derniers vestiges des lis de l'automne, et de quelques autres offrandes : deux oranges amères à la peau fripée, un petit morceau de tissu et des piécettes. Il m'aurait semblé pareil à tous les autels du dieu de la montagne si je n'avais pas reconnu, sculpté dans la pierre, le signe des Invisibles que dame Maruyama avait tracé sur ma paume à Chigawa, il y avait si longtemps.

Jo-An défit son baluchon et en sortit le dernier gâteau au millet. Il s'agenouilla et le déposa avec précaution sur l'autel avant d'incliner sa tête jusqu'au sol. La silhouette ouvrit ses paupières et nous fixa sans nous voir, car ses yeux étaient aveugles. Je tombai malgré moi à genoux et m'inclinai devant elle en voyant l'expression de son visage, où une tendresse et une compassion profondes se mêlaient à une connaissance totale. J'étais certain de me trouver en présence d'un être saint.

Sa voix s'éleva — il me sembla qu'elle appartenait à une femme plutôt qu'à un homme — et elle lança :

— Tomasu.

Le nom que ma mère m'avait donné lors de la cérémonie de l'eau. Il y avait si longtemps que je ne l'avais plus entendu que j'en eus la chair de poule et fus secoué d'un frisson que le froid ne suffisait pas à expliquer.

— Assieds-toi, dit-elle. Il faut que tu entendes ce que j'ai à te dire. Tu es Tomasu de Mino, mais tu es devenu à la fois Otori et Kikuta. Trois sangs se mêlent en toi. Tu es né parmi les Invisibles, mais ta vie se déroule maintenant en plein jour et ne t'appartient plus. La Terre va accomplir ce que le Ciel désire.

Elle se tut. Au bout de quelques instants, j'avais les os glacés. Je me demandais si elle avait autre chose à me dire. J'avais d'abord été stupéfait qu'elle me connaisse, puis je songeai que Jo-An devait lui avoir parlé de moi. Quant à la prophétie, si elle se limitait à ces paroles, son obscurité était telle qu'elle n'avait aucun sens pour moi. Il me semblait que je mourrais de froid si je restais plus longtemps à genoux dans cette grotte, mais j'étais sous l'emprise des yeux de l'aveugle.

J'écoutai nos trois respirations se mêler aux bruits de la montagne — les corbeaux poussaient encore leurs cris rauques, les cèdres s'agitaient au vent du nord-est, l'eau s'écoulait goutte à goutte. La montagne elle-même gémissait tandis que la température chutait et que les roches se contractaient.

— Ton domaine s'étendra de la mer à la mer, reprit enfin l'aveugle. Mais un bain de sang est le prix de la paix. Tu la conquerras en cinq batailles : quatre victoires et une défaite. Beaucoup devront mourir, mais la mort ne peut t'atteindre que par la main de ton propre fils.

Elle resta de nouveau longtemps silencieuse. Chaque instant nous rapprochait du soir et il faisait de plus en plus sombre et froid. Je laissai mon regard errer à travers la caverne. À côté de la sainte femme, j'aperçus une roue de prière sur un petit socle en bois où étaient sculptées des feuilles de lotus. Je me sen-

tais déconcerté car je savais que beaucoup de sanctuaires de la montagne étaient interdits aux femmes
et je n'y avais encore jamais vu tant de symboles
mêlés, comme si le Dieu Secret, l'Illuminé et les
esprits des cimes demeuraient ici tous ensemble.

Elle parut lire dans mes pensées et lança avec une
sorte de rire émerveillé :

— Tout ne fait qu'un. Rappelle-toi ceci en ton
cœur : tout ne fait qu'un.

Elle effleura la roue de prière qui se mit à tourner.
Son rythme sembla se glisser dans mes veines et
s'unir à mon sang. Elle se mit à psalmodier doucement des mots que je n'avais encore jamais entendus
et ne comprenais pas. Ils flottèrent autour de nous
avant de se dissiper dans le vent. Quand nous les
entendîmes de nouveau, ils étaient devenus la bénédiction d'adieu des Invisibles. Elle nous tendit une
coupe et nous dit de boire au bassin avant de partir.

Une mince couche de glace se formait déjà à la
surface et l'eau était si froide qu'elle me fit mal aux
dents. Sans perdre de temps, Jo-An m'entraîna hors
de la caverne en jetant un coup d'œil anxieux en
direction du nord. Avant de rejoindre le plateau, je
regardai une dernière fois la sainte femme. Elle était
assise, immobile. À cette distance, elle se confondait
presque avec le rocher. Il me paraissait incroyable
qu'elle pût rester ainsi seule et exposée aux éléments
toute la nuit.

— Comment peut-elle survivre ? demandai-je à
Jo-An. Elle va mourir de froid.

Il fronça les sourcils.

— Dieu la soutient. Il lui est égal de mourir.

— Elle est comme toi, alors ?

— Elle est sainte. J'ai d'abord cru qu'elle était un
ange, mais elle est un être humain transformé par la
puissance de Dieu.

Il ne voulut pas en dire davantage. Comme s'il se rendait compte de mon impatience, il accéléra le pas. Nous descendîmes jusqu'à un petit éboulis de roches que nous franchîmes tant bien que mal. De l'autre côté s'étendait un sentier étroit, tracé par des hommes s'enfonçant en file indienne dans la forêt obscure. Et l'ascension recommença.

Nos pas étaient assourdis par des feuilles mortes et des aiguilles de pin. Sous les arbres, il faisait presque nuit. Jo-An marchait encore plus vite. Je me réchauffai un peu en le suivant, mais mes pieds et mes jambes semblaient devenir peu à peu lourds comme des pierres, comme si l'eau calcaire que j'avais bue était en train de me pétrifier. Et mon cœur était également glacé par les paroles mystérieuses de l'aveugle et par tout ce qu'elles impliquaient pour mon avenir. Je n'avais jamais participé à une bataille : allais-je vraiment en livrer cinq ? Puisqu'un bain de sang était le prix de la paix, nul doute qu'elle coûterait cher si elle exigeait tant de combats. Et la pensée d'être tué par mon propre fils, qui n'était même pas encore né, m'emplissait d'une tristesse insupportable.

Je rattrapai Jo-An et lui touchai le bras :

— Qu'est-ce que cela signifie ?

— Rien de plus que ce qui est dit, répliqua-t-il en ralentissant légèrement pour reprendre haleine.

— Elle t'a déjà dit la même chose ?

— Oui.

— Quand ?

— Après que je suis mort et revenu à la vie. Je voulais vivre comme elle, en ermite de la montagne. Mais elle m'a déclaré que ma tâche dans le monde n'était pas achevée, puis elle m'a dit ces paroles à votre sujet.

— Tu lui avais parlé de moi ? Tu l'avais mise au courant de mon passé et de tout le reste ?

— Non, assura-t-il d'un ton patient. C'était inutile, puisqu'elle savait déjà. Elle m'a dit de vous servir, car vous seul apporterez la paix.

— La paix ? répétai-je.

Était-ce cela qu'elle entendait par le désir du Ciel ? Je n'étais même pas sûr de savoir ce que ce mot signifiait. L'idée même de la paix ressemblait aux lubies des Invisibles, à ces histoires du royaume que ma mère me racontait en chuchotant la nuit. Serait-il possible de mettre fin un jour aux combats entre les clans ? La classe des guerriers tout entière combattait : ils n'existaient, ne s'entraînaient et ne vivaient que pour la guerre. Outre leurs traditions et leur sens de l'honneur, ils y étaient poussés par leur constant besoin de conquérir des terres, qui les contraignait à entretenir des armées. Il fallait aussi compter avec les codes rigides et les intérêts changeants présidant aux alliances, ainsi qu'avec l'ambition sans borne des seigneurs de la guerre, tels Iida Sadamu et maintenant, c'était plus que probable, Araï Daiichi.

— La paix au prix de la guerre ?

— Avons-nous le choix ? répliqua Jo-An. Il y aura des batailles.

« Quatre victoires, une défaite. »

— C'est pourquoi nous faisons d'ores et déjà nos préparatifs. Vous avez remarqué les hommes de la tannerie, vous avez vu leurs yeux. Depuis la nuit où vous vous êtes introduit dans le château de Yamagata, vous êtes un héros pour eux. Maintenant que vous avez de surcroît porté secours à sire Shigeru à Inuyama... Même sans la prophétie, ils auraient été prêts à combattre pour vous. Et désormais, ils savent que Dieu est avec vous.

— La sainte femme médite dans un sanctuaire de la montagne et fait usage d'une roue de prière, observai-je. Pourtant elle nous a bénis à la façon des tiens.

— Des nôtres, me corrigea-t-il.

Je secouai la tête.

— Je ne me conforme plus à ces enseignements. J'ai tué plus d'une fois. Crois-tu vraiment que ton dieu parle à travers elle ?

Je lui posai cette question car les Invisibles professent que le Dieu Secret est le seul véritable et que les esprits vénérés par le reste du peuple ne sont que des illusions.

— J'ignore pourquoi Dieu me dit de l'écouter, admit-il. Mais c'est sa volonté, et je m'y soumets.

« Il est fou, me dis-je. La torture et la peur lui ont fait perdre l'esprit. »

— Elle a dit que tout ne fait qu'un. Ce n'est pourtant pas ce que tu crois, n'est-ce pas ?

— Je crois en tous les enseignements du Secret, chuchota-t-il. Je m'y conforme depuis mon enfance et je sais qu'ils sont vrais. Cependant, il me semble qu'il existe un lieu au-delà des dogmes, au-delà des mots, où il se pourrait que les paroles de la sainte se vérifient. Un lieu où l'on voit toutes les croyances jaillir de la source unique. Mon frère, qui était prêtre, aurait dit que c'était une hérésie. Quant à moi, je ne me suis pas encore trouvé en ce lieu, mais c'est là qu'elle demeure.

Je restai silencieux, en songeant au sens que ses propos pouvaient avoir pour moi. Je me sentais déchiré entre les trois éléments faisant le fond de ma nature, chacun semblable à un serpent prêt à mettre à mort les deux autres à la première occasion. Pour vivre une vie unique, il me faudrait toujours renier les deux tiers de mon être. Je n'avais d'autre choix que d'aller de l'avant, de transcender les divisions et de trouver un moyen de les unir en un tout.

— Ce lieu est aussi le tien, dit Jo-An comme s'il lisait dans mes pensées.

— J'aimerais le croire, répliquai-je après un silence. Mais il s'agit pour elle d'un lieu de haute spiritualité, alors que ma vision est plus pragmatique. À mes yeux, cela semble simplement logique.

— C'est donc bien toi qui apporteras la paix.

Je n'avais pas envie d'ajouter foi à cette prophétie. Ce qu'elle annonçait était à la fois beaucoup plus et beaucoup moins que ce que j'attendais de ma propre vie. Cependant les paroles de l'aveugle s'étaient gravées en moi, et il m'était impossible de les oublier.

— Mais tes amis de la tannerie ne combattront pas, n'est-ce pas ?

— Quelques-uns y sont prêts.

— Ils savent se battre ?

— Ils peuvent apprendre. Et ils sont capables de bien d'autres choses : construire des campements, transporter des fardeaux, vous conduire par des chemins secrets...

— Comme celui-ci ?

— Oui, il fait partie des sentiers tracés par les charbonniers. Leurs entrées sont cachées derrière des rochers entassés, et ils parcourent la montagne tout entière.

Fermiers, parias, charbonniers... Aucun d'entre eux n'était censé porter des armes ou intervenir dans les guerres des clans. Je me demandai combien étaient de la même trempe que Jo-An ou que le fermier que j'avais tué à Matsue. Ne pas se servir de tels hommes était un invraisemblable gaspillage de courage et d'intelligence. Si je les armais et les entraînais, je disposerais de tous les hommes dont j'avais besoin. Mais des guerriers accepteraient-ils de se battre à leurs côtés ? Ou me considéreraient-ils moi-même comme un paria ?

J'étais occupé par ces pensées quand je sentis une odeur de brûlé. Quelques instants plus tard, j'entendis des voix lointaines et d'autres bruits témoignant de l'activité humaine — le choc sourd d'une hache, le crépitement d'un feu. Jo-An me vit tourner brusquement la tête.

— Vous les entendez déjà ?

Je fis signe que oui tout en tendant l'oreille. D'après leurs voix, j'estimai qu'ils étaient quatre. Peut-être y en avait-il un cinquième, qui se taisait mais dont il me semblait distinguer le pas. Pas de chien, ce qui paraissait insolite.

— Tu sais que je suis à moitié Kikuta. J'ai hérité de nombre des talents de la Tribu.

Il ne put retenir un léger mouvement de recul. Aux yeux de ses pareils, ces talents sont de la sorcellerie. Mon propre père y avait renoncé en se convertissant à la foi des Invisibles. Il était mort pour avoir respecté leur vœu de s'abstenir de tuer.

— Je suis au courant, dit Jo-An.

— J'aurai besoin d'y recourir, si jamais je veux accomplir tout ce que tu attends de moi.

— Les membres de la Tribu sont des enfants du diable, marmonna-t-il.

Comme il l'avait fait plus tôt, il se hâta d'ajouter :

— Mais votre cas est différent, seigneur.

Sa réaction me fit comprendre quels risques il prenait pour moi. Les puissances qu'il bravait étaient non seulement humaines, mais surnaturelles. En tant que fils de la Tribu, je devais lui paraître aussi dangereux qu'un lutin ou qu'un esprit du fleuve. Une nouvelle fois, je me sentis stupéfait de voir combien ses convictions étaient fortes et combien il s'était livré à moi corps et âme.

L'odeur de brûlé s'intensifia. Des cendres voltigeant sur nos vêtements et sur notre peau me semblèrent comme un présage menaçant de la neige. Le sol avait pris une teinte grisâtre. Nous débouchâmes dans une clairière où se trouvaient plusieurs fours à charbon de bois recouverts de terre humide. Ils étaient tous éteints, sauf un dont les braises rougeoyaient à travers les fentes. Trois hommes étaient occupés à démonter les fours froids et à emballer le charbon. Un autre était agenouillé devant un feu au-dessus duquel une bouilloire fumante était suspendue à un trépied. Quatre hommes — j'avais pourtant toujours la sensation qu'ils étaient cinq. J'entendis un pas lourd derrière moi et le bruit caractéristique d'un assaillant prenant son souffle avant de s'élancer. Je poussai Jo-An sur le côté et me retournai d'un bond pour affronter l'inconnu qui voulait nous surprendre.

Je n'avais encore jamais vu d'homme aussi grand. Il tendait déjà les bras pour nous attraper — l'un d'eux n'avait plus qu'un moignon en guise de main. À cause de ce moignon, j'hésitai à lui infliger une nouvelle blessure. Abandonnant mon second moi sur le chemin, je me glissai derrière le géant et lui criai de se retourner en brandissant sous ses yeux la lame prête à lui trancher la gorge.

Cependant Jo-An s'égosillait :

— C'est moi, imbécile ! C'est Jo-An !

L'homme à genoux près du feu éclata de rire, et les charbonniers accoururent.

— Ne lui faites pas de mal, seigneur ! m'implorèrent-ils. Il n'a aucune mauvaise intention. Il a été surpris de vous voir, c'est tout.

Le colosse avait baissé les bras et tendait sa main unique en un geste de soumission.

— Il est muet, me dit Jo-An. Mais même avec une seule main, il est fort comme un bœuf et travaille comme quatre.

Les charbonniers étaient manifestement inquiets à l'idée que je châtie l'un de leurs meilleurs éléments. Se jetant à mes pieds, ils demandèrent grâce pour lui. Je leur dis de se relever et de garder leur géant sous contrôle.

— J'aurais pu le tuer ! m'écriai-je.

Ils se levèrent tous pour nous souhaiter la bienvenue. Ils tapèrent sur l'épaule de Jo-An, s'inclinèrent derechef dans ma direction et me firent asseoir près du feu. L'un d'eux saisit la bouilloire et servit le thé. J'aurais été incapable de dire avec quoi il était fait tant son goût me parut singulier, mais il était chaud. Jo-An les attira à l'écart et eut avec eux une conversation chuchotée dont je ne perdis pas un mot.

Il leur dit qui j'étais, ce qui provoqua force exclamations et nouvelles courbettes. Puis il leur apprit que je devais me rendre à Terayama au plus tôt. Une brève dispute s'éleva pour savoir quel était le meilleur itinéraire et s'il convenait de partir sur-le-champ ou d'attendre le matin. Ils revinrent enfin près du feu, s'assirent en cercle et me fixèrent de leurs yeux luisant dans leurs visages sombres. Ils étaient couverts de cendre et de suie, à peine vêtus, mais semblaient insensibles au froid. Ils parlaient en tant que groupe, et j'eus l'impression qu'ils pensaient et sentaient de même. J'imaginais qu'ils obéissaient à leurs propres lois dans la forêt, qu'ils y vivaient comme des sauvages, presque comme des animaux.

— C'est la première fois qu'ils s'adressent à un seigneur, me dit Jo-An. L'un d'eux voulait savoir si vous étiez le héros Yoshitsune de retour du continent. Je leur ai dit que comme lui vous erriez dans les montagnes, traqué par tous les hommes, mais que vous seriez un héros encore plus grand car il a échoué alors que Dieu vous avait promis la réussite.

— Le seigneur nous autorisera-t-il à couper du bois où bon nous semble ? demanda un vieux charbonnier.

Ils ne s'adressaient pas directement à moi, mais faisaient part de toutes leurs remarques à Jo-An.

— Une bonne partie de la forêt nous est interdite, maintenant. Si jamais nous y abattons un arbre...

Il fit le geste de se trancher la gorge.

— Une tête pour un arbre, une main pour une branche, renchérit un autre.

Il se pencha vers le géant dont il souleva le bras mutilé. Le moignon était fermé par une cicatrice livide et ridée, et des traces grises remontant vers le bras indiquaient l'endroit où il avait été cautérisé.

— C'est l'œuvre de fonctionnaires Tohan. Il y a deux ans de cela. Il était incapable de comprendre, mais ils lui ont quand même coupé la main.

Le géant me montra son moignon en hochant plusieurs fois la tête, avec un visage hébété et malheureux.

Je savais que les lois du clan des Otori interdisaient elles aussi d'abattre les arbres sans discrimination, afin d'assurer à jamais la sauvegarde des forêts. Cependant, je ne pensais pas qu'elles prévissent des peines aussi cruelles. Je me demandais à quoi servait d'estropier un homme. Une vie humaine avait-elle vraiment moins de valeur que celle d'un arbre ?

— Sire Otori va reconquérir toutes ces terres, affirma Jo-An. Il régnera de la mer à la mer. Il apportera la justice.

Ils s'inclinèrent de nouveau en jurant de me servir, et je promis de mon côté que je ferais tout ce que je pourrais pour eux le jour venu. Puis ils nous offrirent un repas de viande : de petits oiseaux qu'ils avaient attrapés et un lièvre. Je mangeais si rarement de la viande que j'en avais presque oublié le goût. Je ne me rappelais guère que le ragoût de poulet des lutteurs, dont la chair paraissait d'ailleurs fade comparée à celle du lièvre. Ils l'avaient pris au piège une semaine plus tôt et l'avaient mis de côté pour leur dernière nuit dans la montagne, en l'enterrant de peur qu'il ne soit découvert par quelque fonctionnaire furetant aux abords du campement. Il avait un goût de terre et de sang.

Pendant le repas, ils discutèrent de leurs plans pour le lendemain. Ils décidèrent qu'un des leurs me montrerait le chemin menant à la frontière. Eux-mêmes n'osaient pas la franchir, mais ils pensaient que la descente vers Terayama n'offrait pas de grandes difficultés. Nous partirions à la première heure, et une demi-journée de marche devrait me suffire pour atteindre mon but — s'il ne neigeait pas.

Le vent avait tourné au nord et soufflait avec une âpreté menaçante. Les charbonniers avaient d'ores et déjà prévu de démonter ce soir le dernier four et de commencer le lendemain leur descente vers la vallée. Jo-An pourrait les aider s'il passait la nuit au campement, en prenant la place de l'homme qui me guiderait.

— Ils ne voient pas d'objection à travailler avec toi ? demandai-je plus tard à Jo-An.

Les charbonniers me rendaient perplexe. Puisqu'ils mangeaient de la viande, ils ne se conformaient pas aux enseignements de l'Illuminé. D'autre part, ils ne priaient pas avant leur repas, comme le faisaient les Invisibles. Et ils permettaient à un paria de manger et de travailler avec eux, à la différence des villageois.

— Ils sont eux-mêmes des parias, répondit-il. Ils brûlent non seulement du bois mais des cadavres. Cependant, ils ne font pas partie des Invisibles. Ils vénèrent les esprits de la forêt, et surtout le dieu du feu. Ils croient qu'il va quitter demain la montagne avec eux pour habiter dans leurs maisons, qu'il chauffera tout l'hiver.

Sa voix trahissait une certaine réprobation.

— J'essaie de leur parler du Dieu Secret, poursuivit-il. Mais ils prétendent qu'ils ne peuvent abandonner le dieu de leurs ancêtres, car alors qui allumerait le feu des fours ?

— Peut-être tout ne fait-il qu'un ! le taquinai-je, ragaillardi par la viande et la chaleur que nous devions au dieu du feu.

Il esquissa un de ses sourires timides, mais n'ajouta rien à ce sujet. Il avait l'air soudain épuisé. Il faisait presque nuit, et les charbonniers nous invitèrent à rejoindre leur abri. Il était bâti sommairement à l'aide de branches, et recouvert de peaux de bêtes qu'ils troquaient probablement contre du charbon avec les tanneurs. Nous nous glissâmes à l'intérieur et nous serrâmes les uns contre les autres pour combattre le froid. Ma tête était relativement au chaud, car elle se trouvait près du four, mais mon dos était glacé. Quand je me retournai, je crus que mes paupières allaient geler et rester à jamais closes.

Je ne dormis pas beaucoup, cette nuit-là. J'écoutais les respirations profondes de mes compagnons et je pensais à mon avenir. J'avais cru passer mes jours à attendre que la sentence de mort de la Tribu s'accomplisse, jamais sûr le matin d'être encore vivant le soir, mais la prophétesse m'avait rendu la vie. Mes propres talents s'étaient développés relativement tard. Certains garçons avec qui je m'étais entraîné à Matsue commençaient à manifester des dons alors qu'ils n'avaient que huit ou neuf ans. Quel âge devrait atteindre mon fils avant d'être en mesure de m'affronter ? Seize ans, peut-être : presque la durée de ma vie déjà écoulée. Ce simple calcul me donnait comme une espérance amère.

Il y avait des moments où je croyais à la prophétie, et d'autres où elle me paraissait absurde. Il en a été ainsi tout au long de ma vie.

Je serais à Terayama dès le lendemain. J'y trouverais les registres de sire Shigeru, et je tiendrais de nouveau Jato dans ma main. Au printemps, je me mettrais en contact avec Araï. Fort de mes informations secrètes sur la Tribu, je solliciterais son aide contre les oncles du seigneur. Il était évident à mes yeux que c'étaient eux que je devrais affronter en premier lieu. En vengeant la mort de sire Shigeru et en recouvrant mon héritage, j'acquerrais une assise indispensable à mon pouvoir grâce à la forteresse imprenable de Hagi.

Le sommeil de Jo-An était agité, il ne cessait de tressaillir et de pousser des gémissements. Je me rendis compte qu'il devait en fait souffrir continuellement, même s'il n'en montrait rien quand il était éveillé. Vers l'aube, le froid s'atténua un peu et je dormis profondément pendant une heure. À mon réveil, cependant, j'entendis la rumeur douce et veloutée que j'appréhendais. Je rampai jusqu'à l'entrée de l'abri : à la lueur du feu, je vis les flocons commencer à tomber, j'entendis le sifflement presque imperceptible de la neige fondant sur les braises. Je secouai Jo-An et criai pour réveiller les charbonniers :

— Il neige !

Ils bondirent sur leurs pieds, allumèrent des branches en guise de torches et entreprirent de lever le camp. Ils n'avaient pas plus envie que moi d'être pris au piège par la montagne. Le précieux charbon du dernier four fut enveloppé dans les peaux de bêtes de l'abri. Après avoir fait une rapide prière sur les braises du feu, ils les rangèrent dans un pot de fer pour les emporter avec eux lors de leur descente.

La neige était encore trop fine et poudreuse pour tenir, et fondait dès qu'elle touchait le sol. Quand le jour se leva, cependant, nous découvrîmes un ciel d'un gris menaçant, aux nuages chargés de neige. Le vent s'enfla de nouveau. Si la neige se mettait à tomber plus fort, il fallait s'attendre à un blizzard.

Nous n'avions pas le temps de manger, ni même de prendre un thé. Une fois le charbon en sûreté, les hommes ne songèrent plus qu'à décamper. Jo-An tomba à genoux devant moi, mais je le relevai et l'étreignis. Son corps dans mes bras me parut aussi décharné et fragile que celui d'un vieillard.

— Nous nous retrouverons au printemps, lui dis-je. Je te ferai parvenir un message au pont des parias.

Il hocha la tête, incapable soudain de maîtriser son émotion, comme s'il ne pouvait supporter l'idée de ne plus m'avoir sous ses yeux. L'un des hommes souleva un ballot et le chargea sur le dos de Jo-An. Les autres descendaient déjà en file indienne. Le paria esquissa gauchement un geste dans ma direction, à mi-chemin entre un adieu et une bénédiction, puis il se détourna et s'éloigna en trébuchant un peu sous le poids de son fardeau.

Je le regardai un instant, en me surprenant à répéter tout bas les mots familiers que les Invisibles ont coutume de prononcer en se séparant.

— Venez, seigneur, m'appela mon guide d'une voix anxieuse.

Me détournant à mon tour, je commençai à gravir le versant à sa suite. Il ne s'arrêtait que pour courber des rameaux à intervalles réguliers, afin qu'ils lui servent de jalons au retour. La neige était toujours sèche et légère, mais plus nous montions plus elle tenait, jusqu'au moment où le sol et les arbres disparurent tous sous une fine couche immaculée. L'ascension rapide me réchauffait, mais mon estomac criait famine — la viande de la veille lui avait donné de faux espoirs. Il était impossible de deviner quelle heure il était. Le ciel était uniformément gris, et le sol commençait à briller de l'éclat étrange et désorientant d'un paysage enneigé.

Quand mon guide fit halte, nous étions à mi-chemin du plus haut sommet de la chaîne. Le sentier que nous avions suivi bifurquait maintenant pour redescendre. À travers le voile des flocons tourbillonnants, j'aperçus en contrebas la vallée où les branches épaisses des hêtres et des cèdres blanchissaient déjà.

— Je ne puis vous accompagner plus loin, lança le charbonnier. Si vous voulez mon avis, vous feriez mieux de revenir avec moi. Il va y avoir une tempête. Même par beau temps, il faut compter une bonne journée de marche pour rejoindre le temple. Si vous vous obstinez, la neige sera votre linceul.

— Il m'est impossible de rebrousser chemin, répliquai-je. Si tu me guides un peu plus loin, je te paierai bien pour ta peine.

Mais je ne réussis pas à le convaincre. Je n'en avais pas vraiment envie, du reste, tant il semblait perdu sans ses compagnons. Je lui donnai quand même la moitié des pièces qui me restaient, et il m'offrit en retour une patte de lièvre encore recouverte d'une bonne portion de viande.

Il me décrivit le chemin que je devais emprunter, en me désignant des points de repère dans la vallée dans la mesure où la lumière voilée le permettait. Il me dit qu'elle était traversée par un fleuve, sans se douter que j'avais entendu depuis longtemps la rumeur de ses eaux. Ce fleuve marquait la frontière du fief. Il n'y avait pas de pont, mais à un endroit il était suffisamment étroit pour être franchi d'un bond. Il abritait des esprits dans ses profondeurs et le courant était rapide, de sorte que je devrais prendre garde à ne pas tomber. De plus, comme c'était le passage le plus pratique pour traverser la frontière, des patrouilles circulaient parfois dans les environs. Étant donné le temps, cependant, cette éventualité lui semblait peu probable.

Une fois dans l'autre fief, il me faudrait continuer de descendre en direction de l'est, jusqu'à un petit sanctuaire. Deux chemins s'offriraient alors à moi, et je devrais prendre le plus bas, celui de droite. Il fallait toujours marcher vers l'est, sans quoi je me mettrais à gravir la montagne. Comme le vent venait maintenant du nord-est, je n'aurais qu'à veiller à ce qu'il souffle contre mon épaule gauche. Il toucha mon épaule à deux reprises pour souligner son propos, en me scrutant de ses petits yeux.

— Vous n'avez pas l'air d'un seigneur, dit-il en grimaçant une sorte de sourire. Mais de toute façon, je vous souhaite bonne chance.

Je le remerciai et entrepris de descendre la pente tout en rongeant l'os de lièvre, que j'ouvris avec mes dents afin d'en sucer la moelle. La neige se fit plus humide et plus dense. Elle ne fondait plus aussi vite sur ma tête et mes vêtements. L'homme avait raison : je n'avais pas l'air d'un seigneur. Mes cheveux n'avaient pas été coupés depuis que Yuki les avait taillés comme ceux d'un acteur, et ils pendaient autour de mes oreilles en une masse hirsute. De plus cela faisait des jours que je ne m'étais pas rasé, et mes habits étaient sales et trempés. Et je ne sentais certainement pas aussi bon qu'un seigneur. J'essayai de me rappeler quand j'avais pris un bain pour la dernière fois, et soudain je me souvins de l'écurie des lutteurs. Je revis notre première nuit loin de Matsue : le vaste pavillon de bains, la conversation que j'avais surprise entre Akio et Hajime.

Je me demandai où Yuki se trouvait à présent, si elle était au courant de ma défection. La pensée de l'enfant qu'elle attendait m'était presque insupportable. À la lumière de la prophétie, je trouvais encore plus douloureux de songer qu'il grandirait séparé de moi, élevé dans la haine de ma mémoire. Je me rappelai les sarcasmes d'Akio : apparemment, les Kikuta connaissaient mieux que moi mon propre caractère.

La rumeur du fleuve s'amplifia. C'était presque le seul bruit troublant le panorama enneigé, où même les corbeaux se taisaient. Quand j'aperçus ses eaux, la neige commençait à recouvrir les rochers bordant sa rive. Un peu plus loin en amont, il tombait du haut de la montagne en une cascade avant de s'étendre largement entre deux versants escarpés. Il culbutait alors sur des rocs en formant une série de rapides, puis se resserrait pour passer entre deux plateaux. Des pins antiques aux formes tourmentées s'agrippaient aux parois rocheuses, et le paysage tout entier, revêtu par la neige d'un manteau immaculé, semblait attendre que Sesshu vienne le peindre.

Je me tapis derrière un rocher. Un petit pin s'accrochant de son mieux au sol maigre m'abritait un peu, bien qu'il ressemblât davantage à un arbuste qu'à un arbre. Le sentier était enseveli sous la neige, mais on distinguait assez aisément l'endroit auquel il aboutissait, où il était possible de traverser le fleuve. L'oreille aux aguets, j'observai un instant le passage.

Le cours des eaux sur les rochers n'était pas constant. Par moments, elles se calmaient et un silence étrange s'installait, comme si je n'étais pas la seule créature à écouter. Il était aisé d'imaginer que des esprits demeuraient dans les profondeurs, arrêtant et faisant repartir le courant à volonté, harcelant et provoquant les humains pour les attirer au bord des flots perfides.

Il me semblait presque les entendre respirer. À l'instant où j'allais isoler ce bruit, cependant, l'onde se remit à babiller. J'étais furieux. Je savais que je perdais un temps précieux en épiant ainsi des esprits, accroupi sous un arbuste que la neige recouvrait peu à peu. J'acquis pourtant lentement la conviction qu'en fait quelqu'un respirait non loin de moi.

Juste derrière le passage étroit, le fleuve tombait de nouveau de quelques pieds pour former une série de bassins profonds. Je perçus un mouvement soudain et me rendis compte qu'un héron au plumage immaculé pêchait dans l'un de ces bassins, sans se soucier de la neige. C'était comme un signe — l'emblème des Otori à la frontière de leur fief —, peut-être un message de sire Shigeru m'indiquant que j'avais enfin fait le bon choix.

Le héron se trouvait sur la même rive que moi et s'avançait le long du bassin dans ma direction. Je me demandais ce qu'il pouvait trouver à manger au beau milieu de l'hiver, alors que grenouilles et crapauds se cachaient dans la boue. Il paraissait sans peur, plein de sérénité, certain que rien ne le menaçait en ces lieux solitaires. Je le contemplais avec un sentiment de sécurité, en me disant que j'allais me diriger d'un moment à l'autre vers le fleuve afin de le traverser, quand il s'arrêta, effrayé. Sa tête allongée se tourna vers le rivage et il s'envola brusquement. J'entendis le claquement de ses ailes au-dessus de l'eau, puis il disparut en aval, silencieux.

Qu'avait-il vu ? Je me fatiguai les yeux à scruter l'endroit qu'il avait regardé. Le fleuve se tut un instant, et j'entendis une respiration. Je humai l'air et sentis que le vent du nord-est m'apportait une faible odeur humaine. Même si je ne voyais personne, je savais qu'un homme était couché là-bas sur la neige.

Il était placé de telle sorte qu'il n'aurait aucune peine à me barrer la route si je me dirigeais directement vers le passage étroit. Il devait appartenir à la Tribu, pour être capable de rester si longtemps invisible. Il se pouvait qu'il soit capable de me voir dès que j'approcherais du rivage. Mon seul espoir était de le prendre par surprise et de tenter ma chance plus loin en amont, là où le fleuve s'élargissait.

Il ne servait à rien d'attendre plus longtemps. Je respirai profondément, en silence, puis m'élançai hors de l'abri du pin et descendis la pente en courant. Je restai sur le sentier tant que je le pus, car j'ignorais quel terrain la neige pouvait recouvrir. En le quittant pour obliquer vers le fleuve, je regardai de biais mon ennemi qui se relevait : il était vêtu en blanc de la tête aux pieds. J'éprouvai un bref soulagement à l'idée qu'il n'était pas invisible mais protégé par un camouflage — peut-être n'était-il pas un membre de la Tribu, peut-être ne s'agissait-il que d'un garde-frontière — puis le gouffre obscur s'ouvrit sous mes pieds et je bondis.

Le fleuve gronda, se tut de nouveau, et j'entendis dans le silence le bruit d'un objet qui tournoyait dans mon dos. En touchant la rive, je me jetai par terre et m'agrippai au rocher glacé d'où je faillis tomber. Le projectile siffla au-dessus de ma tête. Si j'avais été debout, il m'aurait atteint en pleine nuque. Je vis devant moi sa forme étoilée creusant la neige. Seuls les membres de la Tribu utilisent ce genre de poignards volants, et habituellement ils en lancent plusieurs à la suite.

Je roulai sur moi-même, me rendis aussitôt invisible et courus sans me redresser afin de me mettre à couvert. Je savais que je pourrais rester invisible jusqu'au moment où j'atteindrais l'abri de la forêt, mais j'ignorais s'il ne pourrait pas me voir même ainsi — sans compter mes traces sur la neige, auxquelles je ne songeai même pas dans ma précipitation. Heureusement pour moi, il eut lui aussi du mal à se hisser sur la rive. Il paraissait plus grand et plus robuste que moi et pouvait sans doute courir plus vite, mais j'avais une tête d'avance sur lui.

Une fois à l'abri des arbres, je me dédoublai et envoyai mon second moi en hauteur sur le versant tandis que je descendais le sentier à toutes jambes. Il était clair que je ne pourrais garder mon avance très longtemps, et que ma seule chance était de tendre une embuscade à mon poursuivant. Devant moi, le chemin obliquait pour contourner une arête rocheuse au-dessus de laquelle pendait une branche d'arbre. Je courus de l'autre côté du rocher, revins sur mes pas et me hissai d'un bond sur la branche. Je sortis mon poignard — je regrettais de ne pas avoir Jato avec moi. Les autres armes à ma disposition étaient celles avec lesquelles j'étais censé assassiner Ichiro : une corde et un poinçon. Cependant il était aussi difficile de tuer les membres de la Tribu avec leurs propres armes que de les tromper avec leurs propres ruses. Le poignard représentait mon meilleur espoir. Je calmai mon souffle, me rendis invisible, écoutai mon ennemi hésiter en voyant mon double puis reprendre sa course.

Je savais que je n'aurais pas de seconde chance. Je m'abattis sur lui. Il perdit l'équilibre sous mon poids, trébucha, et j'en profitai pour dégager une partie de son cou et plonger mon poignard dans l'artère principale, en taillant de biais la trachée comme me l'avait appris Kenji. Il poussa un grognement stupéfait — j'ai souvent remarqué cette réaction chez les membres de la Tribu, qui ne s'attendent pas à jouer le rôle de la victime —, puis il s'effondra en avant. Je m'écartai tandis qu'il portait ses mains à son cou d'où son souffle s'échappait en sifflant au milieu d'un jaillissement de sang. Il s'abattit enfin sur le ventre, et la neige se teignit de rouge.

Je fouillai ses vêtements et m'emparai du reste de ses couteaux et de son sabre court, qui était superbe. Je m'appropriai aussi sa collection de poisons, car je n'en avais aucun sur moi. Son identité m'était absolument inconnue. Je lui retirai ses gants pour regarder ses paumes, mais elles ne présentaient pas la ligne droite caractéristique des Kikuta. Je ne lui découvris pas non plus de tatouage.

J'abandonnai son cadavre aux corbeaux et aux renards, en me disant qu'il constituerait pour eux un repas bienvenu en cette période hivernale. Puis je m'éloignai aussi vite et silencieusement que possible, car je craignais qu'il ne fît partie d'une bande et que de nouveaux assaillants ne fussent postés au bord du fleuve, guettant ma présence. Je sentais mon sang bouillonner dans mes veines. Ma fuite et le bref combat m'avaient réchauffé, et je me sentais plein d'une allégresse profonde, primitive, en songeant que ce n'était pas mon corps qui gisait inanimé dans la neige.

J'étais un peu inquiet de voir que la Tribu m'avait rattrapé si rapidement et savait où je me rendais. Le cadavre d'Akio avait-il été découvert ? Des messagers à cheval avaient-ils déjà été envoyés de Hagi à Yamagata ? À moins qu'Akio ne fût encore vivant ? Je me maudis de n'avoir pas pris le temps de l'achever. Peut-être aurais-je dû être plus effrayé encore, en songeant que ma vie tout entière serait à l'image de cette traque. Même si j'en avais conscience, cependant, je me sentais surtout furieux que les membres de la Tribu aient pu ainsi tenter de me tuer comme un chien dans la forêt, et ragaillardi par l'échec de cette première tentative. Certes ils étaient parvenus à assassiner mon père, mais Kenji lui-même avait dit que personne n'aurait pu s'approcher de lui s'il n'avait fait le vœu de ne plus jamais tuer. Je savais que j'étais aussi doué que lui, peut-être même plus. Je ne laisserais pas la Tribu m'approcher. Je mènerais à bien l'œuvre de sire Shigeru et je ruinerais leur pouvoir.

Toutes ces pensées tourbillonnaient dans mon esprit tandis que j'avançais péniblement dans la neige. Elles me remplissaient d'énergie et renforçaient ma détermination à survivre. Après en avoir fini avec la Tribu, je tournai ma rage contre les seigneurs Otori, dont la perfidie me semblait encore plus impardonnable. Les guerriers prétendaient mettre l'honneur et la loyauté au-dessus de tout, mais leurs tromperies et leurs traîtrises témoignaient d'un égoïsme aussi intéressé que celui de la Tribu. Après avoir envoyé sire Shigeru à la mort, ses oncles entreprenaient maintenant de me déposséder. Ils ne savaient pas ce qui les attendait.

S'ils avaient pu me voir en cet instant, cependant, enfoncé jusqu'aux genoux dans la neige, pitoyablement vêtu et équipé, sans hommes, sans argent, sans domaine, la menace que je représentais pour eux ne les aurait certainement pas empêchés de dormir...

Je ne pouvais songer à m'arrêter pour me reposer. Je n'avais d'autre alternative que de continuer à marcher jusqu'à Terayama ou de succomber à l'épuisement avant d'avoir atteint le temple. De temps en temps, je m'écartais malgré tout du chemin pour écouter si quelqu'un n'était pas à mes trousses.

Aucun son ne me parvenait, en dehors du gémissement du vent et du léger sifflement des flocons tombant sur le sol. Vers la fin du jour, pourtant, alors que la lumière commençait à décliner, il me sembla entendre une rumeur en contrebas.

C'était bien la dernière chose que je m'attendais à entendre dans la montagne tandis que la neige ensevelissait la forêt : une flûte semblait résonner au loin, aussi solitaire que le vent dans les pins, aussi fugitive que les flocons. Je frissonnai, en proie à l'émotion que me donnait toujours la musique mais aussi sous l'effet d'une peur profonde. J'étais persuadé de m'être aventuré trop près des confins du monde et d'entendre maintenant des esprits. Je songeai aux lutins de la montagne, qui attirent traîtreusement les humains et les retiennent prisonniers dans la terre pendant des milliers d'années. J'aurais aimé pouvoir prononcer les prières que ma mère m'avait enseignées, mais mes lèvres étaient gelées et de toute façon je ne croyais plus en leur pouvoir.

La musique devint plus forte. J'approchais de sa source, incapable de m'arrêter, comme si elle m'avait ensorcelé et m'attirait à elle. De l'autre côté d'un tournant, le sentier bifurquait. Je me rappelai aussitôt ce que m'avait dit mon guide et effectivement j'aperçus le petit autel à peine visible, devant lequel trois oranges brillaient sous leur couronne de neige. Derrière l'autel se dressait une cabane en bois au toit de chaume. Mes craintes s'évanouirent sur-le-champ et je faillis éclater de rire. Je n'avais pas entendu un lutin mais quelque moine ou ermite qui s'était retiré dans la montagne en quête de l'illumination.

Je sentis une odeur de fumée. La chaleur m'attirait irrésistiblement. J'imaginais les charbons faisant sécher mes pieds trempés et leur ôtant leur aspect de blocs de glace. Je croyais presque sentir mon visage brûlant sous leur ardeur. La porte de la cabane était ouverte afin de laisser entrer la lumière et de faire sortir la fumée. Le flûtiste ne s'était pas aperçu de ma présence. Il était perdu dans cette musique d'une beauté céleste et désolée.

Avant même de le voir, je le reconnus. J'avais déjà entendu cette mélodie, nuit après nuit, tandis que je m'affligeais devant la tombe de sire Shigeru. Le musicien n'était autre que Makoto, le jeune moine qui m'avait réconforté. Assis en tailleur, les yeux fermés, il soufflait dans la longue flûte de bambou. Une flûte traversière plus petite se trouvait sur un coussin à côté de lui. Près de l'entrée, un brasero brûlait en répandant une épaisse fumée. Au fond de la cabane, un lit était installé sur une petite estrade. Un bâton de combat en bois était appuyé au mur, mais c'était la seule arme visible. Je m'avançai à l'intérieur — malgré le brasero, il faisait à peine plus chaud que dehors — et l'appelai doucement :

— Makoto ?

Il n'ouvrit pas les yeux, ne cessa pas de jouer.

Je prononçai de nouveau son nom. La musique s'interrompit, et il éloigna la flûte de ses lèvres. D'une voix lasse, presque inaudible, il chuchota :

— Laissez-moi en paix. Arrêtez de me tourmenter. Je suis désolé.

Il répéta : « Je suis désolé », toujours sans lever les yeux.

Quand il reprit la flûte, je m'agenouillai devant lui et lui touchai l'épaule. Il ouvrit les yeux, me regarda puis jeta l'instrument et bondit soudain sur ses pieds, me prenant complètement de court. Il recula devant moi, s'empara du bâton et le brandit d'un air menaçant. Ses yeux étaient pleins de souffrance, son visage apparaissait décharné, comme s'il avait jeûné.

— Ne vous approchez pas de moi ! lança-t-il d'une voix basse et enrouée.

Je me levai à mon tour.

— Makoto, dis-je doucement. Vous n'avez rien à craindre. C'est moi, Otori Takeo.

Je fis un pas dans sa direction. Aussitôt, il abattit son bâton sur mon épaule. Par chance, j'eus le temps de dévier légèrement le coup et l'espace restreint l'empêcha de frapper vraiment fort, sans quoi il aurait cassé ma clavicule. De toute façon, je m'effondrai par terre. Il dut sentir l'onde de choc dans ses mains, car il les fixa d'un air ahuri après avoir laissé tomber le bâton. Puis il baissa les yeux sur moi et s'exclama :

— Takeo ? Vous n'êtes pas un fantôme ? Vous êtes réel ?

— Suffisamment pour être à moitié assommé, grommelai-je en me relevant.

Je fis bouger mon bras, et quand je fus certain de n'avoir rien de cassé je cherchai mon poignard dans mes vêtements. Je me sentais plus en sécurité avec une arme à la main.

— Pardonnez-moi, dit-il. Je n'avais aucune intention de vous blesser, mais vous m'êtes si souvent apparu...

Il avança la main comme pour me toucher puis se ravisa.

— Je ne parviens pas à croire que vous soyez ici en chair et en os. Quelle étrange destinée vous a mené dans ma retraite à cette heure ?

— Je me rends à Terayama. Je m'y suis vu offrir un refuge à deux reprises. Il me faut maintenant accepter cette offre jusqu'au printemps.

— Je ne parviens pas à croire que vous soyez ici, répéta-t-il. Mais vous êtes trempé, vous devez être gelé.

Il se dirigea vers l'estrade, buta contre le bâton et se baissa pour le ramasser. Après l'avoir remis à sa place contre le mur, il prit une des minces couvertures de chanvre du lit.

— Ôtez vos vêtements, nous allons les faire sécher. Enveloppez-vous dans cette couverture.

— Je dois continuer ma route. Je vais juste m'asseoir un moment près du feu.

— Vous n'arriverez jamais à Terayama ce soir. Dans une heure, il fera nuit, et le temple se trouve encore à quatre heures de marche. Passez donc la nuit ici, nous nous y rendrons ensemble demain matin.

— D'ici là, le blizzard aura rendu les chemins impraticables. Je veux bien être bloqué par la neige, mais à l'intérieur du temple.

— C'est la première chute de l'année, répliqua-t-il. La neige tombe dru sur la montagne, mais plus bas ce n'est guère que du grésil.

Il sourit et cita l'antique poème :

— « En ces nuits où, mêlée de pluie, tombe la neige… » Je suis malheureusement aussi pauvre que le poète et sa famille !

Ce texte était un des premiers qu'Ichiro m'avait appris à écrire, et le souvenir de mon professeur s'imposa à moi avec une intensité poignante. Je commençais à être secoué de frissons. Maintenant que je ne bougeais plus, j'étais littéralement gelé. J'entrepris d'ôter mes vêtements humides. Makoto les étendit derrière le brasero, ajouta un peu de bois et souffla sur les braises.

— On dirait des taches de sang, observa-t-il. Êtes-vous blessé ?

— Non. Quelqu'un a essayé de me tuer à la frontière.

— Il s'agit de son sang, alors ?

J'acquiesçai de la tête, ne sachant dans quelle mesure je pouvais me confier, pour sa sécurité comme pour la mienne.

— Vous êtes poursuivi ?

— Il doit y avoir quelqu'un à mes trousses, à moins qu'il ne m'attende un peu plus loin. Il en sera ainsi pour le restant de mes jours.

— Me direz-vous pourquoi ?

Il alluma une bougie au feu et l'approcha de la mèche d'une lampe à huile, qui consentit de mauvaise grâce à donner un peu de lumière.

— Il n'y a pas beaucoup d'huile, s'excusa-t-il.

Il ferma les volets. Nous avions toute la nuit devant nous.

— Puis-je vous faire confiance ? demandai-je.

Ma question le fit rire.

— Je n'ai aucune idée de ce que vous avez enduré depuis notre dernière rencontre, ni de ce qui vous amène ici aujourd'hui. Et vous-même ignorez tout de moi. Sans quoi, vous ne me poseriez pas cette question. Je vous raconterai tout plus tard. En attendant, sachez que oui, vous pouvez me faire confiance. S'il existe au monde une personne à qui vous puissiez vous fier, c'est moi.

Sa voix se voila d'une émotion profonde. Il se détourna.

— Je vais faire chauffer un peu de soupe, dit-il. Je suis désolé, mais je n'ai ni vin ni thé.

Je me rappelai les consolations qu'il m'avait prodiguées, alors que j'étais accablé de douleur après la mort de sire Shigeru. Il avait apaisé mon âme déchirée de remords et m'avait serré dans ses bras jusqu'au moment où, le chagrin faisant place au désir, j'avais enfin trouvé la paix.

— Je ne puis rester avec les membres de la Tribu, déclarai-je. Je les ai quittés, et ils n'auront de cesse qu'ils ne m'aient exécuté.

Makoto prit une marmite posée dans un coin et la plaça avec précaution sur les braises. Après quoi il me regarda de nouveau.

— Ils voulaient que je trouve les registres que sire Shigeru tenait sur leur compte. Ils m'ont envoyé à Hagi. J'étais censé tuer Ichiro, mon professeur, et leur rapporter les registres. Mais bien sûr, ils ne se trouvaient pas là-bas.

Makoto sourit, mais garda le silence.

— C'est une des raisons pour lesquelles je dois me rendre à Terayama : c'est là qu'ils sont conservés. Vous le saviez, n'est-ce pas ?

— Nous vous l'aurions dit si vous n'aviez pas déjà choisi de rejoindre la Tribu, répliqua-t-il. Cependant, notre engagement envers sire Shigeru nous interdisait de prendre aucun risque. Il nous avait confié les registres car il savait que Terayama était l'un des rares temples des Trois Pays à ne pas avoir été infiltré par la Tribu.

Il versa la soupe dans un bol, qu'il me tendit.

— Je ne possède qu'un seul bol. Je ne pensais pas recevoir des hôtes ici. Et votre visite est la dernière à laquelle je me serais attendu !

— Que faites-vous dans cette retraite ? demandai-je. Comptez-vous y passer l'hiver ?

Je doutais qu'il puisse survivre à la mauvaise saison, même si je gardais cette pensée pour moi. Je bus une gorgée de soupe. Elle était chaude et salée, c'était à peu près tout ce qu'on pouvait en dire. Et il ne semblait avoir rien d'autre pour se nourrir. Qu'était-il arrivé au jeune homme énergique que j'avais connu à Terayama ? Comment en était-il venu à cette résignation proche du désespoir ?

Je me pelotonnai dans la couverture et me rapprochai du feu. Comme toujours, j'écoutais. Le vent soufflait plus fort, gémissait à travers le toit de chaume. Par moments, une rafale faisait vaciller la flamme de la lampe, qui projetait des ombres bizarres sur le mur opposé. On n'entendait pas dehors la douce respiration de la neige mais la rumeur plus soutenue du grésil.

Maintenant que les portes étaient closes, la cabane se réchauffait. Mes vêtements commençaient à fumer. Je vidai le bol et le tendis à mon compagnon. Il le remplit, but une gorgée et le posa sur le sol.

— J'y passerai l'hiver ou le reste de ma vie, si elle s'avère durer plus longtemps que lui...

Il me regarda puis baissa les yeux.

— Il ne m'est pas facile de vous parler, Takeo, tant ce que j'ai à dire vous concerne en grande partie. Mais puisque l'Illuminé a jugé bon de vous amener ici, je dois essayer. Votre présence change tout. Comme je vous l'ai dit, vous n'avez cessé de m'apparaître. Votre image hante mes rêves chaque nuit. Je me suis efforcé de venir à bout de cette obsession.

Il sourit, comme s'il se moquait de lui-même.

— Depuis mon enfance, je me suis entraîné à me détacher du monde des sens. Mon seul désir était d'atteindre l'illumination, j'aspirais de toutes mes forces à la sainteté. Je ne prétends pas ne jamais avoir eu d'attachements. Vous savez ce qui se passe, lorsque des hommes vivent ensemble sans femmes, et Terayama n'est pas une exception. Cependant, jamais je ne suis tombé amoureux. Jamais je n'ai été hanté par quelqu'un avant de vous connaître.

Un sourire se dessina de nouveau sur ses lèvres.

— Je ne vais pas m'étendre sur les raisons. C'est sans importance et, du reste, je ne suis pas sûr de les comprendre moi-même. Quoi qu'il en soit, vous étiez fou de chagrin, après la mort de sire Shigeru. Votre souffrance m'a ému. J'ai voulu vous consoler.

— Vous y êtes parvenu, dis-je à voix basse.

— Pour moi, ce fut beaucoup plus qu'une simple consolation ! Je n'avais pas pensé que ce serait si intense. J'ai aimé cette sensation, j'ai été reconnaissant de découvrir ainsi une expérience nouvelle, mais j'en étais aussi révulsé. À partir de cet instant, toutes mes recherches spirituelles me parurent d'absurdes faux-semblants. Je suis allé voir notre abbé pour lui dire que j'estimais préférable de quitter le temple et de retourner dans le monde. Il me suggéra de partir quelque temps afin de réfléchir à ma décision. J'avais dans l'Ouest un ami d'enfance qui me suppliait de lui rendre visite. Vous savez qu'il m'arrive de jouer de la flûte. Je fus invité à me joindre à Mamoru et à d'autres acteurs pour représenter un drame, *Atsumori*.

Il se tut. Une rafale de vent chargée de grésil ébranla la cabane et la lampe faillit s'éteindre. J'ignorais ce que Makoto allait dire maintenant, mais je sentis les battements de mon cœur s'accélérer. Même si le souvenir du désir était présent en moi, il était moins fort que ma peur d'entendre ce que je ne voulais pas entendre.

— Mon ami vit dans la maisonnée de sire Fujiwara, reprit Makoto.

Je secouai la tête en signe d'ignorance, car ce personnage m'était inconnu.

— C'est un aristocrate qui a été exilé de la capitale. Ses terres jouxtent le domaine de Shirakawa.

Le simple fait d'entendre son nom était comme un coup en plein estomac.

— Avez-vous vu dame Shirakawa ?

Il acquiesça de la tête.

— J'ai entendu dire qu'elle se mourait.

Mon cœur battait si fort qu'il me semblait qu'il allait éclater.

— Elle a été gravement malade, mais elle s'est remise. Le médecin de sire Fujiwara lui a sauvé la vie.

— Elle est vivante ?

La lampe misérable sembla se ranimer et la cabane s'illumina.

— Kaede est vivante ?

Il scruta mon visage avec des yeux pleins de tristesse.

— Oui, et j'en éprouve une gratitude profonde car, si elle était morte, ç'aurait été par ma faute.

Je fronçai les sourcils en m'efforçant de saisir le sens de ses paroles.

— Que s'est-il passé ?

— La maisonnée de Fujiwara la connaissait sous le nom de dame Otori. On croyait en effet que sire Shigeru l'avait épousée en secret à Terayama, le jour où il s'est rendu sur la tombe de son frère et où je vous ai vu pour la première fois. Je ne m'attendais pas à la rencontrer chez sire Fujiwara, et personne ne m'avait parlé de son mariage. Quand elle m'a été présentée, ma surprise a été complète. Je me suis imaginé que vous l'aviez épousée, que vous étiez avec elle dans la maison, et je l'ai interrogée en ce sens. Ce faisant, j'ai pris conscience de la nature et de la force de mon sentiment pour vous, dont je me flattais d'être guéri. Et j'ai anéanti en un instant son stratagème, et cela en présence de son père.

— Mais pourquoi avait-elle inventé une telle histoire ?

— Pour quelle raison une femme prétend-elle être mariée alors qu'elle ne l'est pas ? Elle a failli mourir à la suite d'une fausse couche.

Cette nouvelle me réduisit au silence.

— Son père m'a entrepris sur ce mariage supposé. Je savais qu'il n'avait pas eu lieu à Terayama. J'essayai d'éluder ses questions, mais il avait déjà conçu des soupçons et j'en avais dit assez pour les confirmer. J'ignorais à l'époque que son esprit était très instable et qu'il avait souvent parlé de se suicider. Il s'est ouvert le ventre en présence de sa fille, et ce choc fut sans doute à l'origine de sa fausse couche.

— J'étais le père de cet enfant, dis-je. Elle aurait dû être mon épouse. Elle le sera un jour.

À l'instant où je prononçai ces mots, cependant, ma trahison m'apparut dans toute son horreur. Kaede me pardonnerait-elle jamais?

— Je m'en suis douté. Mais quand? À quoi pensiez-vous? Une femme de son rang, issue d'une famille illustre?

— Nous ne pensions qu'à mourir. C'était la nuit de la mort de sire Shigeru et de la chute d'Inuyama. Nous ne voulions pas mourir sans...

Je fus incapable de poursuivre.

Au bout de quelques instants, Makoto reprit:

— Je me devins insupportable à moi-même. Ma passion m'avait enfoncé plus profondément que jamais dans le monde de souffrance auquel j'avais espéré échapper. J'avais le sentiment d'avoir infligé un tort irréparable à un autre être vivant, même s'il ne s'agissait que d'une femme. En même temps, une part de moi-même souhaitait sa mort tant j'étais jaloux à l'idée que vous l'aimiez et qu'elle vous avait sans doute aimé. Vous voyez que je ne vous cache rien. Il faut que je vous révèle les pires aspects de mon être.

— Je suis moins bien placé que quiconque pour vous condamner. Ma propre conduite a eu des conséquences mille fois plus cruelles.

— Mais vous appartenez à ce monde, Takeo, vous y vivez. Moi, je voulais être différent. Et j'ai compris que même ce désir relevait en moi de l'orgueil le plus infâme. Je suis retourné à Terayama demander à notre abbé la permission de me retirer dans cette cabane, afin de mettre mon art de flûtiste et toute la passion qui pouvait rester en moi au service de l'Illuminé. Quant à espérer son illumination, il n'en est même plus question tellement j'en suis indigne.

— Nous vivons tous dans le monde, répliquai-je. Quel autre lieu s'offre à nous ?

En parlant, il me semblait entendre la voix de sire Shigeru : « De même que le fleuve est toujours à notre porte, le monde nous attend toujours dehors. Et c'est dans le monde que nous devons vivre. »

Le visage de Makoto s'éclaira soudain, ses yeux se mirent à briller. Il me regarda fixement en demandant :

— Est-ce là le message qui m'est destiné ? Est-ce pour que je l'entende que vous m'avez été envoyé ?

— Je connais à peine mes projets pour ma propre vie. Comment pourrais-je pénétrer les secrets de votre destin ? Mais c'est une des premières choses que j'aie apprises de sire Shigeru : nous devons vivre dans le monde.

— Alors considérons qu'il s'agit d'un ordre que me donne le seigneur !

Makoto semblait de nouveau rempli d'énergie. Alors qu'il paraissait résigné à mourir, il renaissait maintenant à la vie sous mes yeux.

— Vous avez l'intention de réaliser ses vœux ?

— Ichiro m'a dit que je devais tirer vengeance de ses oncles et revendiquer mon héritage, et j'entends bien le faire. Quant à savoir comment y parvenir, en revanche, je n'en ai aucune idée. Il faut également que j'épouse dame Shirakawa. C'était un autre désir de sire Shigeru.

— Sire Fujiwara souhaite se marier avec elle, dit Makoto d'un ton circonspect.

Je refusais de prendre cette information au sérieux. Il m'était impossible de croire que Kaede puisse consentir à une telle union. « Je n'aimerai jamais que toi » : tels avaient été les derniers mots qu'elle m'avait adressés. Et elle avait dit auparavant : « Je ne me sens en sécurité qu'avec toi. » Je savais qu'elle avait acquis la réputation de mener à la mort tout homme qui l'approchait. Moi qui avais partagé sa couche, cependant, j'étais vivant. Je lui avais donné un enfant. Et je l'avais abandonnée, elle avait failli mourir, l'enfant avait péri... Me pardonnerait-elle jamais ?

— Fujiwara préfère les hommes aux femmes, poursuivit Makoto. Mais il semble hanté par dame Shirakawa. Il lui propose un mariage de pure façade, afin de lui assurer sa protection. Sans doute n'est-il pas non plus indifférent à l'héritage de la noble dame. Shirakawa est dans un état lamentable, mais Maruyama n'est pas à dédaigner.

Comme je ne faisais aucun commentaire, il murmura :

— C'est un esthète. Elle deviendra l'un de ses objets précieux. Sa collection ne voit jamais la lumière du jour, seuls de rares privilégiés ont le droit de l'admirer.

— Elle ne mérite pas un tel sort !

— Quel autre choix a-t-elle ? Elle peut s'estimer heureuse de ne pas être complètement déshonorée. Il est assez honteux pour elle d'avoir survécu à tant d'hommes morts pour l'avoir approchée. Mais il y a pis : elle semble défier les lois de la nature. On dit qu'elle a fait exécuter deux serviteurs de son père qui refusaient de la servir. Elle lit et écrit comme un homme. Et apparemment, elle est en train de lever une armée pour faire valoir ses droits sur Maruyama au printemps.

— Peut-être assurera-t-elle elle-même sa propre protection, déclarai-je.

— Une femme ? rétorqua Makoto avec mépris. C'est impossible.

Je sentais grandir mon admiration pour Kaede. Quelle alliée elle pourrait être pour moi ! Si je l'épousais, nous contrôlerions la moitié du territoire Seishuu. Maruyama me fournirait toutes les ressources nécessaires pour combattre les seigneurs Otori. Une fois que j'en aurais fini avec eux, seul l'ancien bastion Tohan, désormais aux mains d'Araï, empêcherait nos terres de s'étendre de la mer à la mer, conformément à la prophétie.

Maintenant que les neiges avaient commencé, tout devrait attendre jusqu'au printemps. J'étais épuisé, mais brûlant d'impatience. Je redoutais que Kaede ne prenne une décision irrévocable avant que je ne l'aie revue.

— Vous avez dit que vous m'accompagneriez au temple ?

— Nous partirons dès qu'il fera clair.

— Mais vous seriez resté ici tout l'hiver si je ne vous étais pas tombé dessus ?

— Je ne me fais pas d'illusions, répliqua-t-il. Je serais certainement mort dans cette cabane. Peut-être m'avez-vous sauvé la vie.

Nous parlâmes jusqu'à une heure avancée de la nuit, ou du moins lui parla, comme si la présence d'un autre être humain l'avait délivré de semaines entières de silence. Il me raconta un peu l'histoire de ses origines. De quatre ans plus âgé que moi, il était né dans une famille de guerriers de rang inférieur qui avaient servi les Otori jusqu'à ce que la défaite de Yaegahara les contraigne à reconnaître pour suzerains les Tohan. Il avait reçu l'éducation d'un guerrier, mais n'était que le cinquième fils d'une famille nombreuse dont la pauvreté ne cessait de s'aggraver. Dès son enfance, on avait encouragé son goût de l'étude et son intérêt pour la religion, et quand sa famille commença son déclin il fut envoyé à Terayama. Il avait onze ans. Son frère, d'un an son cadet, devait lui aussi devenir novice mais s'était enfui après le premier hiver, et on n'en avait plus entendu parler depuis. Le frère aîné avait été tué à Yaegahara, leur père mourut peu après. Ses deux sœurs étaient mariées à des guerriers Tohan et il n'en avait reçu aucune nouvelle depuis des années. Sa mère vivait toujours dans ce qui restait de la propriété familiale, avec ses deux frères encore en vie et leur famille, mais ils n'avaient plus vraiment le sentiment d'appartenir à la classe des guerriers. Il voyait sa mère une ou deux fois par an.

Notre conversation était aisée, comme celle de vieux amis, et je me rappelai combien j'avais eu la nostalgie d'un tel compagnon lors de mon voyage avec Akio. Plus âgé et beaucoup mieux élevé que moi, Makoto avait un caractère grave et réfléchi qui contrastait avec mon impétuosité. Ce qui ne l'empêchait pas, comme je devais le découvrir plus tard, d'être aussi fort que courageux, et d'allier les qualités du guerrier qu'il était encore à celles d'un moine et d'un érudit.

Il me raconta l'horreur indignée qui avait saisi tous les cœurs à Yamagata et à Terayama après la mort de sire Shigeru.

— Nous étions armés et prêts à un soulèvement. Iida avait menacé de détruire tôt ou tard notre temple, dont il voyait la richesse et la puissance s'accroître d'année en année. Il avait conscience du profond ressentiment éveillé par l'occupation Tohan, et il espérait étouffer dans l'œuf toute rébellion. Vous savez ce que représentait sire Shigeru pour le peuple. Je n'avais jamais rien vu de semblable aux manifestations de désarroi et de chagrin qui suivirent sa disparition. Les émeutes que les Tohan redoutaient de son vivant éclatèrent avec une violence accrue à l'annonce de sa mort. Une révolte spontanée réunit d'anciens guerriers Otori, des citadins armés d'épieux et même des fermiers se battant avec des faux et des pierres, qui marchèrent sur le château. Nous étions sur le point de nous joindre au mouvement quand nous apprîmes la mort d'Iida et la victoire d'Araï à Inuyama. Les forces Tohan battirent en retraite, et nous entreprîmes de les poursuivre jusqu'à Kushimoto.

« Nous vous avons rencontré sur la route, alors que vous transportiez la tête d'Iida. Tout le monde commençait à savoir la façon dont vous aviez porté secours à sire Shigeru. Et les gens ne furent pas longs à deviner l'identité de celui qu'ils appelaient l'Ange de Yamagata...

Il soupira et souffla sur les dernières braises — la lampe s'était éteinte depuis longtemps.

— Quand je vous revis, à notre retour au temple, vous n'aviez pas du tout l'air d'un héros. Vous m'êtes apparu perdu, accablé de chagrin, confronté encore à des décisions déchirantes. Lors de notre première rencontre, je vous avais trouvé intéressant mais étrange. Malgré vos talents, vous sembliez plein de faiblesse. Avec votre ouïe surdéveloppée, vous me faisiez penser à un animal, à un phénomène de foire. Habituellement, j'estime que je sais juger les hommes. Je fus étonné de voir qu'on vous invitait à revenir, et déconcerté par la confiance que Shigeru vous témoignait. Je me rendis compte que vous n'étiez pas ce que vous paraissiez. Je compris de quel courage vous aviez dû faire preuve, et j'entrevis l'intensité de vos émotions. C'est ainsi que je suis tombé amoureux de vous. Comme je vous l'ai dit, cela ne m'était jamais arrivé auparavant. Moi qui ne voulais pas vous donner mes raisons, je n'en ai que trop dit...

Après un silence, il ajouta :

— Je n'évoquerai plus ce sujet.

— Il n'a rien de répréhensible, répliquai-je. Bien au contraire. L'amitié est ce dont j'ai le plus besoin au monde.

— En dehors d'une armée ?

— Pour cela, il faudra attendre le printemps.

— Je ferai tout ce qui est en mon pouvoir pour vous aider.

— Que faites-vous de votre vocation, de votre quête de l'illumination ?

— Embrasser votre cause, voilà ma vocation. Pour quel autre motif l'Illuminé vous aurait-il envoyé ici me rappeler que nous vivons dans le monde ? Le lien qui nous unit est d'une force exceptionnelle. Et je comprends maintenant que je n'ai pas à le combattre.

Le feu était presque éteint et je ne distinguais plus le visage de Makoto. Sous ma mince couverture, je frissonnais. Je me demandais si je trouverais le sommeil, si je serais jamais capable de dormir de nouveau, de cesser de guetter le souffle de l'assassin. Dans un monde qui semblait presque entièrement hostile, le dévouement de Makoto me touchait profondément. Ne sachant que dire, je saisis sa main et la serrai fugitivement en signe de gratitude.

— Pourriez-vous monter la garde pendant que je dormirais une heure ou deux ?

— Bien sûr.

— Réveillez-moi pour dormir à votre tour avant notre départ.

Il acquiesça de la tête. Je m'enveloppai dans la seconde couverture et me couchai. Le rougeoiement du feu était presque imperceptible, j'entendais sa rumeur mourante. Dehors, le vent soufflait moins fort. L'avant-toit ruisselait. Une petite créature s'affairait dans le chaume. Un hibou poussa son cri et la souris se tint coite. Je sombrai dans un sommeil agité, parcouru de rêves d'enfants en train de se noyer. Je ne cessais de plonger dans une eau noire et glacée, mais je ne parvenais pas à les sauver.

Je fus réveillé par le froid. L'aube commençait tout juste à éclairer la cabane. Makoto était assis en méditation. Sa respiration était si lente que je l'entendais à peine, mais je savais qu'il était complètement éveillé. Je l'observai quelques instants. Quand il ouvrit les yeux, je détournai mon regard.

— Il fallait me réveiller.

— Je me sens reposé. J'ai besoin de très peu de sommeil.

Il ajouta avec curiosité :

— Pourquoi ne me regardez-vous jamais en face ?

— Je risquerais de vous endormir. C'est l'un des talents de la Tribu dont j'ai hérité. Je devrais être capable de le maîtriser, mais il m'est arrivé d'endormir des gens sans le vouloir. J'évite donc de les regarder dans les yeux.

— Vous voulez dire que vous avez d'autres dons en dehors de votre ouïe ? Lesquels ?

— Je peux me rendre invisible, assez longtemps pour déconcerter un adversaire ou tromper la vigilance d'un garde. Il m'est aussi possible de donner l'illusion de demeurer en un lieu après l'avoir quitté ou de me trouver dans deux endroits à la fois. C'est ce que nous appelons faire usage du second moi.

Tout en parlant, je l'observais sans en avoir l'air car sa réaction m'intéressait.

274

Il ne put retenir un léger mouvement de recul.

— Voilà qui fait plutôt penser à un démon qu'à un ange, marmonna-t-il. Et tous ces gens de la Tribu sont capables de ce genre d'exploits?

— Les talents diffèrent suivant les individus. Les miens semblent dépasser ce qu'on peut espérer ordinairement.

— J'ignore tout de la Tribu, je ne savais même pas qu'elle existait avant que notre abbé parle de vous et de vos rapports avec elle, cet été, à la suite de votre visite.

— Beaucoup considèrent ces talents comme de la sorcellerie.

— Est-ce le cas?

— Je ne saurais le dire, car j'ignore moi-même comment je fais. Mes talents sont en moi, je ne suis pas allé les chercher. Mais on peut les accroître à force d'entraînement.

— J'imagine que, comme tout talent, ils peuvent être mis au service du bien ou du mal, observa-t-il d'une voix paisible.

— Pour ce qui est de la Tribu, elle n'y voit qu'un moyen de servir ses propres desseins. C'est pourquoi elle ne tolérera pas que je vive. Si vous m'accompagnez, vous serez vous aussi en danger. Êtes-vous prêt à courir ce risque?

— Oui, je suis prêt. Mais n'êtes-vous pas effrayé par cette perspective? La plupart des hommes auraient si peur qu'ils perdraient toutes leurs forces.

Je ne savais que lui répondre. On m'a souvent décrit comme intrépide, mais ce mot me paraît bien excessif pour un état qui ressemble plutôt à un don de naissance, analogue à l'invisibilité. Du reste, je ne suis courageux que par intermittence, et je ne me maintiens dans cet état qu'au prix de grands efforts. Je connais la peur au même titre que les autres hommes. Mais je n'avais pas envie d'y penser pour le moment. Je me levai pour aller récupérer mes vêtements. Ils n'étaient pas vraiment secs et je les trouvai moites sur ma peau en les enfilant. Je sortis ensuite pour faire mes besoins. L'air était froid et humide, mais la neige avait cessé et le sol semblait plutôt boueux. Autour de la cabane et de l'autel, je ne vis aucune empreinte en dehors des miennes, déjà à moitié effacées. Je suivis des yeux le sentier, qui disparaissait en contrebas : il était praticable. Seul le vent troublait le silence de la montagne et de la forêt. Des corbeaux criaient dans le lointain, un peu plus près un petit oiseau chantait tristement. Je n'entendais aucun bruit trahissant l'activité humaine — pas de hache attaquant un tronc, pas de cloches de temple, pas de chien aboyant dans un village. La source de l'autel jaillissait avec un murmure assourdi. Je lavai mon visage et mes mains dans l'eau noire et glacée, puis je bus à longs traits.

Ce fut tout notre petit déjeuner. Makoto emballa ses rares possessions, glissa ses flûtes dans sa ceinture et prit le bâton de combat qui était son unique arme. Je lui donnai le sabre court que j'avais ravi la veille à mon agresseur, et il le plaça dans sa ceinture à côté des flûtes.

En sortant, nous vîmes des flocons commencer à voltiger, et la neige continua de tomber toute la matinée. Elle ne recouvrit pas complètement le sentier, cependant, et de toute façon le trajet était évidemment familier à Makoto. Je glissais régulièrement sur une plaque de glace ou m'enfonçais jusqu'aux genoux dans un trou, de sorte que mes vêtements furent bientôt aussi trempés que le soir précédent. Le sentier était étroit. Nous avancions l'un derrière l'autre, en marchant d'un bon pas, presque en silence. Makoto semblait avoir épuisé toute son éloquence, et moi-même j'étais trop occupé à écouter. J'épiais une respiration, une branche rompue, le claquement d'un arc, le sifflement d'un poignard. Je me sentais comme un animal sauvage, sans cesse traqué, sans cesse menacé.

La lumière pâlit, se teignit pendant deux ou trois heures d'un éclat gris perle, puis commença à s'assombrir. La neige tomba plus fort, se mit à tourbillonner et à s'épaissir. Vers midi, nous fîmes halte pour boire dans un torrent, mais dès que nous cessâmes de marcher nous eûmes si froid qu'il ne fut pas question de nous attarder.

— Cette petite rivière passe au nord du temple, dit Makoto. Nous n'avons qu'à suivre son cours pour y parvenir. Nous arriverons dans moins de deux heures, maintenant.

Tout semblait tellement plus simple que lorsque j'avais quitté Hagi. Nous n'étions plus qu'à deux heures de Terayama, et j'avais un compagnon. Une fois dans le temple, j'y passerais l'hiver en sécurité. Mais le murmure des eaux recouvrait tous les autres sons, de sorte que je ne m'aperçus pas que nous étions attendus.

Ils étaient deux, et ils s'élancèrent de la forêt comme des loups. Ils ne comptaient que sur ma présence, cependant, et furent pris de court à la vue de Makoto. Le prenant pour un moine inoffensif, ils s'attaquèrent d'abord à lui en pensant qu'il décamperait. Il abattit le premier homme d'un coup de bâton assez fort pour lui fracasser le crâne. Le second était armé d'un sabre, ce qui me surprit car les membres de la Tribu n'en font pas usage habituellement. Quand il voulut m'en assener un coup, je me rendis invisible, me glissai sous son bras et taillai sa main afin qu'il lâche son arme. La lame fut déviée par son gant, de sorte que je le frappai de nouveau en projetant mon image à ses pieds. Le second coup fut le bon, et quand il brandit une nouvelle fois son sabre le sang commençait à jaillir de son poignet. Mon second moi se dissipa et je bondis sur lui, toujours invisible, en essayant de lui trancher la gorge. Je regrettais de ne pas avoir Jato, afin de le combattre dans les règles. Il ne pouvait me voir mais agrippa mes bras en poussant un cri d'horreur. Sa terreur redoubla quand je redevins visible. Il fixa mon visage comme si j'étais un fantôme, et ses yeux s'écarquillèrent avant de se troubler peu à peu. Makoto l'attaqua par-derrière, et son bâton lui brisa la nuque. L'homme s'effondra comme un bœuf, en m'entraînant dans sa chute.

Je me dégageai tant bien que mal et poussai Makoto à l'abri des rochers, au cas où d'autres assaillants se trouveraient sur le versant. Je redoutais surtout la présence d'archers, qui pourraient nous abattre à distance. Mais la forêt était trop épaisse pour qu'on puisse s'y servir d'un arc, et il n'y avait personne en vue.

Makoto respirait bruyamment, les yeux étincelants.

— Je comprends maintenant ce que vous entendiez par vos talents ! s'exclama-t-il.

— Vous n'en manquez pas vous-même ! Merci.

— Qui sont ces hommes ?

Je m'approchai des deux cadavres. Le premier était un Kikuta, d'après ses mains, mais le second arborait l'emblème des Otori sous son armure.

— Celui-ci est un guerrier, dis-je en contemplant le héron. Ce qui explique son sabre. L'autre appartient à une famille de la Tribu, les Kikuta.

Je ne connaissais pas cet homme mais nous étions forcément parents, liés par les lignes traversant nos paumes.

La présence du guerrier Otori me rendait nerveux. Était-il venu de Hagi ? Que faisait-il avec un assassin de la Tribu ? Personne ne semblait ignorer que je me rendais à Terayama. Je pensai aussitôt à Ichiro et priai le Ciel qu'on ne lui ait pas extorqué cette information. À moins que ce ne fût Jo-An ou l'un de ces malheureux dont j'avais redouté qu'ils ne me trahissent ? Peut-être ces hommes s'étaient-ils déjà rendus au temple, peut-être d'autres nous attendaient-ils là-bas...

— Vous vous êtes littéralement volatilisé, s'écria Makoto. Je ne voyais que vos empreintes sur la neige. C'est extraordinaire !

Il me fit un large sourire. Son visage était métamorphosé. Il était difficile de croire que ce fût le même homme que le flûtiste désespéré que j'avais rencontré la veille.

— Voilà longtemps que je ne m'étais pas battu pour de bon. C'est fou comme la vie paraît belle quand on s'est un peu approché de la mort !

La neige semblait plus blanche et le froid plus mordant. J'étais affamé, plein de nostalgie pour tous les réconforts des sens : un bain brûlant, un bon repas, du vin, la nudité d'un corps amoureux contre le mien.

Nous reprîmes la route avec une énergie renouvelée. Nous en avions besoin : au cours de la dernière heure, le vent redoubla et la neige se remit à tomber abondamment. Je me sentais plus que jamais redevable à Makoto. Vers la fin, nous avancions à l'aveuglette, mais sa connaissance du chemin était telle qu'il n'hésita à aucun instant. Depuis mon dernier séjour au temple, une enceinte en bois avait été élevée autour des bâtiments principaux. Des gardes nous interpellèrent à la porte. Makoto leur répondit, et ils nous accueillirent avec force exclamations. Ils s'étaient inquiétés pour lui et se montrèrent soulagés de voir qu'il avait décidé de revenir.

Après avoir remis en place les barres de la porte, ils nous conduisirent dans le corps de garde. Ils m'observèrent d'un air inquisiteur, ne sachant s'ils me connaissaient ou non.

Makoto prit la parole :

— Sire Otori Takeo est venu chercher un refuge pour la durée de l'hiver. Voulez-vous informer notre abbé qu'il est ici ?

L'un d'eux partit en courant, traversa la cour en luttant contre le vent et avant même qu'il eût atteint le cloître sa silhouette devint toute blanche. Les vastes toits des bâtiments centraux étaient déjà couronnés de neige, et les branches nues des cerisiers et des pruniers se couvraient des fleurs de l'hiver.

Les gardes nous invitèrent à nous asseoir près du feu. Comme Makoto, c'étaient de jeunes moines, armés d'arcs, de lances et de bâtons. Ils nous servirent du thé. Il me sembla que je n'avais jamais rien bu de meilleur. Le breuvage et nos vêtements fumaient de concert, créant ainsi une chaleur réconfortante. Je m'efforçai de résister à la détente qui me gagnait, estimant qu'il n'était pas encore temps d'y céder.

— Quelqu'un est-il venu me chercher ici ?

— Des étrangers ont été signalés dans la montagne tôt ce matin. Ils ont contourné le temple puis se sont enfoncés dans la forêt. Nous ignorions qu'ils étaient à votre recherche. Pensant qu'il s'agissait peut-être de bandits, nous nous sommes un peu inquiétés pour Makoto, mais le temps était trop mauvais pour tenter une sortie. Sire Otori est arrivé à point nommé. Le chemin que vous avez emprunté est d'ores et déjà impraticable. Le temple sera maintenant entièrement isolé jusqu'au printemps.

— Votre retour est un honneur pour nous, lança l'un d'eux d'une voix timide.

En voyant les regards qu'ils échangeaient, je compris qu'ils se doutaient de ce que signifiait mon apparition.

Au bout de quelques instants, le moine revint en hâte.

— Notre abbé souhaite la bienvenue à sire Otori, dit-il. Il vous prie de vous baigner et de prendre un repas. Il désirerait vous parler après que les prières du soir seront terminées.

Makoto finit son thé, s'inclina cérémonieusement devant moi et déclara qu'il devait se préparer pour les prières du soir, comme s'il avait passé toute la journée avec les autres moines au lieu de braver une tempête de neige et de tuer deux hommes. Son attitude était empreinte de froideur et de formalisme. Je savais que derrière ces apparences battait le cœur d'un véritable ami, mais en ces lieux il n'était qu'un moine parmi d'autres. De mon côté, il me fallait réapprendre à me comporter comme un seigneur. Le vent mugissait autour des pignons, la neige s'amoncelait implacablement. J'étais en sûreté à Terayama. Et j'avais tout l'hiver pour réorganiser ma vie.

Le jeune homme qui avait rapporté le message de l'abbé me mena dans une des chambres d'hôte du temple. Au printemps et en été, ces pièces auraient été remplies de visiteurs et de pèlerins, mais en cette saison elles étaient désertes. Malgré les volets fermés sur la tempête, il régnait un froid cruel. Le vent gémissait à travers les fentes du mur, et certaines fissures plus larges laissaient pénétrer la neige. Le jeune moine me guida jusqu'au petit pavillon de bains bâti au-dessus de la source thermale. J'ôtai mes vêtements humides et crasseux. Après m'être soigneusement récuré, je plongeai mon corps dans l'eau chaude. C'était encore plus délicieux que je ne l'avais imaginé. Je songeai aux hommes qui avaient tenté de me tuer depuis deux jours, et une joie féroce m'envahit à l'idée d'être vivant. L'eau fumait et bouillonnait autour de moi. Je me sentis soudain plein de gratitude pour elle qui jaillissait de la montagne, baignait mon corps endolori et dégelait mes membres glacés. Je me dis qu'il existait des montagnes crachant le feu et la cendre, s'ébrouant sauvagement en abattant comme des fétus de paille les demeures d'hommes qui grouillaient comme des insectes s'échappant de bûches enflammées. Cette montagne aussi aurait pu s'emparer de moi et me faire mourir de froid, et voilà qu'elle m'offrait le réconfort de cette eau bouillante.

Mes bras portaient les marques des doigts du guerrier, et son sabre avait entaillé superficiellement mon cou en l'effleurant. En revanche, mon poignet droit semblait avoir retrouvé sa vigueur après m'avoir si souvent tracassé depuis qu'Akio avait déchiré ses tendons en le tordant, à Inuyama. Mon corps paraissait plus maigre que jamais, mais pour le reste je sortais de mon voyage dans une forme satisfaisante, sans compter que maintenant j'étais propre.

J'entendis des pas dans la chambre, et le moine me cria qu'il m'avait apporté des vêtements secs et de quoi manger. Je sortis de l'eau et essuyai ma peau rougie par la chaleur avec les chiffons prévus à cet effet, puis je courus au milieu de la neige sur le chemin de planches conduisant à la chambre.

Elle était vide. Les atours étaient pliés sur le sol : un pagne propre, des vêtements de dessous doublés de ouate et une robe en soie, également doublée, avec une ceinture. La robe était couleur prune foncé, entrelacée d'un motif pourpre plus intense et ornée dans le dos de l'emblème argenté des Otori. Je la revêtis lentement, en savourant le contact de la soie. Il y avait longtemps que je n'avais porté un vêtement de cette qualité. Je me demandais ce qu'il faisait dans le temple, qui avait bien pu l'y laisser. Avait-il appartenu à sire Shigeru ? Je me sentais comme enveloppé de sa présence. La première chose que je ferais le matin serait de me rendre sur sa tombe. Il me dirait comment accomplir notre vengeance.

En humant la nourriture, je me rendis compte combien j'étais affamé. Le repas était plus substantiel que tout ce que j'avais mangé depuis des jours, mais je le dévorai en un instant. Après quoi, comme je n'avais envie ni de perdre la chaleur du bain ni de m'endormir, je fis quelques exercices que je conclus par une séance de méditation.

Derrière la rumeur du vent et de la neige, j'entendais les moines psalmodier dans le bâtiment central du temple. La nuit neigeuse, la chambre vide hantée de fantômes et de souvenirs, les paroles sereines des antiques sutras, tout s'unissait pour m'étreindre d'une émotion douce-amère, d'un charme exquis. Je sentais mon sang se glacer. J'aurais voulu être capable d'exprimer ce que je ressentais, et je regrettai de ne pas avoir été plus attentif quand Ichiro essayait de m'initier à la poésie. J'aspirais à tenir un pinceau dans ma main : à défaut de traduire en mots mes sentiments, peut-être aurais-je pu les peindre.

« Revenez nous voir, avait dit le vieux prêtre. Quand tout sera terminé... » Une part de mon être souhaitait qu'il en soit ainsi et que je puisse passer le reste de mes jours dans cet endroit paisible. Mais je me souvenais que même ici j'avais surpris des voix tramant des plans de guerre. Les moines étaient armés et le temple était maintenant fortifié. Tout était loin d'être terminé — en fait, tout ne faisait que commencer.

Les litanies s'achevèrent et j'entendis la rumeur assourdie des moines se rendant en file indienne au réfectoire avant d'aller dormir quelques heures, jusqu'à ce que la cloche les réveille à minuit. Des pas s'approchèrent de ma chambre et le jeune moine fit coulisser la porte.

S'inclinant devant moi, il annonça :

— Sire Otori, notre abbé désire vous voir.

Je me levai et longeai le cloître avec lui.

— Comment vous appelez-vous ?

— Norio, noble seigneur.

Il dit en chuchotant :

— Je suis né à Hagi.

Il n'ajouta rien, car la règle du temple proscrit les paroles inutiles. Nous fîmes le tour de la cour centrale, déjà ensevelie sous la neige, en passant près du réfectoire où les moines étaient agenouillés en rangs silencieux, chacun avec un bol de nourriture devant lui. Nous longeâmes ensuite la grande salle où flottait une odeur d'encens et de cire de bougie et où trônait la statue dorée brillant dans la pénombre. De l'autre côté de la cour s'ouvraient une série de petites pièces, qui servaient de bureaux et de cabinets de travail. J'entendis dans la pièce du fond le bruit d'un chapelet, le murmure d'un sutra.

Nous nous arrêtâmes à l'extérieur de la première de ces pièces et Norio appela à voix basse :

— Noble abbé, votre visiteur est ici.

Je fus rempli de confusion en découvrant le vieux prêtre qui m'avait dit de revenir. Avec ses vêtements usés, je l'avais pris pour l'un des doyens du temple, non pour son chef. Mes soucis m'avaient si bien absorbé que je n'avais même pas su qui il était. Je tombai à genoux et me prosternai, le front sur les nattes. Avec sa simplicité coutumière, il s'avança vers moi, me dit de m'asseoir et se pencha pour me serrer contre lui. Puis il reprit sa place et me contempla, le visage illuminé par son sourire. Je lui souris à mon tour, touché par son plaisir sincère de me revoir.

— Sire Otori, dit-il. Je suis heureux que soyez revenu sain et sauf parmi nous. J'ai beaucoup pensé à vous. Vous avez traversé des temps difficiles.

— Je suis loin d'en être sorti, mais je viens vous demander votre hospitalité pour l'hiver. Il semble que je sois traqué de tous côtés, et j'ai besoin d'être en lieu sûr pendant que je me prépare à l'avenir.

— Makoto m'a exposé brièvement votre situation. Vous êtes toujours le bienvenu en ces lieux.

— Je dois d'emblée vous avertir de mes intentions. Je compte réclamer mon héritage aux seigneurs Otori et punir les responsables de la mort de sire Shigeru. Il se pourrait que mes projets s'avèrent périlleux pour le temple.

— Nous y sommes préparés, répliqua-t-il d'une voix sereine.

— Je me sens bien indigne d'une telle bienveillance.

— Certains d'entre nous sont liés aux Otori par un attachement de longue date. Je crois que vous allez vous apercevoir que nous nous considérons nous-mêmes comme vos débiteurs. Sans compter, bien entendu, que nous avons foi en votre avenir.

« Alors vous y croyez plus que moi », pensai-je en moi-même. Je me sentis rougir. Il me semblait inconcevable qu'il puisse m'adresser des louanges après toutes les erreurs que j'avais commises. J'avais l'impression d'être un imposteur ayant revêtu la robe d'un seigneur Otori. Un va-nu-pieds aux cheveux tondus, sans argent, sans biens, sans hommes. Je n'avais même pas de sabre.

— Il faut un commencement à tout, dit-il comme s'il lisait dans mes pensées. En venant ici, vous avez fait un premier pas.

— C'est Ichiro, mon professeur, qui m'a envoyé. Il doit venir me retrouver au printemps. Il m'a conseillé de rechercher la protection de sire Araï. J'aurais dû le faire depuis le début.

L'abbé sourit et de fines rides apparurent aux coins de ses yeux.

— Pas du tout. La Tribu ne vous aurait pas laissé en vie. Vous étiez beaucoup plus vulnérable, à l'époque, vous ne connaissiez pas votre ennemi. Maintenant vous avez une idée de leur puissance.

— Que savez-vous d'eux ?

— Shigeru se confiait à moi et me demandait souvent conseil. Lors de sa dernière visite, nous avons eu un long entretien à votre sujet.

— Comment se fait-il que je ne l'aie pas entendu ?

— Il a pris soin de parler près de la cascade, afin qu'elle couvre le bruit de nos voix. Plus tard, nous sommes allés dans sa chambre.

— Où vous avez discuté de la guerre.

— Il avait besoin que je lui confirme que le temple et la ville se soulèveraient dès qu'Iida serait mort. Il avait encore des doutes quant à la tentative d'assassinat, car il craignait qu'elle n'aboutisse qu'à vous vouer à une fin certaine. En fait, ce fut sa propre mort qui déclencha le soulèvement. Et quand bien même nous l'aurions voulu, il nous aurait été impossible de changer le cours des choses. Quoi qu'il en soit, Araï était allié avec Shigeru, pas avec le clan des Otori. S'il peut s'emparer de leur territoire, il sautera sur l'occasion. Ils entreront en guerre dès cet été.

Il se tut un instant, puis reprit :

— Les seigneurs Otori ont l'intention de revendiquer les terres de Shigeru et de déclarer illégale votre adoption. Non contents d'avoir conspiré contre sa vie, ils insultent sa mémoire. C'est pourquoi je me réjouis de votre décision de recueillir votre héritage.

— Mais les Otori voudront-ils de moi ?

J'étendis mes mains en montrant mes paumes.

— Je porte la marque des Kikuta.

— Nous en parlerons plus tard. En attendant, vous serez surpris de voir combien votre retour est attendu. Vous vous en apercevrez au printemps. Vos hommes sauront vous trouver.

— Un guerrier Otori a déjà essayé de me tuer, observai-je d'un ton sceptique.

— Makoto m'en a informé. Le clan sera divisé, mais Shigeru l'avait prévu et l'acceptait à l'avance. Ce n'était nullement sa faute. La discorde était en germe depuis que ses oncles avaient usurpé ses droits après la mort de son père.

— Je les tenais déjà pour responsables de sa mort. Plus j'en apprends sur leur compte, cependant, plus je suis surpris qu'ils l'aient laissé vivre si longtemps.

— Seul le destin décide de la durée de notre vie, répliqua-t-il. Les seigneurs Otori craignent leur propre peuple. Leurs fermiers sont versatiles par nature et par tradition. Ils n'ont jamais été complètement asservis, au contraire des paysans soumis au joug des Tohan. Shigeru les connaissait et les respectait, ce qui lui avait valu en retour leur attachement. Cette popularité qui le protégeait contre ses oncles, c'est vous désormais qui en serez l'objet.

— Peut-être, mais il subsiste un problème plus grave : la Tribu m'a condamné à mort.

Le visage du vieillard apparaissait couleur d'ivoire à la lueur de la lampe. Son expression était paisible.

— J'imagine que c'est aussi pour cette raison que vous êtes venu en ces lieux, déclara-t-il.

Je pensais qu'il allait continuer de parler, mais il se tut en me regardant d'un air interrogateur.

Je me décidai à rompre le silence feutré régnant dans la pièce et lançai d'un ton circonspect :

— Sire Shigeru tenait des registres... Des registres où il consignait les activités de la Tribu. J'espère que vous accepterez de me les remettre.

— Ils ont été gardés ici à votre intention. Je vais les faire chercher sur-le-champ. Et bien sûr, j'ai encore autre chose en réserve pour vous...

— Jato !

Il hocha la tête :

— Vous allez en avoir besoin.

Il appela Norio et lui demanda de se rendre à l'entrepôt afin d'y chercher le coffret et le sabre.

— Shigeru ne voulait influer en aucune façon sur vos décisions, dit-il tandis que j'écoutais l'écho des pas de Norio s'éloigner dans le cloître. Il était conscient que votre hérédité vous confronterait à des choix déchirants pour votre loyauté. Il n'aurait pas été surpris que vous accordiez la préférence à votre héritage Kikuta. Dans ce cas, j'aurais été le seul à avoir accès à ces registres. Mais puisque vous vous êtes décidé pour les Otori, les registres vous reviennent de droit.

— Je me suis procuré quelques mois de vie, dis-je non sans mépris pour moi-même. Il se peut que j'accomplisse ainsi enfin le souhait de sire Shigeru, mais mon choix n'a rien de noble en soi. C'est à peine un choix, à vrai dire, puisque ma vie avec la Tribu était dans une impasse. Quant à mon héritage Otori, je ne le dois qu'à une adoption qui sera toujours contestée.

Une nouvelle fois, son sourire illumina son visage où ses yeux brillaient de compréhension et de sagesse.

— La volonté de Shigeru justifie tout.

J'eus l'impression qu'il savait quelque chose qu'il entendait m'apprendre plus tard, mais je n'eus pas le temps d'y penser davantage car des pas s'approchèrent. Je ne pus m'empêcher de me raidir avant de réaliser qu'il s'agissait de Norio, qui marchait un peu plus lourdement qu'auparavant car il était chargé. Il fit coulisser la porte pour entrer, s'agenouilla et posa par terre le coffret et le sabre. Je ne tournai pas la tête pour regarder, mais j'entendis le bruit soyeux qu'ils firent en touchant les nattes. Je sentis mon pouls s'accélérer, avec un mélange de joie et de peur, à l'idée de tenir de nouveau Jato dans ma main.

Norio se releva pour fermer la porte, puis se remit à genoux et disposa les précieux objets devant l'abbé, à portée de mes yeux. Ils étaient tous deux emballés dans de vieux tissus, qui déguisaient leur puissance. L'abbé déballa Jato, le prit dans ses deux mains et me le tendit. Je le saisis en imitant son geste, l'élevai au-dessus de ma tête et m'inclinai en direction du vieillard. Je sentais le poids frais et familier du fourreau et brûlais d'envie de dégainer le sabre pour éveiller son chant d'acier, mais c'était hors de question en présence de l'abbé. Avec révérence, je reposai l'arme à côté de moi tandis qu'il sortait le coffret de son emballage.

Une odeur de rue s'en échappa et je le reconnus aussitôt : c'était bien celui que j'avais porté sur le chemin de montagne, persuadé qu'il s'agissait d'un présent pour le temple, sous les yeux de Kenji. Ce dernier ignorait-il alors ce qu'il contenait ?

L'abbé souleva le couvercle, qui n'était pas verrouillé, et l'odeur de rue s'intensifia. Il prit un des rouleaux et me le tendit.

— Vous devez lire d'abord ceci. Shigeru m'avait demandé de procéder dans cet ordre.

Quand je le saisis, il lança d'une voix soudain vibrante d'émotion :

— Je ne croyais pas que ce moment arriverait.

Je contemplai son vieux visage. Ses yeux enfoncés étaient aussi vifs et brillants que ceux d'un jeune homme. Il soutint mon regard et je sus que jamais il ne succomberait au sommeil des Kikuta. Dans le lointain, une des petites cloches sonna trois coups. J'imaginai les moines en train de prier, assis en méditation. Je sentis la puissance spirituelle de ce lieu saint, concentrée et réfléchie dans la personne du vieillard qui me faisait face. Je fus de nouveau envahi d'une brusque gratitude pour lui, pour la foi qui le soutenait, pour le Ciel et les différents dieux qui malgré mon propre manque de foi s'étaient chargés de prendre soin de ma vie.

— Lisez, me pressa-t-il. Vous pourrez étudier le reste plus tard, mais lisez ceci tout de suite.

Je déployai le rouleau et fronçai les sourcils en découvrant le texte. Je reconnaissais l'écriture de sire Shigeru, les caractères, parmi lesquels ceux de mon propre nom, m'étaient familiers, mais l'ensemble ne me paraissait avoir aucun sens. Je parcourus les colonnes de haut en bas, ouvris un peu plus le rouleau et me retrouvai immergé dans un océan de noms. On aurait dit une de ces généalogies que Gosaburo me commentait à Matsue. Une fois que j'eus compris cela, je commençai à m'en sortir. Je retournai aux lignes d'introduction et les relus soigneusement, une fois, deux fois. Je levai les yeux et regardai l'abbé.

— Est-ce vrai ?

Il rit tout bas :

— Apparemment. Vous ne voyez pas votre propre visage, de sorte qu'il vous manque la preuve la plus frappante. Même si vous avez les mains d'un Kikuta, vos traits sont typiquement Otori. La mère de votre père était une espionne au service de la Tribu. Elle fut employée par les Tohan et envoyée à Hagi alors que Shigemori, le père de Shigeru, sortait à peine de l'enfance. Ils eurent une liaison qui ne devait rien, semble-t-il, aux plans de la Tribu. Votre père fut le fruit de leurs amours. Il semble que votre grand-mère ait été une femme de tête : elle n'en parla à personne. Elle épousa un de ses cousins, et l'enfant fut élevé comme un Kikuta.

— Sire Shigeru et mon père étaient frères ? Il était mon oncle ?

— Il serait difficile de le nier quand on voit votre aspect. La première fois qu'il posa les yeux sur vous, Shigeru fut frappé par votre ressemblance avec son frère cadet, Takeshi. Bien entendu, les deux frères se ressemblaient eux-mêmes extrêmement. Si vos cheveux étaient plus longs, vous seriez à l'heure actuelle le vivant portrait de Shigeru dans sa jeunesse.

— Comment a-t-il découvert ces faits ?

— Ils étaient en partie consignés dans les registres familiaux. Son père avait toujours soupçonné que sa maîtresse avait attendu un enfant, et il avait confié ce secret à son fils avant de mourir. Shigeru a démêlé lui-même le reste de l'histoire. Il a retrouvé la trace de votre père à Mino et appris que votre mère avait accouché d'un fils après sa mort. Votre père fut sans doute déchiré par le même conflit intérieur que vous. Bien qu'il eût été élevé comme un Kikuta et possédât des talents impressionnants même pour un membre de la Tribu, il s'efforça de leur échapper. Ce simple fait laisse supposer qu'il était de sang mêlé et manquait du fanatisme caractéristique des vrais fils de la Tribu. Shigeru a tenu des registres sur leur compte dès l'époque où il fit la connaissance de Muto Kenji. Ils se rencontrèrent à

Yaegahara. Kenji se retrouva pris dans les combats et fut témoin de la mort de Shigemori.

L'abbé jeta un coup d'œil sur Jato.

— Il récupéra ce sabre et le remit à Shigeru. Peut-être vous ont-ils raconté cette histoire.

— Kenji y a fait allusion un jour.

— Il aida Shigeru à échapper aux soldats d'Iida. Ils étaient jeunes l'un comme l'autre, ils devinrent amis. En dehors de ces liens d'amitié, ils étaient utiles l'un pour l'autre. Ils échangèrent bien des informations au cours des années. Parfois même, il faut le dire, sans le vouloir. Je ne crois pas que Kenji se soit jamais rendu compte à quel point le seigneur pouvait être secret, et même retors.

Je gardai le silence. Cette révélation m'avait stupéfié, mais à la réflexion rien n'était plus logique. C'était mon sang Otori qui m'avait rendu si prompt à apprendre les leçons de la vengeance, quand ma famille avait été massacrée à Mino, et qui m'avait lié si intimement à sire Shigeru. Mon chagrin se raviva à cette pensée, et je regrettai de ne pas l'avoir su plus tôt. Cependant je me réjouissais d'appartenir à la même lignée que lui, d'être un membre authentique du clan des Otori.

— Voilà qui me confirme dans mon choix, dis-je enfin d'une voix tremblante d'émotion. Mais si vraiment je dois être un guerrier Otori, que de choses il me reste à apprendre !

Je fis un geste en direction des rouleaux du coffret.

— Je ne sais même pas lire correctement !

— Vous avez tout l'hiver devant vous, répliqua l'abbé. Makoto vous aidera à vous perfectionner en lecture et en écriture. Quand le printemps sera venu, vous devriez vous rendre auprès d'Araï afin de vous initier à la pratique de la guerre. En attendant, il vous faudra étudier sa théorie, sans négliger pour autant le maniement du sabre.

Il s'interrompit avec un sourire, et je compris qu'il me réservait encore une surprise.

— Je serai votre professeur. Avant d'être appelé à servir l'Illuminé, j'étais considéré plus ou moins comme un expert dans ces domaines. Dans le monde, je répondais au nom de Matsuda Shingen.

Même moi, j'avais entendu ce nom. Matsuda était l'un des guerriers Otori les plus illustres de la génération précédente, un véritable héros pour les jeunes gens de Hagi. L'abbé eut un petit rire en voyant mon air ébahi.

— Je crois que nous passerons un hiver des plus agréables. L'exercice nous tiendra chaud. Emportez vos possessions, sire Otori. Nous commencerons l'entraînement dès demain matin. Lorsque vous n'étudierez pas, vous vous joindrez aux moines pour méditer. Makoto vous réveillera à l'heure du Tigre.

Débordant de reconnaissance, je m'inclinai devant lui. Il me fit signe de me relever.

— Nous ne faisons que nous acquitter de notre dette envers vous.

— Non, c'est moi qui suis à jamais votre débiteur. Je ferai tout ce que vous me direz. Je suis entièrement à votre service.

Il me rappela alors que j'allais sortir.

— Il y a peut-être un service que vous pouvez me rendre...

Je me retournai et tombai à genoux.

— Tout ce que vous voudrez !

— Laissez pousser vos cheveux, lança-t-il en riant.

Je l'entendais encore pouffer tandis que je suivais Norio sur le chemin de la chambre d'hôte. Il portait le coffret pour moi, mais j'avais Jato à la main. Le vent était un peu tombé, la neige était plus humide et abondante que jamais. Elle étouffait les bruits, ensevelissait la montagne, coupant du monde le temple jusqu'au printemps.

Dans la chambre, mon lit avait été installé. Je remerciai Norio et lui souhaitai une bonne nuit. Deux lampes éclairaient la pièce. Je sortis Jato de son fourreau et contemplai la lame en songeant au feu qui avait forgé ce miracle de délicatesse, de force et de tranchant meurtrier. Les plis dans l'acier dessinaient un beau motif de vagues. C'était le présent de sire Shigeru, au même titre que mon nom et ma vie. Saisissant le sabre des deux mains, je répétai les anciens mouvements qu'il m'avait enseignés à Hagi.

Jato entonna pour moi un hymne de sang et de guerre.

CHAPITRE VIII

Kaede revenait d'une contrée lointaine, aux paysages rougeoyants, aux rivages de feu et de sang. Elle avait vu des images terrifiantes, pendant sa fièvre. Maintenant elle ouvrait les yeux sur la pénombre familière de la maison de ses parents. À l'époque où elle était retenue en otage chez les Noguchi, elle avait souvent rêvé qu'elle se réveillait ainsi dans la demeure familiale. Quelques instants plus tard, cependant, elle s'éveillait pour de bon et retrouvait la réalité de sa vie dans le château. Cette fois encore elle resta immobile, les yeux clos, dans l'attente du retour à la réalité. Elle sentait des picotements sur son bas-ventre et se demandait pourquoi son rêve était hanté par l'odeur du moxa.

— Elle est de retour parmi nous !

La voix de cet inconnu la fit tressaillir. Une main se posa sur son front, et elle sut que c'était celle de Shizuka. Elle se souvenait d'avoir souvent senti son frais contact qui faisait seul obstacle aux terreurs qui l'assaillaient. Il semblait que ce fût son unique souvenir. Il lui était arrivé quelque chose, mais son esprit se refusait à y penser. En bougeant, elle songea à une chute. Elle avait dû tomber de Raku, le petit cheval gris de Takeo, dont il lui avait fait présent. Oui, elle était tombée et avait perdu l'enfant de Takeo.

Ses yeux se remplirent de larmes. Elle avait conscience de la confusion de ses pensées, mais elle savait que l'enfant avait disparu. La main de Shizuka s'éloigna puis s'approcha de nouveau, avec un linge tiède, pour essuyer son visage.

— Noble dame! appela Shizuka. Dame Kaede!

Kaede essaya de remuer sa propre main, mais elle semblait immobilisée et elle aussi était en proie à des picotements.

— Ne vous agitez pas, dit Shizuka. Le docteur Ishida, le médecin de sire Fujiwara, vous a soignée. Vous allez vous rétablir, maintenant. Ne pleurez pas, noble dame!

Elle entendit de nouveau la voix du médecin:

— C'est une réaction normale. Ceux qui se sont approchés de la mort pleurent toujours quand ils en reviennent. Je n'ai jamais su s'ils versaient des larmes de joie ou de chagrin.

Kaede l'ignorait elle-même. Elle pleura jusqu'au moment où ses larmes furent taries et laissèrent place au sommeil.

Elle passa plusieurs jours à dormir, se réveiller, manger un peu et se rendormir. Puis elle dormit moins, mais resta immobile, les yeux fermés, à écouter la rumeur de la maisonnée. La voix de Hana redevenait assurée, celle d'Aï était toujours aussi douce. Shizuka chantait et grondait Hana qui s'était mise à la suivre comme une ombre dans l'espoir de lui complaire. C'était une maison de femmes — les hommes étaient loin — et elles avaient conscience d'avoir frôlé le désastre. Même si elles n'étaient pas hors de danger, elles avaient survécu. Pendant ce temps, l'automne s'effaçait peu à peu devant l'hiver.

Le seul homme était le médecin qui logeait dans le pavillon des hôtes et visitait la malade chaque jour. Il était petit et adroit, avec des mains aux doigts effilés et une voix tranquille. Kaede finit par lui faire confiance, car elle sentait qu'il ne la jugeait pas. Il ne s'inquiétait nullement de savoir si elle était bonne ou mauvaise. Tout ce qu'il voulait, c'était sa guérison.

Il recourait à des techniques qu'il avait apprises sur le continent : des aiguilles d'or et d'argent, une pâte brûlante de feuilles de millepertuis sur la peau, et des thés à base d'écorce de saule. Elle n'avait encore jamais rencontré quelqu'un qui se fût rendu là-bas. Parfois, elle l'écoutait de son lit tandis qu'il racontait à Hana des histoires sur les animaux qu'il avait vus — baleines géantes sillonnant la mer, ours et tigres infestant les terres.

Quand elle fut capable de se lever et de sortir, ce fut le docteur Ishida qui lui suggéra d'organiser une cérémonie pour l'enfant perdu. Kaede se rendit au temple en palanquin et resta longtemps agenouillée devant l'autel de Jizo, le protecteur des enfants morts avant terme. Elle pleura ce petit être dont l'existence avait été si brève et dont la conception comme la disparition avaient été environnées de violence. Pourtant, c'était bien l'amour qui avait été à son origine.

« Je ne t'oublierai jamais », lui promit-elle en son cœur. Elle pria pour que son prochain passage soit plus heureux, et elle sentit que son esprit était maintenant en sécurité jusqu'au moment où il lui faudrait refaire le voyage de la vie. Elle pria de même pour l'enfant de Shigeru, consciente qu'elle était la seule personne au monde, en dehors de Shizuka, à être au courant de sa brève destinée. Ses larmes se remirent à couler, mais en rentrant elle eut vraiment l'impression qu'on lui avait ôté un poids.

— Il faut maintenant que votre vie prenne un nouveau départ, lui déclara le docteur Ishida. Vous êtes jeune. Vous vous marierez et vous aurez d'autres enfants.

— Je crois que le mariage n'est pas fait pour moi, répliqua Kaede.

Il sourit, persuadé qu'elle plaisantait. Bien sûr, pensa-t-elle, ce ne pouvait être qu'une plaisanterie. Les femmes de son rang se mariaient — ou plus exactement, on les mariait. Elles contractaient l'union qui semblait constituer l'alliance la plus avantageuse. Mais de telles unions étaient arrangées par les pères, les chefs de clan ou autres suzerains, or elle semblait soudain être affranchie de toute autorité. Son père était mort, de même que la plupart des dignitaires de sa maison. Le clan Seishuu, auquel appartenaient les Shirakawa aussi bien que les Maruyama, était tout entier occupé par les bouleversements consécutifs à la chute des Tohan et à l'ascension imprévue d'Araï Daiichi. Qui donc lui dicterait sa conduite ? Araï ? Devrait-elle s'allier officiellement avec lui, le reconnaître pour son suzerain ? Il lui faudrait peser les avantages et les inconvénients d'un tel geste...

— Vous voilà bien sérieuse, s'exclama le médecin. Oserai-je vous demander ce qui vous préoccupe ainsi ? Vous devez éviter de vous faire du souci.

— J'ai des décisions à prendre pour mon avenir.

— Je vous conseille de les remettre à plus tard. Reprenez d'abord des forces. L'hiver est à nos portes. Il faut vous reposer, faire de bons repas et tâcher de ne pas attraper froid.

« Il faut aussi que je veille sur mon domaine, que j'avertisse Sugita Haruki à Maruyama de mon intention de revendiquer mon héritage, et que je trouve de quoi payer et nourrir mes hommes », songea-t-elle. Mais elle s'abstint de faire part de ces pensées à Ishida.

Dès qu'elle se sentit plus forte, elle entreprit de remettre en état la maison avant les premières neiges. On procéda à un grand nettoyage. Les nattes furent renouvelées, les écrans réparés, les tuiles et les bardeaux remplacés. Le jardin fut de nouveau entretenu. Elle ne disposait que de peu d'argent, mais elle trouva des hommes prêts à travailler pour elle sur sa promesse de les payer au printemps. Elle maîtrisait chaque jour davantage l'art de susciter leur dévouement par un simple regard ou une intonation de sa voix.

Elle s'installa dans l'appartement de son père, dont la bibliothèque lui fut enfin ouverte sans restriction. Elle lisait et s'entraînait à l'écriture plusieurs heures d'affilée, jusqu'au moment où Shizuka, inquiète pour sa santé, lui amenait Hana pour la distraire. Kaede jouait alors avec sa petite sœur en lui apprenant à lire et à se servir du pinceau comme un homme. Sous l'autorité de Shizuka, Hana avait perdu une partie de sa sauvagerie. Et elle était aussi avide de savoir que Kaede.

— Nous aurions dû être des garçons, toi et moi, soupira un jour Kaede.

— S'il en avait été ainsi, Père aurait été fier de nous, approuva Hana.

Penchée sur les caractères, elle tirait la langue d'un air appliqué.

Kaede ne répliqua pas. Elle ne parlait jamais de son père et s'efforçait de ne pas penser à lui. En fait, elle n'arrivait plus à faire clairement la différence entre les circonstances réelles de sa mort et les délires enfiévrés de sa maladie. Elle préférait ne pas interroger Shizuka ni Kondo, car elle redoutait leur réponse. Elle s'était rendue au temple pour accomplir les rites funéraires et avait fait graver une stèle magnifique pour sa tombe, mais elle craignait encore son fantôme qui avait rôdé aux frontières du domaine rougeoyant de sa fièvre. Même si elle se raccrochait à la conviction de n'avoir rien fait de mal, elle ne pouvait se souvenir de lui sans un sentiment de honte qu'elle dissimulait derrière une colère obstinée.

« Il m'aidera davantage mort que vivant », décidat-elle. Elle fit savoir qu'elle reprenait le nom de Shirakawa, en accord avec la volonté de son père qui avait décrété qu'elle serait son héritière et devrait rester dans la demeure familiale. Quand Shoji revint après la période de deuil et commença à examiner avec elle les registres et les comptes, elle crut déceler une certaine désapprobation dans son attitude. Les livres étaient si mal tenus, cependant, qu'elle sauta sur ce prétexte pour entrer en fureur et l'intimider. Elle trouvait incroyable qu'on ait pu laisser les affaires se détériorer à ce point. Il lui paraissait impossible de se procurer la nourriture nécessaire pour les hommes qu'elle employait et leurs familles, sans parler des autres qu'elle aurait pu espérer engager. Cette disette était son principal motif d'anxiété.

Avec Kondo, elle passa en revue armes et armures et donna des instructions pour qu'elles soient réparées ou remplacées. Avec le temps, elle se fia de plus en plus à l'expérience et au jugement dont il faisait preuve. Il lui suggéra de rétablir les frontières du domaine afin d'empêcher les empiétements et d'entretenir la forme des guerriers. Elle donna son accord, car elle savait instinctivement qu'il lui fallait occuper et désennuyer les soldats. Pour la première fois, les années passées dans le château de Noguchi ne lui parurent pas inutiles, puisqu'elle y avait acquis une expérience précieuse des armes et des guerriers. Kondo partit désormais souvent en expédition avec cinq ou six hommes, et il en profitait également pour glaner des informations.

Elle demanda à Kondo et Shizuka de répandre des bruits parmi les hommes, en leur faisant miroiter une alliance avec Araï, la conquête de Maruyama au printemps, des possibilités d'avancement et d'enrichissement.

Sire Fujiwara ne se montra pas, bien qu'il lui envoyât des présents — des cailles, des kakis séchés, du vin et des vêtements chauds. Ishida repartit pour la résidence de l'aristocrate, et elle savait qu'il l'informerait du cours de sa maladie et n'oserait pas lui cacher quoi que ce soit. Elle n'avait pas envie de revoir Fujiwara. Elle avait conscience de l'avoir honteusement trompé et regrettait ses égards pour elle, mais elle se sentait soulagée à l'idée d'éviter de nouveaux tête-à-tête. Son intérêt intense la déconcertait et lui déplaisait, de même que sa peau blanche et ses yeux perçants.

— C'est un allié utile, lui dit Shizuka un jour qu'elles étaient au jardin.

Elles surveillaient les ouvriers redressant et remettant en état la lanterne de pierre renversée sur le sol. C'était une journée froide et claire, exceptionnellement ensoleillée.

Kaede contemplait un couple d'ibis dans les rizières s'étendant derrière le portail. Leur plumage d'hiver rose pâle se détachait, étincelant, sur la terre nue.

— Il a été très bon pour moi, admit-elle. Je sais que je lui dois la vie, puisqu'il m'a envoyé le docteur Ishida. Mais je ne verrais aucun inconvénient à ne plus jamais le rencontrer. Je n'ai pas envie de faire partie de sa collection.

Les ibis se suivaient à travers les mares qui s'étaient formées au bord des champs, en fouillant l'eau boueuse avec leurs becs recourbés.

— De toute façon, ajouta-t-elle, je suis définitivement gâtée à ses yeux. Il doit me mépriser plus que jamais.

Shizuka ne lui avait pas dit que l'aristocrate désirait l'épouser, et elle s'abstint d'en parler pour l'instant.

— Vous devez prendre des mesures, se contenta-t-elle d'observer d'une voix paisible. Autrement, nous serons tous morts de faim avant le printemps.

— Il m'est pénible de devoir faire appel à une aide extérieure. Je ne dois pas apparaître comme une suppliante, à bout d'espoirs et de ressources. Je sais qu'il faudra que je me décide à aller trouver Araï, mais il me semble que je peux attendre la fin de l'hiver.

— Je crois que les oiseaux commenceront à se rassembler avant la belle saison. À mon avis, il va vous envoyer un émissaire.

— Et toi, que vas-tu faire, Shizuka ? demanda Kaede.

Le pilier était debout, surmonté de la nouvelle lanterne. Dès ce soir, elle y placerait une lampe. L'effet serait magnifique dans le jardin couvert de givre, sous le ciel limpide.

— Quelles sont tes intentions ? J'imagine que tu ne vas pas rester avec moi pour toujours, n'est-ce pas ? Tu dois avoir d'autres soucis. Que deviennent tes fils ? Tu dois brûler d'envie de les revoir. Et quels ordres as-tu reçus de la Tribu ?

— Pour l'instant, je dois simplement continuer de veiller sur vos intérêts.

— M'auraient-ils pris l'enfant de même qu'ils ont enlevé Takeo ? lança Kaede.

Elle se ravisa aussitôt.

— Non, ne réponds pas. De toute façon c'est inutile, maintenant.

Elle sentit qu'elle allait pleurer et serra les lèvres. Après un moment de silence, elle reprit :

— Je suppose que tu les tiens également au courant de tous mes faits et gestes ?

— De temps en temps, je fais parvenir des messages à mon oncle. Je l'ai averti quand j'ai cru que vous alliez mourir, par exemple. Et je l'informerais si vous vouliez vous remarier ou si vous preniez une autre décision de ce genre.

— C'est hors de question.

Dans la lumière déclinante de l'après-midi, le plumage rose des ibis resplendissait plus intensément. Le calme régnait. Maintenant que les ouvriers avaient achevé leur tâche, le jardin paraissait plus silencieux que jamais. Et Kaede réentendit dans ce silence la promesse de la Déesse Blanche : « Sois patiente. »

« Je n'épouserai personne d'autre que lui, se jurat-elle de nouveau. Je serai patiente. »

Ce fut la dernière journée de soleil. Le temps devint humide et froid. Quelques jours plus tard, Kondo revint d'une de ses patrouilles sous une pluie battante.

Après être descendu précipitamment de son cheval, il cria aux femmes de la maison :

— Il y a des étrangers sur la route ! Des hommes de sire Araï, cinq ou six, et des chevaux.

Kaede lui dit de rassembler autant d'hommes que possible et de faire en sorte qu'ils semblent n'être qu'une petite partie des troupes disponibles.

— Dis aux femmes de préparer un repas, lança-t-elle à Shizuka. Mets à sac nos provisions, que ce soit un festin. Il faut que nous respirions la prospérité. Aide-moi à me changer, et amène mes sœurs. Ensuite, prends garde à ne pas te montrer.

En revêtant la plus élégante des deux robes que lui avait offertes sire Fujiwara, elle se rappela le jour où elle l'avait promise à Hana.

« Elle l'aura dès qu'elle sera assez grande, songeat-elle. Et je fais le serment que je serai là pour la voir vêtue de cette robe. »

Hana et Aï entrèrent dans la pièce. Hana babillait avec excitation et sautait sur place pour se tenir chaud. Elles étaient suivies d'Ayame, qui apportait un brasero. Kaede fit la grimace en voyant qu'il était bourré de charbon : elles n'en auraient que plus froid après le départ des hommes d'Araï.

— Qui attendons-nous ? demanda Aï d'une voix nerveuse.

Sa fragilité s'était accentuée depuis la mort de leur père et la maladie de Kaede, comme si ces deux chocs successifs l'avaient affaiblie.

— Des émissaires d'Araï. Il faut que nous fassions bonne impression. C'est pour cette raison que je me suis permis d'emprunter la robe de Hana.

— Ne la salissez pas, grande sœur, s'exclama Hana.

Elle grogna quand Ayame entreprit de la peigner. Habituellement, ses cheveux étaient noués en arrière. Libérés de toute entrave, ils lui arrivaient plus bas que les pieds.

— Que nous veulent-ils ? s'écria Aï en pâlissant.

— J'imagine qu'ils vont nous le dire, répliqua Kaede.

— Faut-il vraiment que je sois là ? gémit Aï d'un ton implorant.

— C'est indispensable. Mets l'autre robe offerte par sire Fujiwara et aide Hana à s'habiller. Nous devons être ensemble quand ils arriveront.

— Pourquoi ? demanda Hana.

Kaede ne répondit pas. Elle aurait eu peine elle-même à s'expliquer. Elle avait eu comme une illumination : elle et ses sœurs dans la maison solitaire, les trois filles de sire Shirakawa, lointaines, belles, dangereuses... C'était ainsi qu'elles devaient apparaître aux guerriers d'Araï.

« Déesse toute de pitié et de compassion, aide-moi », pria-t-elle silencieusement pendant que Shizuka nouait sa ceinture et peignait ses cheveux.

Elle entendit la rumeur des sabots s'approchant du portail, les paroles de bienvenue de Kondo. Sa voix avait exactement le ton courtois et assuré qui convenait, et elle remercia le Ciel pour les talents d'acteur des membres de la Tribu, en espérant qu'elle saurait se montrer aussi bonne comédienne.

— Ayame, conduis nos visiteurs au pavillon des hôtes, dit-elle. Sers-leur du thé et une collation. Utilise notre meilleur thé et notre plus belle vaisselle. Quand ils auront fini de manger, demande à leur chef de se rendre ici pour me parler. Hana, si tu es prête, viens t'asseoir à côté de moi.

Shizuka aida Aï à revêtir sa robe et la peigna en hâte.

— Je me cacherai de manière à pouvoir tout entendre, chuchota-t-elle.

— Ouvre les volets avant de sortir, lui demanda Kaede. Profitons des derniers rayons du soleil.

En effet, la pluie avait cessé et un soleil intermittent baignait d'une lumière argentée le jardin et la salle de réception.

— Que dois-je faire ? s'enquit Hana en s'agenouillant près de Kaede.

— Quand les hommes entreront, tu t'inclineras exactement en même temps que moi. Ensuite, contente-toi d'être aussi belle que possible et de rester totalement impassible pendant que je parlerai.

— C'est tout ? s'exclama Hana, désappointée.

— Observe les hommes. Étudie-les sans en avoir l'air. Après l'entrevue, tu me diras ce que tu en as pensé. Toi aussi, Aï. Vous ne devez trahir aucune émotion, ne vous laisser aller à aucune réaction. Soyez comme des statues.

Aï alla s'agenouiller de l'autre côté de Kaede. Elle était tremblante, mais réussit à se maîtriser.

Le soleil déclinant coulait à flots dans la pièce, en faisant danser la poussière et en illuminant les trois jeunes filles. On entendait dans le jardin la cascade fraîchement nettoyée, rendue plus sonore par la pluie. Un martin-pêcheur plongeant du haut d'un rocher traversa l'ombre comme un éclair bleu.

Les murmures des hommes s'élevaient dans la chambre des hôtes. Kaede avait l'impression de sentir leur odeur. À l'idée de ce parfum étranger, elle se contracta. Elle redressa son dos et son esprit se glaça. Elle allait affronter leur force avec son propre pouvoir. Elle se souviendrait qu'il était aisé de les faire mourir.

Au bout d'une vingtaine de minutes, elle entendit Ayame leur annoncer que dame Shirakawa allait maintenant les recevoir. Peu après, leur chef et l'un de ses compagnons s'approchèrent de la maison et pénétrèrent dans la véranda. Ayame tomba à genoux devant l'entrée de la salle, et le serviteur s'agenouilla lui aussi à l'extérieur. Quand l'autre homme franchit le seuil, Kaede lui laissa le temps de les voir puis s'inclina en touchant le sol de son front. Hana et Aï s'inclinèrent exactement en même temps.

Les trois jeunes filles s'assirent d'un même mouvement.

Le guerrier s'agenouilla et déclara :

— Je suis Akita Tsutomu d'Inuyama. J'ai été envoyé par sire Araï auprès de dame Shirakawa.

Il s'inclina et ne bougea plus.

Kaede prit la parole :

— Soyez le bienvenu, sire Akita. Je vous remercie d'avoir affronté les fatigues d'un tel voyage, et je suis reconnaissante à sire Araï de vous avoir envoyé. Je désire vivement savoir ce que je puis faire pour le servir.

Elle ajouta :

— Vous pouvez vous asseoir.

Il s'exécuta, et elle le regarda bien en face. Elle savait que les femmes étaient censées garder les yeux baissés en présence des hommes, mais elle n'avait plus guère l'impression d'être une femme et elle se demandait si elle retrouverait jamais des sentiments conformes à son sexe. Elle se rendit compte qu'Aï et Hana observaient le guerrier de la même façon, avec des yeux opaques, indéchiffrables.

C'était un homme d'âge moyen, aux cheveux encore noirs mais qui commençaient à se clairsemer. Son nez était petit mais un peu crochu, ce qui lui donnait un air de rapace que venait compenser une bouche bien dessinée, aux lèvres charnues. Le voyage avait mis à mal ses vêtements, qui étaient cependant de bonne qualité. Ses mains étaient carrées, ses doigts courts, avec des pouces robustes et écartés. Elle devina qu'il avait l'esprit pratique mais aussi un goût pour la conspiration et la tromperie. Il lui paraissait tout sauf digne de confiance.

— Sire Araï demande des nouvelles de votre santé, dit-il en regardant chacune des sœurs avant de fixer de nouveau Kaede. Le bruit a couru que vous étiez souffrante.

— Je suis rétablie, répliqua-t-elle. Vous pouvez remercier sire Araï pour sa sollicitude.

Il inclina légèrement la tête. Il semblait mal à l'aise, comme s'il se sentait dépaysé parmi des femmes et ne savait comment s'adresser à Kaede. Elle se demanda dans quelle mesure il était au courant de sa situation, et s'il connaissait l'origine de sa maladie.

— Nous avons été désolés d'apprendre la mort de sire Shirakawa, poursuivit-il. Sire Araï est inquiet de vous savoir sans protection, et il tient à ce que vous sachiez qu'il considère votre alliance comme aussi proche que si vous apparteniez à sa famille.

Hana et Aï tournèrent la tête et échangèrent un bref coup d'œil avant de fixer de nouveau le guerrier en silence. Leur manège sembla accroître encore l'embarras d'Akita, qui se racla la gorge pour continuer :

— Dans ces conditions, sire Araï souhaite vous recevoir à Inuyama avec vos sœurs, afin de discuter de l'alliance et de l'avenir de dame Shirakawa.

« Impossible », pensa-t-elle.

Elle garda le silence quelques instants, puis lança avec un léger sourire :

— Rien ne saurait me plaire davantage. Cependant ma santé est encore trop chancelante pour que je puisse songer à voyager. Du reste, nous portons encore le deuil de notre père et il ne serait pas convenable que nous quittions notre demeure. L'année est déjà bien avancée. Nous organiserons une visite à Inuyama au printemps. Vous pouvez assurer sire Araï que je reste fidèle à notre alliance et que j'accueille avec gratitude sa protection. Je le consulterai autant que possible et le tiendrai informé de mes décisions.

De nouveau, Hana et Aï échangèrent un coup d'œil rapide comme un éclair. « Il y a vraiment de quoi être mal à l'aise », pensa Kaede, prise d'une soudaine envie de rire.

Akita déclara :

— Je conseille vivement à dame Shirakawa de repartir avec moi.

— C'est absolument impossible.

Elle le regarda droit dans les yeux et ajouta :

— Ce n'est pas à vous de me donner des conseils.

Surpris de cette rebuffade, il rougit violemment.

Hana et Aï se penchèrent presque imperceptible-ment et le fixèrent avec une intensité redoublée. Des nuages cachèrent le soleil, plongeant la pièce dans la pénombre, et une brusque averse s'abattit sur le toit. Le vent fit tinter le carillon de bambou, qui résonna lugubrement.

— Je vous prie de m'excuser, balbutia-t-il. Bien entendu, vous devez faire ce qui vous paraît préfé-rable.

— Je me rendrai à Inuyama au printemps, répéta-t-elle. Vous pouvez en informer sire Araï. Je serai heureuse de vous accorder l'hospitalité pour la nuit, mais je crois que vous devrez nous quitter dès demain matin afin de pouvoir être de retour avant les premières neiges.

— Dame Shirakawa.

Il s'inclina jusqu'au sol.

Comme il battait en retraite, elle lança abrup-tement :

— Qui sont vos compagnons ?

Elle se permit de manifester une certaine impa-tience, car elle avait instinctivement la certitude de l'avoir dominé. L'étrangeté de la scène, ses sœurs, son propre comportement avaient dompté le guerrier. Son trouble était presque palpable.

— Le fils de ma sœur, Sonoda Mitsuru, et trois de mes serviteurs.

— Laissez donc votre neveu ici. Je le prendrai à mon service pour la durée de l'hiver et il pourra nous escorter à Inuyama. Il sera une garantie de votre bonne foi.

Il fixa le sol, pris de court par cette requête. « Et pourtant, songea-t-elle avec rage, n'importe quel homme dans ma position aurait demandé la même chose. » Si le jeune homme restait à Shirakawa, son oncle serait moins tenté de la desservir ou de la trahir en revoyant Araï.

Comme il hésitait, elle ajouta avec une impatience accrue :

— Bien entendu, la confiance régnant entre nous est un symbole de celle qui me lie à sire Araï.

— Je ne vois pas pourquoi il ne resterait pas ici, concéda-t-il.

« J'ai un otage », se dit-elle en s'émerveillant de l'impression de puissance qu'elle éprouvait à cette pensée.

Elle s'inclina en direction d'Akita, imitée par Aï et Hana, tandis qu'il se prosternait devant elles. Quand il s'éloigna, il pleuvait encore mais le soleil perçait de nouveau les nuages et irisait les gouttes d'eau accrochées aux branches nues et aux dernières feuilles de l'automne. Elle fit signe à ses sœurs de ne pas bouger.

Avant de rejoindre l'appartement des hôtes, Akita se retourna pour les regarder. Elles restèrent assises, immobiles, jusqu'à ce qu'il fût hors de vue. Le soleil disparut et la pluie redoubla d'intensité.

Ayame, qui était restée agenouillée dans l'ombre, se leva pour fermer les volets. Kaede se tourna et étreignit Hana.

— J'ai été bien ? demanda celle-ci, les yeux brillant d'émotion.

— C'était parfait. L'effet était presque magique. Mais que signifiaient ces regards que vous avez échangés ?

— Nous n'aurions pas dû, dit Aï d'une voix honteuse. Quel enfantillage ! Nous le faisions quand Mère ou Ayame nous donnaient des leçons. C'est Hana qui a commencé. Elles ne savaient jamais si elles étaient ou non le jouet de leur imagination. Nous n'osions pas le faire avec Père. Penser qu'en présence d'un grand seigneur...

— C'était plus fort que nous, s'exclama Hana en riant. Il n'a pas apprécié, n'est-ce pas ? Il s'est mis à transpirer en nous jetant des regards nerveux.

— Il n'a rien d'un grand seigneur, observa Kaede. Araï aurait pu envoyer quelqu'un d'un plus haut rang.

— Auriez-vous consenti à ce qu'il demandait, dans ce cas ? L'aurions-nous suivi à Inuyama ?

— Même si Araï lui-même s'était présenté, j'aurais refusé. Je compte bien les faire toujours attendre.

— Voulez-vous savoir ce que j'ai encore remarqué ? demanda Hana.

— Je t'écoute.

— Sire Akita avait peur de vous, grande sœur.

Kaede éclata de rire.

— Tu n'as pas les yeux dans ta poche !

— Je ne veux pas partir d'ici, lança Aï. Je veux rester chez nous pour toujours.

Kaede la regarda avec pitié.

— Il faudra bien que tu te maries. Peut-être devras-tu faire un séjour à Inuyama l'an prochain.

— Moi aussi ? s'inquiéta Hana.

— C'est possible. Une foule d'hommes vont vouloir vous épouser.

« Dans le but de s'allier avec moi », pensa-t-elle, attristée à l'idée de devoir ainsi se servir de ses sœurs.

— Je n'irai que si Shizuka nous accompagne, déclara Hana.

311

Kaede sourit et la serra de nouveau contre elle. À quoi bon lui dire que Shizuka ne serait jamais en sûreté à Inuyama tant que durerait le règne d'Araï ?

— Allez dire à Shizuka que je veux la voir. Ayame, tu ferais bien de voir quel repas tu peux servir à nos visiteurs ce soir.

— Je suis contente que vous leur ayez dit de repartir dès demain, répliqua la servante. Nous aurions eu du mal à les nourrir plus longtemps. Ils sont trop habitués à bien manger.

Elle secoua la tête et ajouta :

— Cela dit, dame Kaede, je ne crois pas que votre père aurait approuvé votre conduite.

— Je me passe de tes commentaires, rétorqua Kaede. Et si tu tiens à rester dans cette maison, ne me parle plus jamais sur ce ton.

Sa colère fit tressaillir Ayame.

— Dame Kaede, murmura-t-elle.

Elle se jeta à genoux et recula en direction de la porte.

Shizuka arriva peu après en apportant une lampe car la nuit tombait. Kaede dit à ses sœurs d'aller se changer.

— Tu as réussi à entendre ? demanda-t-elle dès qu'elles furent sorties.

— Suffisamment, assura Shizuka. Et Kondo m'a répété ce qu'avait dit sire Akita en rentrant dans le pavillon. Il pense qu'un pouvoir surnaturel est à l'œuvre dans cette maison. Vous l'avez terrifié. Il prétend que vous êtes semblable à l'araignée d'automne, dorée et mortelle, et que votre beauté est comme une toile qui vous sert à piéger les hommes.

— Quelle image poétique !

— Oui, c'est aussi ce qu'a pensé Kondo.

Kaede croyait voir ses yeux pétillant d'ironie. Elle se jura qu'un jour il la regarderait sans ironie. Elle ferait en sorte qu'ils la prennent au sérieux, lui et tous ces hommes si imbus de leur pouvoir.

— Et mon otage, Sonoda Mitsuru. Est-il terrifié, lui aussi ?

— Votre otage ! s'exclama Shizuka en riant. Où avez-vous trouvé l'audace de faire une pareille suggestion ?

— Tu penses que j'ai eu tort ?

— Au contraire. Ils sont maintenant persuadés que vous êtes beaucoup plus puissante qu'ils ne s'y attendaient. Le jeune homme est un peu inquiet à l'idée de rester ici. Que comptez-vous en faire ?

— Shoji pourrait le prendre chez lui et s'en occuper. Je n'ai aucune envie de le garder dans cette maison.

Après un silence, elle reprit non sans amertume :

— Il sera mieux traité que je ne l'ai été. Mais il faut penser à toi. Crois-tu qu'il pourrait constituer une menace pour toi ?

— Araï doit savoir que je me trouve toujours avec vous. Quant à notre otage, il ne me semble pas dangereux. Son oncle y regardera maintenant à deux fois avant de vous déplaire. Votre force me protège, comme tous les habitants de cette demeure. Araï s'imaginait sans doute vous trouver en plein désarroi, prête à implorer son aide. Il va entendre un récit un peu différent. Je vous l'avais dit que les oiseaux ne tarderaient pas à se rassembler.

— Quel sera le prochain épisode, à ton avis ?

— Kondo a envoyé des messagers à Maruyama. Je pense que nous aurons la visite d'un émissaire avant le début de l'hiver.

Kaede l'espérait ardemment. Elle songeait souvent à sa dernière entrevue avec sa parente, et à l'engagement qui avait alors été pris. Son père lui avait dit qu'elle devrait se battre pour cet héritage, mais elle n'avait qu'une vague idée de l'identité de ses adversaires ou de la façon de conduire une guerre. Qui pourrait lui enseigner comment s'y prendre ? Qui accepterait de commander une armée en son nom ?

Le lendemain, elle prit congé d'Akita et de ses hommes, heureuse de les voir décamper si vite. Elle souhaita la bienvenue à son neveu, et fit venir Shoji afin de le confier à ses soins. Elle avait conscience de l'effet qu'elle produisait sur le jeune homme, lequel ne la quittait pas un instant des yeux et tremblait en sa présence, mais elle ne lui trouvait aucun intérêt en dehors de sa qualité d'otage.

— Occupez-le, dit-elle à Shoji. Traitez-le bien, soyez respectueux avec lui, mais ne le mettez pas trop au courant de nos affaires.

Au cours des semaines qui suivirent, des hommes commencèrent à se présenter à sa porte. Un messager invisible semblait avoir répandu le bruit qu'elle enrôlait des guerriers. Ils venaient seuls, ou en groupes de deux ou trois — jamais plus à la fois. Leurs maîtres étaient morts ou ruinés, et ils étaient comme les épaves de longues années de guerre. Avec l'aide de Kondo, elle les soumettait à diverses épreuves, car elle ne voulait ni imbéciles ni coquins. Ils n'en renvoyèrent pas beaucoup, cependant, car il s'agissait pour la plupart de guerriers expérimentés, qui formeraient le noyau de son armée quand le printemps serait venu. Kaede se désespérait pourtant, car elle ne savait comment assurer leur subsistance tout au long de l'hiver.

Quelques jours avant le solstice, Kondo vint lui annoncer la nouvelle qu'elle attendait :

— Sire Sugita de Maruyama est ici avec plusieurs de ses hommes.

Elle les accueillit avec joie. Ils vénéraient la mémoire de leur maîtresse et étaient habitués à voir une femme commander. Elle fut particulièrement heureuse de revoir Sugita, dont elle avait fait la connaissance lors du voyage pour Tsuwano. Il les avait quittées dans cette ville, afin de rentrer assurer la sécurité du domaine et d'empêcher les menées de possibles usurpateurs en l'absence de dame Maruyama. Sa mort l'avait accablé de chagrin, et il était déterminé à faire respecter ses dernières volontés. Doué d'un grand sens pratique, il avait pensé à apporter du riz et d'autres provisions.

— Je ne veux pas alourdir encore votre fardeau, déclara-t-il.

— Il n'est pas lourd au point de m'empêcher de nourrir de vieux amis, mentit Kaede.

— Tout le monde va souffrir, cet hiver, répliqua-t-il d'un air sombre. Les tempêtes, la mort d'Iida, les campagnes d'Araï... Tous ces bouleversements ont réduit à néant une bonne partie des récoltes.

Kaede l'invita à partager son repas. Elle lui réserva cet honneur, confiant à Shoji et à Kondo le soin de s'occuper du reste de l'escorte. Après avoir brièvement évoqué les événements d'Inuyama, ils discutèrent en détail de l'héritage de Maruyama. Il traitait la jeune fille avec un respect teinté d'une familiarité affectueuse, comme s'il était son oncle ou son cousin. Sa compagnie la détendait : il n'était pas menacé par elle, mais il la prenait au sérieux.

Quand ils eurent fini de dîner et que les plats furent desservis, il entra dans le vif du sujet.

— Ma maîtresse désirait que le domaine vous revienne. C'est vous dire si j'ai été ravi de recevoir votre message m'apprenant que vous entendiez recueillir votre héritage. Je suis parti sur-le-champ pour vous assurer que vous pouviez compter sur moi. Je ne serai pas le seul à vous aider. Je pense que nous devrions mettre au point notre plan d'action avant le printemps.

— C'est bien mon intention, et j'aurai besoin de tous les secours qui s'offriront. Je ne sais quelle démarche entreprendre. Puis-je prendre possession du domaine sans autre forme de procès ? À qui appartient-il maintenant ?

— À vous, répliqua-t-il. Vous êtes la première femme dans l'ordre de la succession, et notre maîtresse vous l'a légué expressément. Mais plusieurs autres personnes le revendiquent. Votre principale rivale est la belle-fille de dame Maruyama, qui est mariée à un cousin de sire Iida. Araï n'a pas réussi à l'éliminer, et il est à la tête de forces importantes. Il a rallié des Tohan ayant fui le château de Noguchi après sa chute, ainsi que des Seishuu mécontents qui ne voient pas pourquoi ils se soumettraient à Araï. Ils passent l'hiver aux confins de l'Ouest, mais ils marcheront sur Maruyama au printemps. À moins d'une action rapide et audacieuse de votre part, le domaine sera le théâtre de combats qui le dévasteront.

— J'ai promis à dame Naomi que j'empêcherais un tel désastre. Cependant je n'avais aucune idée ni de la portée de mon engagement ni des moyens à mettre en œuvre pour le tenir.

— Bien des gens sont disposés à vous aider.

Se penchant en avant, il se mit à chuchoter :

— J'ai été envoyé par notre conseil des anciens pour vous demander de venir chez nous aussi vite que possible. Le domaine prospérait sous le gouvernement de dame Maruyama. Chacun mangeait à sa faim, et même les plus pauvres avaient de quoi nourrir leurs enfants. Nous faisions du commerce avec le continent et exploitions nos mines d'argent et de cuivre. L'artisanat était florissant. Grâce à l'alliance entre sire Araï, sire Otori Shigeru et les Maruyama, cette prospérité se serait étendue à tout le Pays du Milieu. Nous voulons sauver ce qui reste de cette alliance.

— J'ai l'intention de rendre visite à sire Araï au printemps. Ce sera l'occasion de sceller officiellement notre entente.

— Dans ce cas, vous devez faire de son soutien à Maruyama une des conditions de votre accord. Lui seul est assez puissant pour persuader la belle-fille et son mari de se retirer sans combattre. Et si la guerre ne peut être évitée, seule son armée sera de taille à les vaincre. Vous n'avez pas de temps à perdre : dès que les routes seront praticables, il faudra vous rendre à Inuyama. Une fois assurée de l'appui d'Araï, vous viendrez chez nous.

Il la regarda, esquissa un sourire et ajouta :

— Je suis désolé. Je ne veux surtout pas avoir l'air de vous donner des ordres. Cependant, j'espère que vous suivrez mes conseils.

— Comptez sur moi. Je pensais déjà à prendre de telles mesures, mais votre soutien m'y détermine.

Ils parlèrent ensuite des troupes que Sugita pourrait lever, et il jura qu'il ne remettrait le domaine à personne d'autre qu'à elle. Puis il déclara qu'il repartirait dès le lendemain, car il voulait être de retour à Maruyama avant la nouvelle année.

Il observa alors en passant :

— Quel dommage qu'Otori Takeo soit mort. Si vous l'aviez épousé, son nom et l'alliance avec les Otori vous auraient rendue encore plus puissante.

Kaede crut que son cœur s'arrêtait de battre.

— Je ne savais pas qu'il était mort, dit-elle en s'efforçant de parler d'une voix ferme.

— Les gens racontent cette histoire, mais en fait je ne connais aucun détail. J'imagine que c'est l'explication qui s'impose après sa disparition. Cela dit, il ne s'agit peut-être que d'une rumeur.

— Probablement, approuva Kaede.

Mais en prononçant ces mots, elle pensait : « À moins qu'il ne gise mort dans un champ ou dans la montagne, sans que je puisse jamais en avoir le cœur net. »

— Je me sens un peu lasse, sire Sugita. Pardonnez-moi.

— Dame Shirakawa.

Il s'inclina dans sa direction et se leva.

— Nous resterons en contact aussi longtemps que l'hiver le permettra. Je vous attends à Maruyama au printemps. Les troupes du clan soutiendront votre revendication. En cas de changement, je m'arrangerai pour vous tenir au courant.

Elle promit de faire de même. Elle était impatiente de le voir partir. Quand elle fut certaine qu'il était en sécurité dans le pavillon des hôtes, elle fit appeler Shizuka.

Elle l'attendit en arpentant nerveusement la pièce, et dès qu'elle la vit elle se précipita sur elle.

— Es-tu sûre de ne rien me cacher ?

— Noble dame ? s'exclama Shizuka en la regardant avec étonnement. Que voulez-vous dire ?

— Sugita a entendu dire que Takeo était mort.

— Ce n'est qu'une rumeur.

— Mais tu étais au courant ?

— Oui. Je n'y crois pas, cependant. S'il était mort, nous aurions été prévenus. Que vous êtes pâle ! Asseyez-vous. Il ne faut pas vous surmener, sans quoi vous retomberez malade. Je vais préparer les lits.

Elle la conduisit hors de la salle de réception, jusque dans la chambre où elles dormaient. Kaede s'effondra sur le sol. Son cœur battait à tout rompre.

— J'ai tellement peur qu'il ne meure avant que je l'aie revu.

Shizuka s'agenouilla près d'elle, dénoua sa ceinture et l'aida à ôter ses robes de cérémonie.

— Je vais vous masser la tête. Calmez-vous.

Kaede ne cessait de bouger sa tête avec agitation, agrippait ses cheveux, serrait et desserrait ses poings. Au lieu de l'apaiser, les mains de Shizuka dans sa chevelure lui rappelaient cet horrible après-midi à Inuyama et les événements qui avaient suivi. Elle était secouée de frissons.

— Il faut que tu découvres la vérité, Shizuka, j'ai besoin d'une certitude. Fais parvenir un message à ton oncle. Envoie Kondo. Qu'il parte sur-le-champ.

— Moi qui croyais que vous commenciez à l'oublier, murmura la jeune femme tout en massant son cuir chevelu.

— Je ne peux pas l'oublier. J'ai essayé, mais dès que j'entends son nom tout me revient en mémoire. Te souviens-tu du jour où je l'ai vu pour la première fois, à Tsuwano? Je suis tombée amoureuse de lui dès cet instant. J'ai été comme prise de fièvre. C'était — c'est — un sortilège. Une maladie dont je ne guérirai jamais. Tu as dit que nous nous en remettrions, mais cet amour sera toujours en nous.

Son front était brûlant sous les doigts de Shizuka. Alarmée, celle-ci demanda :

— Voulez-vous que je fasse venir le docteur Ishida?

— Je suis tourmentée de désir, murmura Kaede. Le docteur Ishida n'a pas de remède pour cela.

— Il est aisé d'assouvir le désir, répliqua Shizuka d'un ton calme.

— Mais je ne désire que Takeo. Lui seul peut me soulager. Je sais qu'il me faut essayer de vivre sans lui. J'ai des devoirs envers ma famille, et je dois, je veux m'en acquitter. Mais, s'il est mort, il faut que tu me le dises.

— Je vais écrire à Kenji, promit Shizuka. Kondo partira dès demain, encore que nous ne puissions guère nous passer de lui...

— Qu'il parte sans tarder !

Shizuka prépara une infusion avec les brindilles de saule laissées par Ishida et persuada Kaede de la boire, mais le sommeil de la jeune fille fut agité et le matin la trouva fiévreuse et apathique.

Appelé en renfort, le médecin recourut au moxa et à ses aiguilles. Il lui reprocha avec douceur de ne pas assez se ménager.

— Ce n'est pas grave, dit-il à Shizuka en sortant avec elle. Il n'y paraîtra rien d'ici un ou deux jours. Elle est trop sensible et trop exigeante avec elle-même. Elle aurait besoin de se marier.

— Elle ne consentira jamais à épouser qu'un seul homme, et leur union est impossible.

— Le père de l'enfant ?

Shizuka acquiesça de la tête.

— Hier, elle a entendu dire qu'il était mort. C'est alors qu'elle a été prise de fièvre.

— Je comprends.

Les yeux du médecin se perdirent dans le lointain, pensifs, et elle se demanda quelle scène, quelle ombre de sa jeunesse lui revenait en mémoire.

— Je redoute les prochains mois, dit-elle. Une fois que nous serons isolés par la neige, je crains qu'elle ne se mette à broyer du noir.

— J'apporte une lettre de sire Fujiwara pour elle. Il aimerait qu'elle séjourne chez lui pendant quelques jours. Peut-être le changement de décor contribuerait-il à l'égayer et à la distraire.

— Sire Fujiwara est trop bon pour cette maison, nous sommes indignes de son attention...

Shizuka égrena machinalement les remerciements d'usage en prenant la lettre. Elle avait une conscience aiguë de la proximité du médecin, du contact fugitif de leurs mains. Son regard lointain avait éveillé quelque chose en elle. Pendant la maladie de Kaede, ils avaient passé de longues heures ensemble, et elle avait fini par admirer sa patience et son talent. Il était bon, à la différence de la plupart des hommes qu'elle avait connus.

— Reviendrez-vous demain matin ? lui dit-elle en lui lançant une œillade.

— C'est évident. Vous pourrez me donner la réponse de dame Kaede à la lettre. L'accompagnerez-vous chez sire Fujiwara ?

— C'est évident ! répliqua-t-elle en reprenant ses mots pour le taquiner.

Il sourit et l'effleura de nouveau, au bras, en un geste délibéré. La pression de ses doigts la fit tressaillir. Il y avait si longtemps qu'elle n'avait pas partagé la couche d'un homme. Elle désira soudain violemment sentir ses mains caresser tout son corps. Elle avait envie de s'allonger près de lui et de le serrer dans ses bras. Il le méritait pour sa bonté.

— À demain, dit-il.

Son regard était chaleureux, comme s'il avait compris ses sentiments et les partageait.

Elle enfila ses sandales et courut appeler les porteurs du palanquin.

*

La fièvre de Kaede retomba, et le soir venu elle avait recouvré une partie de son énergie. Elle avait passé toute la journée couchée au chaud sous une pile impressionnante de couvertures, près du brasero qu'Ayame avait tenu à allumer. Elle pensait à l'avenir. Takeo était peut-être mort, elle avait perdu son enfant, et son cœur n'aspirait qu'à les suivre dans l'autre monde. Cependant sa raison lui disait qu'en renonçant à vivre et en abandonnant ceux qui dépendaient d'elle elle ne ferait que démontrer sa propre faiblesse. Une femme agirait sans doute ainsi, mais jamais un homme dans sa position n'y consentirait.

« Shizuka a raison, songea-t-elle. Parmi les gens que je connais, seul sire Fujiwara peut m'aider. Il faut que j'essaie d'arriver à une entente avec lui. »

Shizuka lui remit la lettre qu'Ishida avait apportée le matin. Fujiwara avait également envoyé des présents de nouvel an : gâteaux de riz traditionnels, sardines séchées et châtaignes confites, rouleaux d'algue et vin de riz. Aï et Hana s'affairaient dans la cuisine pour aider aux préparatifs de la fête.

— Il me flatte, déclara Kaede. Il m'écrit dans le langage des hommes en affirmant qu'il sait que je le comprends. En fait, une bonne partie des caractères me sont inconnus.

Elle poussa un profond soupir.

— J'ai tant à apprendre. Un hiver suffira-t-il pour combler mes lacunes ?

— Vous rendrez-vous chez sire Fujiwara ?

— Je pense que oui. Il pourrait me servir de professeur. Crois-tu qu'il serait d'accord ?

— Rien ne lui ferait davantage plaisir, dit simplement Shizuka.

— J'imaginais qu'il ne voudrait plus jamais avoir affaire à moi, mais il écrit qu'il a attendu avec impatience ma guérison. Je me sens mieux, effectivement. Du moins, aussi bien que je le puis...

Son ton n'était guère convaincu.

— Il faut que j'aille mieux. Je dois veiller sur mes sœurs, mon domaine, mes serviteurs.

— Comme je vous l'ai souvent répété, Fujiwara est le meilleur allié qui s'offre à vous pour parvenir à vos fins.

— Pas le meilleur, peut-être, mais le seul. Pourtant, je ne lui fais pas vraiment confiance. Qu'attend-il de moi ?

— Et vous, qu'attendez-vous de lui ? répliqua Shizuka.

— C'est très simple. Je voudrais d'une part qu'il complète mon instruction, et d'autre part qu'il me donne les moyens nécessaires pour lever une armée et la nourrir. Mais qu'ai-je à lui offrir en échange ?

Shizuka se demanda si elle ne devrait pas mentionner le désir de Fujiwara d'épouser Kaede, mais elle préféra s'abstenir de peur que cette nouvelle n'inquiète la jeune fille au point de réveiller sa fièvre. Que l'aristocrate plaide lui-même sa cause. Shizuka était certaine qu'il le ferait.

— Il m'appelle dame Shirakawa. J'aurai honte de le revoir après l'avoir trompé.

— Il a sans doute appris que votre père avait émis le désir que vous repreniez votre nom. Nous avons fait en sorte que chacun sache qu'il vous avait déclarée son héritière avant de se donner la mort.

Kaede la regarda en se demandant si elle se moquait d'elle, mais le visage de Shizuka était sérieux.

— Bien sûr, je n'avais d'autre choix que de me conformer à la volonté de mon père...

— Sire Fujiwara n'a donc pas à en savoir davantage. L'obéissance à nos parents passe avant tout.

— C'est l'opinion de Kung Fu Tzu, approuva Kaede. Mais, même s'il n'a pas à en savoir davantage, je soupçonne qu'il donnerait cher pour apprendre des détails. Du moins, s'il s'intéresse encore à moi.

— Il n'y manquera pas, assura Shizuka en songeant que la jeune fille était plus belle que jamais.

Le chagrin et la maladie avaient effacé ce qu'elle pouvait avoir encore de puéril, et donné à son visage une expression intense et mystérieuse.

Ils fêtèrent la nouvelle année avec les présents de sire Fujiwara, et mangèrent des nouilles de sarrasin et des haricots noirs qu'Ayame avait mis de côté à la fin de l'été. À minuit, ils se rendirent au temple afin d'écouter les prêtres psalmodier et les cloches sonner pour l'extinction des passions humaines. Kaede savait qu'elle aurait dû prier pour s'affranchir des siennes et être purifiée, mais elle se surprit à demander ce qu'elle désirait plus que tout : d'abord que Takeo soit encore vivant, ensuite l'argent et le pouvoir.

Le lendemain, les femmes de la maisonnée emportèrent des bougies, de l'encens et des lanternes, ainsi que des provisions de mandarines ridées, de châtaignes confites et de kakis séchés, afin de se rendre aux grottes où le fleuve Shirakawa reparaissait après avoir traversé une série de cavernes souterraines. Elles y célébrèrent leurs propres cérémonies devant le rocher auquel l'eau avait donné la forme de la Déesse Blanche. Aucun homme n'était censé pénétrer en ces lieux, sans quoi la montagne pourrait s'effondrer et la famille Shirakawa s'éteindre à jamais. Un couple âgé vivait derrière un autel érigé à l'entrée de la grotte — seule la vieille les suivit pour porter des offrandes à la déesse. Kaede s'agenouilla sur la roche humide, en écoutant la voix vénérable marmotter des mots dont elle comprenait à peine le sens. Elle pensa à sa mère et à dame Naomi, et implora leur aide et leur intercession. Elle se rendit compte combien ce lieu saint était important pour elle, et sentit que la déesse veillait sur elle.

Le jour suivant, elle se rendit chez sire Fujiwara. Hana était cruellement déçue de devoir rester à la maison. Elle pleura quand elle dut dire au revoir non seulement à Kaede mais aussi à Shizuka.

— Ce n'est que pour quelques jours, la consola Kaede.

— Pourquoi ne puis-je pas vous accompagner ?

— Sire Fujiwara ne t'a pas invitée. D'ailleurs, tu ne te plairais pas du tout là-bas. Tu devrais te tenir correctement, adopter un langage châtié et rester assise la plus grande partie de la journée.

— Vous aussi, vous ne vous plairez pas ?

— Je le crains, soupira Kaede.

— Au moins, vous mangerez des mets délicieux.

Elle ajouta d'un ton de convoitise :

— Des cailles !

— Si nous nous nourrissons aux dépens du seigneur, tu auras davantage à manger ici, répliqua Kaede.

En fait, c'était une des raisons pour lesquelles elle se réjouissait de partir quelque temps. Elle avait beau passer régulièrement en revue leurs provisions et calculer la durée de l'hiver, il paraissait évident qu'ils seraient à court de nourriture avant le printemps.

— De plus, il faut bien que quelqu'un distraie le jeune Mitsuru, ajouta Shizuka. Arrange-toi pour qu'il n'ait pas le mal du pays.

— Aï s'en chargera, rétorqua Hana. Il l'aime beaucoup.

Kaede l'avait remarqué. Sa sœur se refusait à admettre qu'elle pût répondre à l'affection du garçon, mais elle était timide dans ces occasions. De toute façon, qu'importaient ses sentiments ? Elle venait d'avoir quatorze ans, il était temps qu'elle soit fiancée. Peut-être ce Sonoda Mitsuru serait-il un bon parti, si son oncle l'adoptait, mais Kaede était décidée à demander beaucoup en échange de la main de sa sœur.

« Dans un an, les prétendants feront la queue pour obtenir une alliance avec les Shirakawa », se dit Kaede.

Aï avait un peu rougi en entendant la remarque de Hana.

— Soyez prudente, grande sœur, dit-elle en étreignant Kaede. Ne vous inquiétez pas pour nous. Je veillerai sur toute la maisonnée.

— Nous ne sommes pas loin, répliqua Kaede. N'hésite pas à me faire prévenir si tu penses qu'on a besoin de moi.

Elle ne put se retenir d'ajouter:

— Et si jamais un message arrive pour moi, si jamais Kondo revient, avertis-moi sur-le-champ.

Ils arrivèrent chez sire Fujiwara en début d'après-midi. La journée avait d'abord été douce et nuageuse, mais pendant leur voyage le vent avait tourné au nord-est et la température avait chuté.

Ils furent accueillis par Mamoru, qui leur souhaita la bienvenue au nom de l'aristocrate puis les conduisit non pas aux appartements où ils avaient séjourné la fois précédente mais dans un autre pavillon, plus petit. Moins richement décoré, il apparut encore plus beau à Kaede par sa simplicité élégante et ses couleurs assourdies. Elle sut gré au seigneur de son tact, car elle avait redouté d'être hantée par le fantôme furieux de son père dans la pièce où il avait appris son secret.

— Sire Fujiwara a pensé que dame Shirakawa préférerait se reposer ce soir, dit Mamoru d'une voix tranquille. Il vous recevra demain, si cela vous convient.

326

— Je vous remercie. Veuillez dire à sire Fujiwara que je suis entièrement à sa disposition. Ses désirs seront les miens.

Elle sentait déjà une tension dans l'air. Mamoru avait prononcé son nom sans hésitation, l'avait observée fugitivement à son arrivée, comme pour voir si elle n'avait pas changé, mais ensuite il ne lui avait plus accordé un regard. Elle savait cependant avec quelle attention il savait l'étudier sans en avoir l'air. Elle se redressa et le fixa d'un air un peu dédaigneux. Qu'il l'examine à sa guise, comme un modèle pour les rôles qu'il jouait sur la scène. Il ne serait jamais qu'une contrefaçon de ce qu'elle était. Peu lui importait ce qu'il pensait d'elle, c'était l'opinion de Fujiwara qui comptait à ses yeux. Elle se dit que ce dernier devait la mépriser mais que, si jamais il manifestait ne serait-ce qu'une ombre de dédain à son égard, elle partirait sur-le-champ et ne le reverrait de sa vie, quelle que fût l'aide qu'il aurait pu lui apporter.

Elle était soulagée que leur rencontre ait été ajournée. Ishida vint leur rendre visite, et inspecta son pouls et ses yeux. Il lui déclara qu'il allait confectionner une nouvelle sorte de thé qui purifierait son sang et fortifierait son estomac. Shizuka fut chargée d'aller le chercher le lendemain dans l'appartement du médecin.

On avait préparé un bain chaud pour Kaede, qui s'y plongea avec autant de volupté que d'envie à la pensée de la quantité de bois de chauffage qu'il supposait. Après quoi, des servantes presque muettes apportèrent une collation.

— C'est le repas d'hiver des dames tel que l'exige la tradition ! s'exclama Shizuka en voyant réunies toutes les friandises de la saison.

Les plateaux laqués présentaient une profusion de dorade et de calmar crus, d'anguille grillée accompagnée de petites poires vertes et de raifort, de concombres marinés et de racine de lotus salée, de précieux champignons noirs et de bardane.

— Voici ce qu'on mangerait dans la capitale. Je me demande combien d'autres femmes dans les Trois Pays ont droit à un souper aussi exquis ce soir !

— Tout est exquis, ici, répliqua Kaede.

« Quand on a de l'argent, pensa-t-elle, il est si aisé d'allier le luxe et le bon goût... »

Elles avaient fini leur repas et songeaient à aller se coucher lorsqu'on frappa discrètement.

— Ce sont les servantes qui viennent préparer les lits, lança Shizuka en se dirigeant vers la porte.

Quand elle l'ouvrit, Mamoru se tenait sur le seuil. Il avait de la neige sur les cheveux.

— Pardonnez-moi, dit-il, mais la première neige de l'année a commencé. Sire Fujiwara désirerait rendre visite à dame Shirakawa. Vu de ce pavillon, le spectacle est particulièrement admirable.

— Sire Fujiwara est ici chez lui, répliqua Kaede. Je suis son invitée : tout ce qui peut lui plaire me fait également plaisir.

Mamoru se retira et elle l'entendit parler aux servantes. Quelques instants plus tard, deux d'entre elles apparurent avec des robes rouges doublées de ouate et aidèrent Kaede à s'habiller. Protégée par ces vêtements chauds, elle sortit dans la véranda en compagnie de Shizuka. On avait disposé des peaux de bêtes sur des coussins, afin qu'elles puissent s'asseoir, et des lanternes suspendues aux arbres éclairaient les flocons en train de tomber. Le sol était déjà blanc. Un jardin de pierres s'étendait sous deux pins dont les branches, maintenues basses par un art exquis, encadraient la vue. Derrière eux, on apercevait à peine la masse sombre de la montagne à travers la neige tourbillonnante. Kaede resta muette devant la beauté de ce spectacle, saisie par sa pureté silencieuse.

Sire Fujiwara s'approcha d'un pas si léger qu'elles faillirent ne pas l'entendre. Elles se prosternèrent toutes deux devant lui.

— Dame Shirakawa, lança-t-il, quelle reconnaissance je vous dois. D'abord pour avoir daigné vous rendre dans mon humble demeure, et maintenant pour l'indulgence avec laquelle vous avez accueilli mon désir de partager avec vous la contemplation de la première neige.

Il ajouta :

— Asseyez-vous, je vous en prie. Emmitouflez-vous bien : il ne faut pas que vous preniez froid.

Des serviteurs défilèrent à sa suite en apportant des braseros, des flacons de vin, des coupes et des fourrures. Mamoru prit une des pelisses et la posa sur les épaules de Kaede, puis il enveloppa de la même façon le seigneur quand il s'assit près de la jeune fille. Celle-ci caressa la fourrure avec un plaisir mêlé de répugnance.

— Ces pelisses viennent du continent, lui dit Fujiwara après l'échange des politesses d'usage. Ishida m'en rapporte quand il revient de ses expéditions là-bas.

— De quel animal s'agit-il ?

— Une sorte d'ours, je pense.

Elle ne pouvait concevoir un ours de cette taille. Elle l'imagina dans son pays natal, si lointain et étranger pour elle. Il devait être puissant, lent et féroce, et pourtant des hommes l'avaient tué et dépouillé de sa peau. Elle se demanda si son esprit habitait encore d'une manière ou d'une autre sa dépouille, et s'il s'offenserait de la voir profiter de sa chaleur. Elle frissonna.

— Le docteur Ishida doit avoir autant de courage que d'intelligence, pour entreprendre des voyages aussi dangereux.

— Sa soif de connaissance semble impossible à assouvir. On ne peut que s'en féliciter, du reste, puisqu'elle a permis la guérison de dame Shirakawa.

— Je lui dois la vie, murmura-t-elle.

— Voilà qui le rend encore plus précieux à mes yeux.

Elle perçut dans sa voix son ironie habituelle, mais sans trace de mépris. En fait, il n'aurait pu se montrer plus flatteur.

— La première neige est si ravissante, dit-elle. Et pourtant, à la fin de l'hiver, nous n'aspirons qu'à la voir fondre.

— La neige m'enchante. J'aime sa blancheur, sa façon de recouvrir le monde. Sous son manteau, tout devient pur.

Mamoru versa du vin et leur tendit les coupes, puis il disparut dans l'ombre. Les serviteurs s'éclipsèrent. Ils n'étaient pas vraiment seuls, cependant il régnait comme une illusion de solitude, comme si rien n'existait que leurs deux silhouettes, les braseros rougeoyants, les lourdes fourrures et la neige.

Après qu'ils eurent contemplé un moment la scène en silence, Fujiwara intima aux serviteurs d'apporter des lampes supplémentaires.

— Je veux voir votre visage, dit-il en se penchant en avant pour l'observer avec la même attention avide qu'il avait accordée à ses trésors.

Kaede leva les yeux et regarda derrière lui la neige de plus en plus dense qui tombait en tourbillonnant à la lueur des lanternes, dissimulant peu à peu la montagne et ensevelissant le monde extérieur sous un linceul immaculé.

— Encore plus belle qu'auparavant si c'est possible, murmura-t-il.

Elle crut déceler une note de soulagement dans la voix de l'aristocrate. Elle savait que si sa maladie avait apporté la moindre altération à son apparence il se serait retiré poliment et ne l'aurait jamais revue. Même si tous les habitants de Shirakawa étaient morts de faim, il ne leur aurait accordé ni secours ni compassion. «Comme il est froid», songea-t-elle, et elle sentit son propre corps se glacer à cette idée. Elle resta cependant impassible, les yeux perdus dans le lointain, en laissant la neige emplir son regard et l'éblouir. Elle aussi serait froide. Comme la glace, comme la porcelaine. Et, si jamais il voulait la posséder, il devrait payer le prix le plus élevé.

Après avoir vidé sa coupe, il la remplit de nouveau et but, sans la quitter des yeux. Ils gardaient tous deux le silence.

Il finit par lancer à brûle-pourpoint :

— Bien entendu, vous allez devoir vous marier.

— Je n'en ai pas l'intention.

Kaede craignit d'avoir répondu trop brutalement, mais il continua :

— Je m'attendais à cette réponse, puisque vos opinions sont toujours singulières. Mais d'un strict point de vue pratique vous avez besoin de vous marier. Vous n'avez pas d'autre solution.

— Ma réputation est très défavorable. Trop d'hommes liés à ma personne ont péri. Je ne veux pas causer une mort de plus.

Elle sentit son intérêt grandir, vit ses lèvres frémir légèrement. Elle savait pourtant que ce n'était pas du désir qu'il éprouvait pour elle, mais cette émotion qu'elle avait déjà entraperçue : une curiosité brûlante, qu'il maîtrisait de son mieux, pour tous les secrets de la jeune fille.

Il appela Mamoru et lui dit de renvoyer les serviteurs puis de se retirer à son tour.

— Où est votre suivante? demanda-t-il à Kaede. Dites-lui de vous attendre à l'intérieur. Je voudrais avoir avec vous un entretien privé.

Kaede parla à Shizuka. Après un silence, Fujiwara reprit :

— Avez-vous assez chaud? Il ne faudrait pas que vous retombiez malade. Ishida m'a dit que vous étiez sujette à de soudains accès de fièvre.

« Évidemment, Ishida lui raconte tout ce qu'il sait de moi », pensa-t-elle.

Elle répliqua :

— Merci de votre sollicitude. Je n'ai pas froid pour l'instant. Cependant, sire Fujiwara me pardonnera si je ne prolonge pas cette veillée très longtemps. Je me fatigue vite.

— Contentons-nous de quelques instants de conversation. Nous avons tant de semaines devant nous. Tout l'hiver, en fait, du moins je l'espère. Mais il y a quelque chose dans cette nuit, la neige, votre présence ici... C'est un souvenir qui nous accompagnera toute notre vie.

« Il veut m'épouser », se dit-elle avec une stupéfaction qui laissa bientôt place à un profond malaise. S'il lui offrait le mariage, comment pourrait-elle refuser? « D'un strict point de vue pratique », pour reprendre son expression, c'était une proposition des plus sensées. Outre qu'il s'agissait d'un honneur qu'elle était loin de mériter, cela résoudrait tous ses problèmes d'argent et de nourriture. Oui, cette alliance était inespérée. Cependant elle savait qu'il préférait les hommes, qu'il n'éprouvait pour elle ni amour ni désir. Elle pria pour qu'il ne parle pas en ce sens, car elle ne savait comment elle aurait pu dire non. Elle redoutait la force de sa volonté d'homme habitué à prendre ce qu'il désirait quand bon lui semblait. Elle n'était pas sûre d'avoir elle-même la force de lui résister. Outre qu'un refus aurait constitué une insulte impensable envers un homme de son rang, l'aristocrate la fascinait autant qu'il l'inquiétait, exerçant ainsi sur elle un pouvoir qu'elle ne comprenait pas elle-même.

— Je n'ai jamais vu d'ours, lança-t-elle dans l'espoir de changer de sujet, en s'enveloppant plus étroitement dans l'épaisse fourrure.

— Une espèce de petite taille vit dans les montagnes des environs. Après un hiver particulièrement rigoureux, un de ces animaux s'est aventuré dans mon jardin. Je l'ai fait capturer, mais il est mort de langueur dans sa cage. Ces pelisses proviennent de spécimens incomparablement plus grands. Ishida nous racontera ses expéditions, un de ces jours. Cela vous plairait-il ?

— Extrêmement. En dehors de lui, je ne connais personne qui se soit rendu sur le continent.

— Le voyage est des plus dangereux. En plus des tempêtes, la mer est infestée de pirates.

Kaede se dit qu'elle aurait préféré affronter une douzaine d'ours ou une vingtaine de pirates plutôt que de rester avec cet homme déconcertant. Elle ne savait de quoi parler encore pour faire diversion. En fait, elle n'avait même pas la force de bouger.

— Mamoru et Ishida m'ont évoqué les bruits qui courent sur votre compte. Il semblerait que vous désirer revienne à se condamner à mort.

Kaede garda le silence. « Je n'ai pas à avoir honte, songea-t-elle. Je n'ai rien fait de mal. » Elle leva les yeux et le regarda en face. Le visage paisible, elle soutint son regard.

— D'après ce que m'a rapporté Ishida, cependant, il existe un homme que son désir pour vous n'a pas mené au trépas.

Son cœur bondit dans sa poitrine, et elle songea au sursaut du poisson quand il sent sa chair vivante percée par le couteau du cuisinier. Elle battit des paupières, perçut une contraction nerveuse dans sa joue. Il avait détourné les yeux et contemplait la neige. « Il demande ce qu'il est interdit de demander, se dit-elle. Je vais lui répondre, mais il devra y mettre le prix. » L'aristocrate ayant dévoilé sa faiblesse, elle eut conscience de son propre pouvoir et commença à reprendre courage.

— Qui était-ce ? chuchota-t-il.

Le silence de la nuit n'était troublé que par la rumeur soyeuse de la neige, le bruit du vent dans les pins, le murmure de l'eau.

— Sire Otori Takeo, souffla-t-elle.

— Bien sûr, ce ne pouvait être que lui.

Elle se demanda en l'entendant ce qu'elle lui avait déjà révélé et ce qu'il savait maintenant de Takeo.

Il se pencha en avant, et son visage apparut dans le halo de la lampe.

— Racontez-moi.

— J'aurais beaucoup à raconter, dit-elle lentement. Sur la façon dont sire Shigeru a été trahi et assassiné, sur la vengeance de sire Takeo et sur tout ce qui s'est passé la nuit de la mort d'Iida et de la chute d'Inuyama. Mais toute histoire a son prix. Que me donnerez-vous en échange ?

Il sourit et demanda d'un ton complice :

— Que désire dame Shirakawa ?

— J'ai besoin d'argent pour engager et équiper des soldats, et de nourriture pour ma maisonnée.

Il faillit éclater de rire.

— La plupart des femmes de votre âge réclameraient un nouvel éventail ou une robe. Mais vous avez l'art de me surprendre.

— Acceptez-vous mon prix ?

Elle sentait qu'elle n'avait plus rien à perdre en se montrant hardie.

— Oui, j'accepte. Pour Iida, de l'argent. Pour Shigeru, des boisseaux de riz. Et pour celui qui vit — car je suppose qu'il est toujours vivant... Quel prix vais-je donc payer pour l'histoire de Takeo ?

Il changea de voix en prononçant ce nom, comme s'il le savourait, et elle se demanda de nouveau ce qu'il avait pu apprendre sur le compte de Takeo.

— Soyez mon professeur, dit-elle. J'ai tant à apprendre. Instruisez-moi comme si j'étais un garçon.

Il inclina la tête pour marquer son accord.

— Je serai ravi de continuer les leçons de votre père.

— Mais tout cela doit rester un secret entre nous. Comme les trésors de votre collection, mes récits doivent demeurer à l'abri. Mes révélations ne seront que pour vous seul. Personne d'autre ne doit les connaître.

— Elles n'en seront que plus précieuses et plus désirables.

— Nul avant vous n'a entendu ces choses, chuchota Kaede. Et, après que je vous les aurai dites, je n'en parlerai plus jamais.

Le vent s'était un peu enflé, et une bourrasque de neige assaillit la véranda de ses flocons qui se posèrent sur les lampes et les braseros en produisant un léger sifflement. Kaede sentit son corps gagné par le froid qui glaçait déjà son cœur et son esprit. Elle avait une envie désespérée de quitter enfin l'aristocrate, mais savait qu'elle devait attendre son autorisation.

— Vous avez froid, dit-il en claquant dans ses
mains.

Les serviteurs surgirent de l'ombre et aidèrent
Kaede à se lever et à se défaire de la lourde fourrure.

— Il me tarde d'entendre vos récits, dit-il en lui
souhaitant une bonne nuit avec une chaleur inaccoutumée.

Cependant Kaede se demanda malgré elle si elle
n'avait pas conclu un pacte avec un démon de l'enfer.
Elle priait le Ciel qu'il ne la demande pas en mariage.
Jamais elle ne se laisserait emprisonner par l'aristocrate dans cette demeure aussi belle que luxueuse,
comme un trésor caché qu'il serait seul à pouvoir
contempler.

À la fin de la semaine, elle rentra chez elle. La première neige avait fondu et gelé, de sorte que la route
était verglacée mais praticable. Des glaçons suspendus aux avant-toits des maisons fondaient peu à peu
au soleil, en gouttes étincelantes. Fujiwara avait tenu
parole. C'était un professeur rigoureux et exigeant, et
il lui avait donné une liste d'exercices avant son
départ. Il avait déjà fait distribuer de la nourriture à
sa maisonnée et à ses hommes.

Les journées avaient été consacrées à l'étude et les
nuits aux récits de Kaede. Elle devinait d'instinct ce
qu'il souhaitait entendre et lui donnait des détails
dont elle n'aurait pas cru elle-même se souvenir : la
couleur des fleurs, le chant des oiseaux, le temps qu'il
faisait à tel ou tel moment, le contact d'une main, la
façon dont une lampe avait illuminé un visage. Et la
trame cachée des désirs et des conspirations, dont
elle n'avait à l'époque qu'une conscience incertaine
et qui ne lui apparaissaient clairement que maintenant, en les racontant. Elle lui disait tout, d'une voix

limpide et musicale, sans trace de honte, de chagrin ni de regret.

Il ne la laissa repartir qu'à contrecœur, mais elle prit prétexte de ses sœurs pour s'excuser. Elle savait qu'il aurait voulu qu'elle reste pour toujours, et elle combattait ce désir en silence. Tout le monde semblait le partager, pourtant. Les serviteurs s'étaient faits à cette idée et leur attitude à son égard avait changé imperceptiblement. Ils s'en rapportaient à elle, comme si elle était déjà davantage qu'une invitée privilégiée. Ils recherchaient sa permission, son opinion, et elle était certaine qu'ils n'auraient pas agi ainsi sans ordres de leur maître.

En le quittant, elle éprouva un profond soulagement. L'idée de devoir revenir l'épouvantait. Quand elle arriva chez elle, cependant, en voyant la nourriture, le bois de chauffage et l'argent qu'il avait envoyés, elle lui fut reconnaissante d'avoir sauvé sa famille de la famine. Cette nuit-là, elle ne put trouver le sommeil. « Je suis prise au piège, songea-t-elle. Jamais je ne pourrai lui échapper. Cependant, quel autre choix s'offre à moi ? »

Elle mit longtemps à s'endormir et il était tard quand elle se leva le lendemain matin. À son réveil, Shizuka n'était pas dans la chambre. Elle l'appela, mais ce fut Ayame qui entra avec le thé.

Elle le servit tout en annonçant :

— Shizuka est avec Kondo. Il est revenu tard dans la nuit.

— Je veux la voir tout de suite, lança Kaede.

Elle regarda son thé comme si elle ne savait qu'en faire. Elle en but une gorgée, posa le bol sur le plateau, le saisit de nouveau. Ses mains était glacées. Elle essaya de les réchauffer en tenant le bol.

— Sire Fujiwara nous a envoyé ce thé, dit Ayame. Toute une boîte. N'est-il pas délicieux ?

— Va chercher Shizuka ! cria Kaede avec colère. Dis-lui de venir immédiatement !

Quelques instants plus tard, Shizuka entra dans la chambre et s'agenouilla devant elle. Son visage était sombre.

— Qu'y a-t-il ? demanda Kaede. Il est mort ?

Le bol commença à trembler dans ses mains et le thé menaça de se répandre. Shizuka lui retira le bol puis serra les mains de la jeune fille dans les siennes.

— Ne vous affligez pas ainsi. Il ne faut pas que vous tombiez malade. Il n'est pas mort. Mais il a quitté la Tribu, et ils ont lancé un édit contre lui.

— Qu'est-ce que cela signifie ?

— Vous vous rappelez ce qu'il vous a dit à Terayama ? Que, s'il refusait de rejoindre leurs rangs, ils ne le laisseraient pas en vie ? C'est ce qui arrive maintenant.

— Mais pourquoi ? s'exclama Kaede. Pourquoi ? Je ne comprends pas.

— Les membres de la Tribu sont ainsi. À leurs yeux, l'obéissance passe avant tout.

— Pourquoi les a-t-il quittés, dans ce cas ?

— L'affaire n'est pas claire. On parle d'une dispute, d'un désaccord. Il a été envoyé en mission et n'est jamais revenu.

Après un silence, Shizuka reprit :

— Kondo pense qu'il pourrait se trouver à Terayama. Si c'est vrai, il y sera en sécurité pour la durée de l'hiver.

Kaede dégagea ses mains et se leva.

— Je dois me rendre là-bas.

— C'est impossible. Le temple est déjà coupé du monde par la neige.

— Il faut que je le voie !

Les yeux de la jeune fille resplendissaient dans son pâle visage.

— S'il a quitté la Tribu, il va redevenir un seigneur Otori. Nous pourrons nous marier !

— Noble dame ! s'exclama Shizuka en se levant à son tour. Quelle est cette folie ? Vous ne pouvez pas le rejoindre sur un simple coup de tête ! Même si les routes étaient praticables, ce serait impensable. Songez à ce que vous dites vous-même vouloir accomplir. Si vous voulez réussir, vous feriez mille fois mieux d'épouser sire Fujiwara. C'est ce qu'il désire lui-même.

Kaede avait peine à se maîtriser.

— Aucune puissance au monde ne pourra m'empêcher d'aller à Terayama. D'ailleurs, je devrais m'y rendre... en pèlerinage... pour remercier la compassion divine d'avoir sauvé ma vie... J'ai promis d'aller voir Araï à Inuyama dès la fonte des neiges. Je pourrai m'arrêter au temple sur le chemin. Même si sire Fujiwara désire m'épouser, il m'est impossible de prendre une décision sans consulter sire Araï. Ah ! Shizuka, quand le printemps viendra-t-il enfin ?

CHAPITRE IX

Les jours d'hiver semblaient interminables. Chaque mois, Kaede se rendait pour une semaine dans la résidence de sire Fujiwara. Elle lui racontait l'histoire de sa vie, la nuit, tandis que la neige tombait ou que la lune éclairait d'une lueur glacée le jardin couvert de givre. L'aristocrate l'accablait de questions, et lui faisait souvent répéter son récit.

— Ce pourrait être le sujet d'un drame, s'exclamat-il plus d'une fois. Peut-être devrais-je me hasarder à l'écrire.

— Vous ne pourriez montrer votre œuvre à personne, observait-elle.

— Non, l'écrire suffirait à faire mon délice. Je le partagerais avec vous, bien sûr. Nous pourrions le faire représenter une fois pour notre seul plaisir, après quoi nous ferions mettre à mort les acteurs.

Il faisait souvent ce genre de remarques, sans trahir la moindre émotion. Elle en était de plus en plus alarmée, quoiqu'elle ne laissât rien transparaître de ses craintes. Chaque fois qu'elle reprenait son récit, son visage ressemblait davantage à un masque, ses mouvements se faisaient plus étudiés, comme si elle représentait sans fin sa vie sur une scène qu'il avait créée avec le même soin minutieux qu'il avait apporté à construire le théâtre admirable où Mamoru et ses pairs jouaient leurs rôles.

Dans la journée, il tenait sa promesse et l'instruisait comme si elle était un garçon. Il s'adressait à elle dans le langage des hommes, et lui demandait de lui répondre de même. Parfois, il s'amusait à lui faire revêtir les vêtements de Mamoru, en nouant ses cheveux en arrière. Jouer un rôle en permanence l'épuisait — mais elle apprenait.

Fujiwara fut également fidèle à ses autres engagements. Il faisait apporter de la nourriture chez elle et remettait de l'argent à Shizuka à la fin de chaque visite. Kaede le comptait avec la même avidité qu'elle mettait à étudier. Dans les deux cas, il lui semblait préparer l'avenir en s'assurant le pouvoir et la liberté.

Vers le début du printemps, un brusque refroidissement du temps fit geler les fleurs de prunier sur les branches. L'impatience de Kaede grandissait au fur et à mesure que les journées s'allongeaient. Cette nouvelle vague de froid accompagnée de gelée puis de neige la rendit presque folle. Elle sentait son esprit se débattre aussi désespérément qu'un oiseau prisonnier dans sa cage, mais elle n'osait partager ses sentiments avec personne, pas même avec Shizuka.

Les jours de soleil, elle se rendait aux écuries et regardait Raku lorsque Amano lâchait les chevaux dans les prairies inondées pour qu'ils galopent. Le petit cheval semblait souvent scruter le Nord-Est d'un air interrogateur, en humant le vent glacé.

« Bientôt, lui promettait-elle. Bientôt nous serons sur la route. »

La pleine lune du troisième mois arriva enfin et apporta avec elle un tiède vent du sud. Kaede s'éveilla au son de l'eau dégouttant des avant-toits, ruisselant à travers le jardin, se déversant sur les cascades. Trois jours plus tard, la neige avait disparu. Le monde apparaissait nu et boueux, en attendant de s'emplir à nouveau de bruits et de couleurs.

— Je dois m'absenter pour un temps, annonça-t-elle lors de sa dernière visite à l'aristocrate. Sire Araï m'a invitée à le rejoindre à Inuyama.

— Vous comptez lui demander la permission de vous marier ?

— Je ne puis rien décider avant d'en avoir discuté avec lui, murmura-t-elle.

— Dans ce cas, je consens à votre départ.

Il infléchit légèrement ses lèvres, mais son sourire ne monta pas jusqu'à ses yeux.

Depuis un mois, elle s'était livrée à des préparatifs en attendant le dégel, pleine de gratitude pour l'argent donné par Fujiwara. Elle partit une semaine plus tard, par une matinée froide et lumineuse où le soleil jouait à cache-cache avec les nuées rapides tandis que soufflait le vent d'est, froid et vivifiant. Hana l'avait suppliée de lui permettre de l'accompagner, et sa première intention fut de l'emmener. Mais elle fut prise de peur à l'idée qu'une fois à Inuyama sa sœur puisse être retenue en otage par Araï. Pour le moment, Hana était davantage en sûreté chez elle. Même si elle avait peine à se l'avouer à elle-même, Kaede n'était d'ailleurs pas certaine de se rendre à la capitale si jamais Takeo se trouvait à Terayama. Aï n'avait aucune envie de venir. Quant à Mitsuru, son otage, elle le laissa avec Shoji comme une garantie pour sa propre sécurité.

Elle emmena avec elle Kondo, Amano et six autres hommes. Elle voulait voyager vite, car elle n'oubliait jamais combien une vie pouvait être brève et combien chaque heure était précieuse. Elle était habillée comme un homme et montait Raku. Il n'avait presque pas maigri, malgré la mauvaise saison, et il avançait avec une ardeur égale à celle de sa cavalière.

Comme il perdait déjà son pelage d'hiver, des poils gris et rêches s'accrochaient aux vêtements de Kaede.

Elle était accompagnée de Shizuka ainsi que d'une servante de la maison, nommée Manami. Shizuka avait décidé de suivre Kaede au moins jusqu'à Terayama puis de la laisser continuer vers la capitale tandis qu'elle-même se rendrait chez ses grands-parents, dans les montagnes derrière Yamagata, afin de voir ses fils. Manami était une femme sensée et pragmatique qui se chargea bientôt de veiller sur leur confort dans les auberges où ils faisaient halte. Elle exigeait que leur eau et leurs repas soient chauds, discutait les prix, intimidait les aubergistes et arrivait toujours à ses fins.

— Je n'ai pas à m'inquiéter sur votre sort après mon départ, déclara Shizuka la troisième nuit après l'avoir entendue réprimander l'aubergiste qui avait osé leur donner des lits infestés de puces. Je vous laisse entre de bonnes mains. Je crois que Manami serait capable de terroriser un ogre.

— Tu vas me manquer, dit Kaede. Il me semble que tu es mon courage. Je ne sais pas ce que deviendra ma bravoure sans toi. Et qui me dira ce qui se cache derrière tous les mensonges et les faux-semblants?

— Je crois que vous savez très bien vous y reconnaître vous-même. Du reste, Kondo sera avec vous. Vous ferez une bien meilleure impression sur Araï sans moi!

— À quoi dois-je m'attendre de sa part?

— Il a toujours pris votre parti, et il continuera à soutenir votre cause. C'est un homme loyal et généreux, tant qu'il n'a pas l'impression d'avoir été trompé ou offensé.

— Il est impulsif, me semble-t-il.

— Oui, au point de se montrer imprudent. Il a du tempérament, dans tous les sens du terme. Il est aussi têtu que passionné.

— Tu l'as beaucoup aimé ?

— J'étais si jeune. Il a été mon premier amant. J'étais profondément amoureuse de lui, et sans doute m'a-t-il aimée à sa manière. Il est resté avec moi pendant quatorze ans.

— Je le supplierai de te pardonner ! s'exclama Kaede.

— Je ne sais ce que je redoute le plus, de son pardon ou de sa fureur, avoua Shizuka.

Elle songeait au docteur Ishida et à leur liaison aussi discrète que comblante, qui s'était poursuivie tout au long de l'hiver.

— Dans ce cas, je ferais mieux de ne même pas mentionner ton nom.

— Le silence est souvent la meilleure solution, approuva Shizuka. De toute façon, il sera surtout intéressé par votre mariage et par les alliances qu'il pourrait lui permettre de conclure.

— Je ne me marierai pas avant d'avoir obtenu Maruyama. Il devra d'abord m'aider à y parvenir.

« Mais avant tout, pensa-t-elle, il faut que je voie Takeo. S'il n'est pas à Terayama, je l'oublierai. Ce sera le signe que le destin s'oppose à notre union. Ciel miséricordieux, faites qu'il soit là ! »

Au fur et à mesure que la route gravissait la montagne, le dégel se faisait moins apparent. Des plaques de neige recouvraient encore les chemins par endroits, et le sol était souvent verglacé. Bien qu'on eût enveloppé les sabots des chevaux dans de la paille, ils avançaient lentement et l'impatience de Kaede grandissait.

Un soir, presque à la nuit tombée, ils arrivèrent enfin au pied de la montagne sacrée, dans l'auberge où Kaede s'était reposée lors de sa première visite au temple en compagnie de dame Maruyama. Ils devaient y passer la nuit avant d'entreprendre leur dernière ascension le lendemain.

Le sommeil de Kaede fut agité, troublé par le souvenir des compagnons de son premier voyage dont les noms s'inscrivaient maintenant dans le grand livre des morts. Elle se rappela le jour où ils étaient partis ensemble à cheval. Ils avaient tous l'air si allègres, alors qu'ils tramaient en secret la guerre et l'assassinat. Elle ignorait tout cela, dans sa candeur d'adolescente rêvant à son amour secret. Elle se sentit envahie d'une pitié méprisante pour l'ingénue qu'elle avait été. Tout en elle avait changé, sauf l'amour.

Le jour pâlissait derrière les volets et les oiseaux chantaient. La chambre lui parut étouffante, intenable. Manami ronflait légèrement. Kaede se leva sans faire de bruit, revêtit une robe doublée et ouvrit la porte donnant sur la cour. De l'autre côté du mur, les chevaux attachés trépignaient nerveusement. Elle entendit l'un d'eux hennir comme s'il reconnaissait quelqu'un. « Les hommes doivent être déjà levés », se dit-elle. Des pas résonnèrent sous le portail, et elle retourna s'abriter derrière le volet.

Tout apparaissait brumeux et indistinct à la lueur de l'aube. Une silhouette pénétra dans la cour. « C'est lui », pensa-t-elle. Puis : « Impossible. »

Takeo émergea du brouillard et s'avança vers elle.

Elle fit quelques pas dans la véranda et vit l'expression de son visage quand il la reconnut. « Tout va bien, se dit-elle avec un soulagement empreint de gratitude. Il est vivant. Il m'aime. »

Il la rejoignit silencieusement dans la véranda et tomba à genoux devant elle.

Elle s'agenouilla à son tour et chuchota :

— Asseyez-vous.

Il obéit, et ils se contemplèrent un long moment. Elle semblait vouloir s'enivrer de son visage, alors qu'il la regardait de biais, en évitant de rencontrer ses yeux. Leur attitude était embarrassée — si profond était leur lien, si intense leur désir.

Takeo se décida enfin à parler :

— J'ai vu mon cheval. Je savais que vous deviez être ici, mais je n'arrivais pas à y croire.

— J'ai appris que vous vous trouviez à Terayama. En grand danger, mais vivant.

— Le danger n'est pas si grand. Le seul que je redoute vient de vous, si vous ne pouvez me pardonner.

— Je ne peux pas ne pas vous pardonner, répondit-elle simplement. Du moins, tant que vous ne m'abandonnerez pas de nouveau.

— J'ai entendu dire que vous alliez vous marier. J'ai vécu dans cette crainte tout l'hiver.

— Quelqu'un veut m'épouser, c'est vrai : sire Fujiwara. Mais nous ne sommes encore même pas fiancés.

— Alors nous devons nous marier sur-le-champ. Comptiez-vous vous rendre au temple ?

— C'était mon intention. Ensuite, je devais aller à Inuyama.

Elle étudiait son visage. Il avait l'air plus vieux, son ossature semblait plus prononcée, sa bouche plus décidée. Ses cheveux étaient moins longs et n'étaient pas rejetés en arrière, comme ceux des guerriers, mais retombaient en mèches épaisses et lustrées sur son front.

— Je vais envoyer des hommes vous escorter jusqu'au sommet de la montagne. J'irai vous voir ce soir dans l'hôtellerie des femmes. Nous avons tant de projets à mettre au point.

Il ajouta :

— Ne me regardez pas dans les yeux. Je n'ai pas envie que vous vous endormiez.

— Peu m'importe, répliqua-t-elle. Je dors si peu. Plongez-moi dans le sommeil jusqu'à ce soir, que je ne voie pas passer les heures. Quand vous m'avez endormie, lors de notre dernière rencontre, la Déesse Blanche m'est apparue. Elle m'a dit d'être patiente, de vous attendre. Je suis ici pour la remercier de m'avoir conseillée, et de m'avoir sauvé la vie.

— J'ai su que vous étiez mourante, souffla-t-il.

Sa voix se brisa. Au bout d'un instant, il reprit non sans effort :

— Muto Shizuka vous a-t-elle accompagnée ?

— Oui.

— Et vous avez un serviteur qui appartient à la Tribu, Kondo Kiichi ?

Elle acquiesça de la tête.

— Il faut les renvoyer. Laissez ici vos autres hommes pour le moment. Avez-vous une servante qui puisse venir avec vous ?

— Oui, mais je ne pense pas que Shizuka vous ferait le moindre mal.

Avant même d'avoir achevé sa phrase, elle fut prise de doute : « Qu'en sais-je après tout ? Puis-je vraiment me fier à Shizuka ? Quant à Kondo, j'ai vu moi-même combien il est impitoyable. »

— Je suis condamné à mort par la Tribu, dit Takeo. Tous ses membres représentent un danger pour moi.

— Et n'est-il pas dangereux de sortir comme vous le faites à présent ?

Il sourit.

— Je n'ai jamais laissé personne me mettre en cage. J'aime explorer le monde la nuit. J'ai besoin de reconnaître le terrain, de vérifier si les Otori préparent une attaque contre moi de l'autre côté de la frontière. J'étais sur le chemin du retour quand j'ai vu Raku. Il m'a reconnu. Vous l'avez entendu ?

— Lui aussi vous attendait, dit-elle.

Elle se sentit soudain accablée de chagrin.

— Mais tout le monde veut donc votre mort ?

— Ils n'arriveront pas à me tuer. Pas encore. Je vous expliquerai pourquoi ce soir.

Elle brûlait d'envie de le serrer contre elle. Son corps se pencha vers lui presque malgré elle, et au même instant il la prit dans ses bras. Elle sentit son cœur battant, ses lèvres sur la nuque qu'elle inclinait.

Puis il chuchota :

— Quelqu'un s'est réveillé. Je dois m'en aller.

Elle n'entendait aucun bruit. Takeo l'écarta de lui avec douceur.

— À ce soir.

Elle le regarda en cherchant ses yeux, dans le vague espoir de sombrer dans le sommeil, mais il avait disparu. Elle poussa un cri de frayeur. Il n'y avait aucune trace de lui dans la cour ou derrière le portail. Le carillon tinta brusquement, comme si quelqu'un avait soufflé dessus en passant. Son cœur s'affola. Avait-elle reçu la visite d'un fantôme ? Si elle avait rêvé, qu'allait-elle trouver à son réveil ?

— Que faites-vous dehors, noble dame ? lança Manami d'une voix vibrante d'inquiétude. Vous allez mourir de froid.

Kaede se serra plus étroitement dans sa robe. La servante avait raison, elle frissonnait.

— Je n'arrivais pas à dormir, dit-elle lentement. J'ai fait un rêve...

— Rentrez vite. Je vais demander qu'on vous prépare du thé.

Manami enfila ses sandales et traversa la cour en hâte.

Des hirondelles sillonnaient l'air comme des éclairs. Kaede sentit l'odeur de la fumée lorsqu'on alluma les feux de bois. Les chevaux hennirent en voyant arriver leur pâture. Comme la veille, elle entendit la voix de Raku. Le froid était vif, mais elle respira un parfum de fleurs et son cœur se gonfla d'espoir. Elle n'avait pas rêvé. Il était là. Dans quelques heures, ils seraient réunis. Elle n'avait pas envie de rentrer. Elle aurait voulu rester où elle était, perdue dans le souvenir de son visage, de sa caresse, de son odeur.

Manami revint en apportant le plateau du thé. Elle gronda de nouveau sa maîtresse et la força à rentrer dans la chambre. Shizuka était en train de s'habiller. Elle jeta un coup d'œil sur Kaede et s'exclama :

— Vous avez vu Takeo ?

La jeune fille ne répondit pas sur-le-champ. Elle prit un bol de thé qu'elle but lentement. Elle avait le sentiment qu'elle ne devait pas parler à la légère : Shizuka appartenait à la Tribu, laquelle avait condamné à mort Takeo. Elle avait affirmé à ce dernier que Shizuka ne lui ferait aucun mal, mais qu'en savait-elle ? Cependant, elle se sentait incapable de rester impassible. Elle ne pouvait s'empêcher de sourire, comme si son masque était enfin tombé.

— Je vais me rendre au temple, dit-elle. Il faut que je me prépare. Manami m'accompagnera. Shizuka, tu peux partir dès maintenant rendre visite à tes fils. Emmène donc Kondo avec toi.

— Je croyais qu'il devait vous suivre à Terayama, répliqua Shizuka.

— J'ai changé d'avis. Il faut qu'il t'accompagne. Partez tous les deux immédiatement, vous n'avez pas une minute à perdre.

— J'imagine que ce sont les ordres de Takeo. Inutile de feindre avec moi. Je sais que vous l'avez vu.

— Je lui ai dit que tu ne lui ferais pas de mal. Est-ce vrai ?

— À quoi bon me le demander ? lança sèchement Shizuka. Si je ne le vois pas, je ne peux rien lui faire. Mais combien de temps comptez-vous séjourner dans le temple ? N'oubliez pas qu'Araï vous attend à Inuyama.

— Je ne sais pas. Tout dépend de Takeo.

Kaede ne put se retenir d'ajouter :

— Il a dit que nous devions nous marier. Rien ne pourra nous en empêcher.

— Vous ne devez rien faire avant d'avoir vu Araï, dit Shizuka d'une voix pressante. Un mariage sans son approbation serait une insulte pour lui. Il se sentirait profondément blessé. Vous ne pouvez pas vous permettre de vous en faire un ennemi alors qu'il est votre allié le plus puissant. Et avez-vous pensé à sire Fujiwara ? Vous êtes pour ainsi dire fiancés. Voulez-vous également l'offenser ?

— Je ne peux pas épouser Fujiwara ! cria Kaede. Il est mieux placé que quiconque pour savoir que je ne peux épouser que Takeo. J'apporte la mort à tous les autres hommes. Mais je suis la vie de Takeo, et il est ma vie.

— Ce n'est pas ainsi que le monde fonctionne. Souvenez-vous de ce que vous a dit dame Maruyama sur ces seigneurs et ces guerriers qui n'hésitent pas un instant à écraser une femme s'ils pensent qu'elle remet en cause leur pouvoir sur elle. Fujiwara est persuadé qu'il va vous épouser. Il est probable qu'il a déjà consulté Araï à ce sujet, et ce dernier ne peut qu'approuver un tel parti. Outre cela, Takeo est condamné par la Tribu. Il ne peut survivre seul contre tous. Ne me regardez pas ainsi. Croyez-vous que je sois heureuse de blesser vos sentiments ? Si je vous parle si durement, c'est justement parce que je

351

tiens à vous. Je pourrais vous jurer que je ne lui ferai jamais de mal, mais cela ne changerait rien : des centaines d'assassins sont maintenant lancés à ses trousses. Tôt ou tard, l'un d'eux réussira. Personne ne peut échapper indéfiniment à la Tribu. Vous devez vous faire à l'idée que son destin est scellé. Que ferez-vous après sa mort, quand vous vous serez brouillée avec tous vos partisans ? Non seulement vous devrez renoncer à Maruyama, mais vous perdrez Shirakawa. Et vous entraînerez vos sœurs dans votre perte. Araï est votre suzerain. Vous devez vous rendre à Inuyama et accepter le mariage qu'il aura décidé pour vous, sous peine de vous attirer ses foudres. Croyez-moi, je sais comment il réagit.

— Araï peut-il empêcher la venue du printemps ? Peut-il interdire à la neige de fondre à la belle saison ?

— Les hommes aiment à penser qu'ils en sont capables. Pour parvenir à leurs fins, les femmes doivent flatter cette illusion et non la combattre.

— Sire Araï devra s'arranger autrement, dit Kaede à voix basse. Fais tes préparatifs. Il faut que Kondo et toi soyez partis dans une heure.

Elle se détourna. Son cœur battait à tout rompre, son corps tremblait d'excitation. Elle ne pouvait penser à rien d'autre qu'à l'instant où elle le retrouverait. À l'idée de le voir, de sentir sa présence si proche, sa fièvre se réveillait.

— Vous êtes folle, lança Shizuka. Vous avez perdu la raison. Vous allez faire votre malheur et celui de votre famille.

Comme pour confirmer les craintes de Shizuka, un brusque grondement retentit. La maison gémit, les écrans vibrèrent, le carillon tinta follement tandis que la terre tremblait sous leurs pieds.

CHAPITRE X

Dès que la neige commença à fondre et que le dégel s'annonça, le bruit se répandit comme une eau courante que je me trouvais à Terayama et me préparais à affronter les seigneurs Otori pour recueillir mon héritage. Et comme l'eau qui court, faible ruisseau d'abord puis flot irrésistible, des guerriers se mirent en route vers le temple dans la montagne. Certains avaient perdu leur maître, mais la plupart étaient des Otori me reconnaissant comme l'héritier légitime de sire Shigeru. Mon histoire était d'ores et déjà une légende, et je semblais être devenu un héros non seulement pour les jeunes gens de la classe des guerriers mais aussi pour les fermiers et les villageois du domaine Otori, réduits au désespoir par la rigueur de l'hiver, l'augmentation des impôts et la sévérité accrue des lois imposées par Shoichi et Masahiro, les oncles de sire Shigeru.

L'air était rempli de la rumeur du printemps. Les saules avaient revêtu leurs feuillages d'un vert doré. Des hirondelles passaient comme des flèches au-dessus des champs inondés et construisaient leurs nids sous les avant-toits des bâtiments du temple. Chaque nuit, les appels des batraciens se faisaient plus assourdissants. On distinguait la grenouille des pluies au cri puissant, la rainette lançant sans trêve ses brefs appels, sans oublier le petit crapaud dont la voix grêle rappelle une clochette. Les fleurs s'épanouissaient à l'envi le long des levées : cresson amer, bouton-d'or et vesce aux corolles d'un rose éclatant. Les hérons et les cigognes, les ibis et les grues avaient retrouvé le chemin des fleuves et des mares.

L'abbé Matsuda Shingen mit à ma disposition la fortune considérable du temple, et avec son aide je passai les premières semaines du printemps à organiser les hommes qui se joignaient à moi, à les équiper et à les armer. Des forgerons et des armuriers venus de Yamagata et d'autres villes installèrent leurs ateliers au pied de la montagne sacrée. Chaque jour, des maquignons affluaient dans l'espoir de faire de bonnes affaires, et ils étaient rarement déçus car j'achetais tous les chevaux que je pouvais. Quels que soient le nombre de mes soldats et la qualité de leur équipement, mes meilleures armes resteraient toujours la surprise et la rapidité. Je n'avais ni le temps ni les ressources nécessaires pour lever une énorme armée de fantassins, comme Araï. Je devais m'appuyer sur une troupe de cavaliers, peu nombreux mais beaucoup plus mobiles.

Parmi les premiers arrivants figuraient Kahei et Gemba, les deux frères Miyoshi, mes anciens compagnons d'entraînement à Hagi. Ces séances où nous combattions avec des sabres de bois paraissaient maintenant incroyablement lointaines. Leur venue était importante à mes yeux, beaucoup plus qu'ils ne le supposaient eux-mêmes tandis qu'ils tombaient à genoux et me priaient de leur permettre de se joindre à moi. Elle signifiait que les meilleurs des Otori n'avaient pas oublié sire Shigeru. Ils amenaient trente hommes avec eux, ainsi que des nouvelles de Hagi qui n'étaient pas moins bienvenues.

— Shoichi et Masahiro sont au courant de votre retour, me dit Kahei.

Il avait plusieurs années de plus que moi et une certaine expérience de la guerre, car il avait participé à la bataille de Yaegahara alors qu'il n'avait que quatorze ans.

— Cependant, ils ne s'en inquiètent guère. Ils croient qu'une brève escarmouche suffira à vous mettre en déroute.

Il m'adressa un large sourire et ajouta :

— Je ne veux pas vous offenser, mais ils vous considèrent plus ou moins comme un gringalet...

— Ils ne m'ont jamais vu sous un autre jour, répliquai-je.

Je me souvins d'Abe, ce guerrier de la suite d'Iida qui avait cru la même chose, avant de voir son opinion corrigée par Jato.

— Du reste, ils n'ont pas absolument tort. Il est vrai que je suis jeune et que je ne connais que la théorie de la guerre, non sa pratique. Mais j'ai la justice de mon côté, et j'accomplis la volonté de sire Shigeru.

— Les gens disent que vous êtes favorisé par le Ciel, dit Gemba. On raconte que vous avez reçu des pouvoirs qui ne sont pas de ce monde.

— Nous sommes tous au courant ! intervint Kahei. Vous rappelez-vous le combat avec Yoshitomi ? Mais à ses yeux vos pouvoirs ne venaient pas du Ciel mais de l'enfer.

Lors d'une reprise, j'avais affronté le fils de Masahiro. Il maniait mieux le sabre que moi, à l'époque, mais j'avais d'autres talents qu'il prenait pour de la tricherie et dont je m'étais servi pour l'empêcher de me tuer.

— Se sont-ils emparés de ma maison et de mes terres ? demandai-je. J'ai entendu dire qu'ils en avaient l'intention.

— Ils n'ont pas encore osé, principalement du fait de l'opposition de notre vieux maître, Ichiro. Il leur a fait comprendre qu'il ne céderait pas sans combattre. Les seigneurs hésitent à entrer en conflit avec lui et ce qui reste des hommes de Shigeru, qui désormais sont à vous.

Je fus soulagé d'apprendre qu'Ichiro était toujours en vie. J'espérais qu'il se rendrait bientôt au temple, où je pourrais assurer sa protection. Depuis le dégel, je m'attendais chaque jour à son arrivée.

— De plus, ils se méfient des gens de la ville, glissa Gemba. Ils ne veulent provoquer personne, tant ils redoutent un soulèvement.

— Ils ont toujours préféré comploter en cachette, observai-je.

— C'est ce qu'ils appellent négocier, lança Kahei. Ont-ils essayé de traiter avec vous ?

— Je suis sans aucune nouvelle d'eux. Du reste, il n'y a rien à négocier. Ils sont responsables de la mort de sire Shigeru. Ils ont tenté de le faire assassiner dans sa propre maison et, après l'échec de cette tentative, ils l'ont livré à Iida. Il est hors de question que je conclue un accord avec eux, même s'ils me le demandent.

— Quelle stratégie comptez-vous adopter ? demanda Kahei en plissant les yeux.

— Je ne suis pas en état d'attaquer les seigneurs Otori à Hagi. Pour cela, il me faudrait des ressources bien supérieures à celles dont je dispose. Je pense entrer en contact avec Araï... Mais je ne bougerai pas avant l'arrivée d'Ichiro. Il a dit qu'il viendrait dès que la route serait dégagée.

— Envoyez-nous à Inuyama. La sœur de notre mère est mariée à un guerrier de la suite d'Araï. Nous pourrons tenter de découvrir si l'hiver a modifié l'attitude du seigneur à votre égard.

— J'y songerai le moment venu, assurai-je, heureux d'avoir ainsi un moyen de l'approcher indirectement.

Cependant, je ne dis pas aux deux frères, ni à quiconque, que j'avais d'ores et déjà décidé de me rendre avant toute chose auprès de Kaede où qu'elle soit, afin de l'épouser et de prendre possession avec elle des domaines de Shirakawa et de Maruyama. Si du moins elle n'était pas mariée, et si elle voulait encore de moi...

Chaque nouveau jour de printemps me rendait plus impatient. Le temps était capricieux, faisant alterner des heures de soleil avec des bourrasques de vent glacé. Les pruniers fleurirent sous une averse de grêle. Même lorsque les bourgeons des cerisiers se gonflèrent à leur tour, le froid persista. Pourtant le printemps était partout à l'œuvre, et je le sentais s'épanouir dans mon propre sang. Après la vie disciplinée que j'avais menée tout l'hiver, j'étais plus en forme que jamais, pour le physique comme pour le moral. Grâce à l'enseignement de Matsuda, à son affection inébranlable, à la certitude d'être un véritable Otori, j'avais repris confiance en moi. Ma nature divisée me déchirait moins qu'auparavant, je me sentais moins partagé entre des loyautés contradictoires. Rien ne transparaissait de l'impatience qui me rongeait. J'apprenais à ne rien montrer au monde extérieur. Mais la nuit mes pensées étaient hantées par Kaede et mon désir se réveillait. Elle me manquait cruellement, je redoutais qu'elle ne fût mariée, à jamais perdue pour moi. Quand le sommeil me fuyait, je me glissais hors de ma chambre et quittais

357

le temple pour explorer les environs, en poussant parfois jusqu'à Yamagata. Les heures de méditation, d'étude et d'entraînement avaient aiguisé mes talents au point que je ne craignais plus d'être découvert.

Je retrouvais chaque jour Makoto pour étudier avec lui, mais nous étions tacitement convenus de ne pas nous toucher. Notre amitié se situait désormais sur un autre plan, et je sentais qu'elle durerait ainsi toute notre vie. Du reste, je ne couchais pas non plus avec des femmes. L'accès du temple lui-même leur était interdit, et la peur d'être assassiné m'éloignait des bordels, sans compter que je n'avais pas envie de concevoir encore un enfant. Je pensais souvent à Yuki. Je ne pus m'empêcher de passer devant la maison de ses parents, au cœur d'une nuit sans lune du second mois. Les fleurs immaculées du prunier luisaient dans l'obscurité, mais aucune lumière n'éclairait la façade et seul un garde veillait à l'entrée. J'avais entendu dire que la demeure avait été mise à sac par les hommes d'Araï durant l'automne. Elle semblait déserte, maintenant, et même l'odeur du soja en fermentation s'était dissipée.

Je songeais à notre enfant. J'étais sûr que ce serait un garçon, que la Tribu élèverait dans la haine de son père afin qu'il accomplisse, selon toute probabilité, la prophétie de la vieille aveugle. Connaître l'avenir ne signifiait pas que je pourrais y échapper : ainsi le voulait l'amère tristesse de la vie humaine.

Je me demandais où Yuki se trouvait, à présent. Peut-être dans quelque village secret et lointain, au nord de Matsue. Je n'oubliais pas non plus son père, Kenji, qui devait sans doute être plus près de moi, dans l'un des villages Muto dispersés dans la montagne. Il ignorait que le réseau des cachettes de la Tribu n'avait plus de secret pour moi, grâce aux registres de sire Shigeru que j'avais passé l'hiver à apprendre par cœur. Je n'étais pas encore sûr du parti que j'en tirerais. En profiterais-je pour acquérir le pardon et l'amitié d'Araï, ou m'en servirais-je moi-même pour anéantir l'organisation secrète qui m'avait condamné à mort ?

Il y avait bien longtemps de cela, Kenji avait juré de me protéger toute ma vie. Je regardais cette promesse comme une nouvelle preuve de sa perfidie et je ne lui avais pas pardonné d'avoir trahi sire Shigeru. Cependant, je savais aussi que sans lui j'aurais été incapable d'accomplir ma vengeance, et je ne pouvais oublier qu'il était retourné avec moi dans le château, en cette nuit tragique. Si j'avais pu appeler quelqu'un à l'aide, ç'aurait été lui, mais je ne pensais pas qu'il transgresserait jamais les lois de la Tribu. Notre rencontre, si elle avait lieu, serait celle de deux ennemis cherchant chacun à tuer l'autre.

Un jour que je rentrais à l'aube, j'entendis le halètement rapide d'un animal et surpris un loup sur le chemin. Il sentait mon odeur, mais ne pouvait me voir. J'étais assez près de lui pour distinguer les poils roussâtres luisant derrière ses oreilles, pour respirer son haleine. Il poussa un grognement apeuré, recula et détala dans le sous-bois. Je l'entendis s'arrêter pour flairer l'air de nouveau, avec son odorat aussi aiguisé que mon ouïe. Les deux mondes de nos sens se chevauchaient : le mien était dominé par les sons, le sien par les odeurs. Je me demandais ce que je ressentirais en pénétrant dans le royaume sauvage et solitaire du loup. Les membres de la Tribu m'appelaient le Chien, mais je préférais me comparer à ce loup, car comme lui je n'avais plus de maître.

Plus tard encore, un matin, je reconnus Raku, mon cheval. Le troisième mois tirait à sa fin et les cerisiers étaient sur le point de fleurir. Je remontais le chemin escarpé tandis que le ciel s'éclaircissait, en regardant les sommets encore enneigés se teinter de rose au soleil. J'aperçus des chevaux inconnus attachés à l'extérieur de l'auberge. Personne ne semblait levé, bien qu'il me semblât entendre le bruit d'un volet qu'on ouvrait au fond de la cour. Comme toujours, j'examinai un à un les chevaux, et à l'instant même où je reconnus la robe grise et la crinière noire de Raku il tourna la tête, me vit et poussa un hennissement joyeux.

J'avais fait présent à Kaede de ce cheval qui était presque le seul bien qui me restait après la chute d'Inuyama. Était-il possible qu'elle l'ait vendu ou donné ? Ou l'avait-il amenée en ces lieux pour me la rendre ?

Entre les écuries et les chambres de l'auberge s'étendait une cour étroite, égayée par des pins et des lanternes de pierre. Je m'y avançai. Quelqu'un était réveillé : j'entendais une respiration derrière les volets. Je me dirigeai vers la véranda, ne pouvant croire que j'allais la revoir et pourtant certain en moi-même qu'elle allait m'apparaître d'un instant à l'autre.

Elle était plus ravissante encore que dans mon souvenir. La maladie l'avait amaigrie, accentuant encore sa fragilité, mais la beauté de son ossature délicate, la finesse de ses poignets et de son cou n'en ressortaient que mieux. Mon cœur battait si fort que je n'entendais plus la rumeur du monde. Puis je me rendis compte que nous pourrions être seuls quelques instants, avant que l'auberge ne s'éveille, et je m'avançai pour tomber à genoux devant elle.

*

Je n'entendis que trop tôt les femmes se réveiller dans la chambre. Je me rendis invisible et m'éclipsai. En entendant Kaede pousser un cri de frayeur, je me rappelai que je ne lui avais pas encore parlé des talents que j'avais hérités de la Tribu. Il fallait que nous parlions de tant de choses : aurions-nous jamais assez de temps ? Le carillon se mit à tinter quand je passai à côté. Je vis mon cheval me chercher vainement du regard. Puis je redevins visible et remontai à grands pas le chemin, plein d'une énergie joyeuse, comme si j'avais bu quelque philtre magique. Kaede était à Terayama. Elle n'était pas mariée. Elle allait m'appartenir.

Comme tous les jours, je me rendis au cimetière pour m'agenouiller devant la tombe de sire Shigeru. Les lieux étaient déserts, à cette heure matinale, et la pénombre régnait sous les cèdres. Le soleil effleurait leurs cimes. À l'autre bout de la vallée, les versants étaient voilés de brume si bien que les sommets semblaient flotter au-dessus d'un océan écumeux.

La cascade poursuivait son babillage incessant, auquel faisait écho le murmure plus discret de l'eau se déversant par des gouttières et des tuyaux dans les bassins et les citernes du jardin. J'entendais les prières des moines, le rythme régulier des sutras, l'appel soudain et limpide d'une cloche. J'étais heureux que sire Shigeru reposât dans cet endroit paisible. Je m'adressai à son esprit, l'implorai de me communiquer sa force et sa sagesse. Bien qu'il le sût sans doute déjà, je lui dis que j'allais accomplir ses dernières volontés. Et que, pour commencer, j'allais épouser Shirakawa Kaede.

La terre se mit soudain à trembler violemment. J'eus aussitôt la certitude que j'avais pris la bonne décision, et aussi qu'il ne fallait pas perdre une minute : nous devions nous marier sur-le-champ.

Je perçus un changement dans la rumeur de l'eau et tournai la tête. Dans la vaste pièce d'eau, les carpes se pressaient et s'agitaient juste sous la surface, qui chatoyait comme un tapis rouge et or. Makoto leur donnait à manger, en les contemplant avec un visage calme et serein.

Mes yeux s'emplirent de rouge et d'or, les couleurs de la chance, les couleurs du mariage.

Il vit que je le regardais et me lança :

— Où étiez-vous ? Vous avez manqué le premier repas.

— Je mangerai plus tard.

Je me relevai et me dirigeai vers lui. J'étais incapable de garder mon excitation pour moi.

— Dame Shirakawa est à Terayama. Voulez-vous l'escorter avec Kahei jusqu'à l'hôtellerie des femmes ?

Il jeta le reste du millet dans l'eau.

— Je vais prévenir Kahei. Quant à moi, je préfère ne pas y aller. Je ne veux pas lui rappeler le chagrin que je lui ai causé.

— Peut-être avez-vous raison. Oui, chargez Kahei de l'amener ici avant midi.

— Pourquoi est-elle venue ? demanda Makoto en me regardant du coin de l'œil.

— Elle fait un pèlerinage en signe de gratitude pour sa guérison. Mais maintenant qu'elle est ici j'ai l'intention de l'épouser.

— Rien que cela ?

Il éclata d'un rire sans joie.

— Pourquoi pas ?

— Je ne suis certes pas un expert en la matière, mais il me semble que dans les grandes familles du genre des Shirakawa ou des Otori les mariages ne peuvent se conclure sans le consentement des seigneurs du clan.

— Je suis le seigneur de mon clan et je donne mon consentement, répliquai-je d'un ton léger.

Je commençais à trouver qu'il faisait des histoires pour rien.

— Votre cas est particulier. Mais à qui dame Shirakawa doit-elle obéissance? Il se pourrait que sa famille ait d'autres projets pour elle.

— Elle n'a pas de famille.

Cette fois, la colère me gagnait.

— Ne faites pas l'idiot, Takeo. On a toujours une famille, surtout quand on est une jeune fille à marier et promise de surcroît à hériter de grands domaines.

— J'ai à la fois le droit légal et le devoir moral de l'épouser puisqu'elle était fiancée à mon père adoptif, lançai-je en m'échauffant quelque peu. Je ne fais que me conformer à la volonté expresse de sire Shigeru.

— Ne vous fâchez pas contre moi, reprit-il après un silence. Je connais vos sentiments pour elle. Je vous dis simplement ce que tout le monde vous dira.

— Elle m'aime autant que je l'aime!

— L'amour n'a rien à voir avec le mariage.

Il secoua la tête en me regardant comme si je n'étais qu'un enfant.

— Rien ne pourra m'arrêter! Elle est ici et je ne la laisserai pas m'échapper une seconde fois. Nous nous marierons dans la semaine.

La cloche du temple retentit. Un vieux moine traversa le jardin en nous jetant un regard désapprobateur. Makoto avait modéré sa voix tout au long de notre échange, mais je m'étais laissé aller à hausser le ton.

— Je dois me rendre à la méditation, dit-il. Peut-être devriez-vous en faire autant. Réfléchissez bien avant d'agir.

— C'est tout réfléchi. Allez donc méditer ! Je préviendrai Kahei moi-même, et ensuite je parlerai à l'abbé.

J'étais déjà en retard pour aller le rejoindre comme chaque matin afin de m'entraîner avec lui au sabre pendant deux heures. Je me hâtai d'aller trouver les frères Miyoshi, que je rattrapai alors qu'ils descendaient la colline pour un rendez-vous avec un armurier.

— Escorter dame Shirakawa ? s'exclama Kahei. Est-il bien prudent de l'approcher ?

— Pourquoi dites-vous ça ? demandai-je.

— Je ne voudrais pas vous offenser, Takeo, mais tout le monde connaît sa réputation. Elle apporte la mort aux hommes.

— Seulement s'ils la désirent, compléta Gemba.

En voyant mon expression, il ajouta :

— C'est ce que les gens disent !

Kahei continua d'un air sombre :

— On prétend également qu'elle est si belle qu'il est impossible de la voir sans la désirer. Vous nous envoyez à une mort certaine !

Je n'étais pas d'humeur à apprécier leurs pitreries, mais en les entendant je réalisai encore davantage combien il était essentiel que nous nous mariions. Kaede avait dit qu'elle ne se sentait en sécurité qu'avec moi, et je comprenais pourquoi. Seul notre mariage pourrait la sauver de la malédiction qui semblait peser sur elle. Je savais qu'elle ne serait jamais un danger pour moi. Les autres hommes qui l'avaient désirée étaient morts, mais mon corps s'était uni au sien et j'étais toujours vivant.

Il n'était pas question que j'explique tout cela aux frères Miyoshi.

— Menez-la au plus tôt à l'hôtellerie des femmes, lançai-je sèchement. Assurez-vous qu'aucun de ses hommes ne l'accompagne, et aussi que Kondo Kiichi et Muto Shizuka partent dès aujourd'hui. Elle n'emmènera qu'une servante avec elle. Traitez-la avec la plus extrême courtoisie. Dites-lui que j'irai la voir vers l'heure du Singe.

— Takeo ignore vraiment la peur, marmonna Gemba.

— Je vais épouser dame Shirakawa.

Cette déclaration les fit sursauter. Voyant que j'étais sérieux, ils prirent le parti de se taire. Après s'être inclinés raidement, ils se rendirent en silence au corps de garde où ils réunirent cinq ou six hommes pour les accompagner. Une fois qu'ils eurent dépassé le portail, ils firent quelques plaisanteries à mes dépens à propos de la mante religieuse qui dévore son mâle — ils ne se doutaient pas que je les entendais parfaitement. Je fus tenté de les rattraper pour leur donner une leçon, mais je n'avais déjà que trop fait attendre l'abbé.

Tout en écoutant leurs rires s'éteindre au loin, je me hâtai vers la salle où avaient lieu nos séances d'entraînement. Mon maître était déjà là, vêtu de ses robes de prêtre. Je portais encore l'uniforme de mes explorations nocturnes, qui était une sorte d'adaptation du costume noir de la Tribu : des pantalons m'arrivant jusqu'aux genoux, des jambières et des bottes trouées. Cette tenue manquait d'élégance, mais convenait aussi bien pour se battre au sabre que pour escalader des murs ou courir sur des toits.

Matsuda ne semblait nullement gêné par ses longues jupes et ses larges manches. Alors que je finissais habituellement la séance hors d'haleine et ruisselant de sueur, il restait aussi lisse et frais que s'il sortait de deux heures de prière.

Je m'agenouillai devant lui en le priant d'excuser mon retard. Il me toisa avec une expression narquoise, mais se contenta de m'indiquer sans rien dire le râtelier où était placé mon bâton.

Je saisis le bâton de bois sombre, presque noir, plus long que Jato et beaucoup plus lourd. Depuis que je m'entraînais quotidiennement à le manier, les muscles de mes poignets et de mes bras avaient gagné en force et en souplesse et je semblais enfin être débarrassé de la douleur à ma main droite qu'Akio avait tordue à Inuyama. Au début, le bâton m'avait fait l'effet d'un cheval récalcitrant, refusant obstinément le mors, mais j'avais appris peu à peu à le maîtriser au point de le manipuler aussi aisément qu'une paire de baguettes.

En fait, il fallait faire preuve de la même précision que lors d'un combat réel, car le moindre faux mouvement pouvait fracasser un crâne ou briser une côte. Nous n'avions pas assez d'hommes pour risquer de nous tuer ou de nous blesser mutuellement en nous entraînant.

En soulevant mon bâton pour me mettre en position de combat, je me sentis accablé de fatigue. J'avais à peine dormi, la nuit précédente, et je n'avais rien mangé depuis le souper. Puis je pensai à Kaede, je la revis telle qu'elle m'était apparue à l'aube, assise dans la véranda. Un flot d'énergie m'inonda, et je compris en un éclair combien elle m'était entièrement nécessaire.

Habituellement, je n'étais pas un adversaire sérieux pour Matsuda. Mais j'étais comme métamorphosé, comme si tous les éléments de l'entraînement se fondaient maintenant en un tout. Je semblais habité par un esprit sauvage, indestructible, surgissant du cœur de mon être pour animer mon bras. Pour la première fois, je réalisai que j'avais quarante ans de moins que Matsuda. Je vis son âge et sa vulnérabilité, et je compris qu'il était à ma merci.

Je suspendis mon attaque et baissai la garde. Aussitôt, son bâton profita de l'espace laissé sans défense pour m'atteindre violemment au cou. Je restai étourdi sous le choc — heureusement, il n'avait pas frappé de toutes ses forces.

Une vraie colère fit flamboyer ses yeux habituellement sereins.

— Que cela vous serve de leçon, gronda-t-il. D'abord pour ne pas arriver en retard, ensuite pour ne pas laisser votre cœur tendre prendre le dessus pendant que vous combattez.

J'ouvris la bouche pour répondre, mais il m'interrompit brutalement :

— Inutile de protester. Vous me donniez pour la première fois la vague impression que je ne perds pas mon temps avec vous, et voilà que vous gâchez tout. Pourquoi ? Pas parce que vous avez éprouvé de la pitié pour moi, j'espère ?

Je fis non de la tête.

— Vous ne pouvez pas me tromper, soupira-t-il. J'ai vu la pitié dans vos yeux. J'ai retrouvé le garçon qui est venu l'an passé et que l'art de Sesshu bouleversait. Est-ce cela que vous voulez être ? Un artiste ? Je vous ai dit que vous pouviez revenir ici pour étudier et dessiner. Est-ce ce que vous désirez ?

Je n'avais pas envie de répondre, mais il attendit jusqu'à ce que je me décide :

— Une partie de mon être le désire peut-être, mais il est trop tôt. Je dois d'abord accomplir les volontés de sire Shigeru.

— En êtes-vous certain ? Vous consacrerez-vous à cette tâche de tout votre cœur ?

J'entendis à sa voix combien il était sérieux, et je répondis sur le même ton :

— Oui, sans l'ombre d'un doute.

— Vous allez prendre la tête d'une armée, vous allez mener des hommes à la mort. Êtes-vous assez sûr de vous pour l'assumer ? Si jamais vous avez un point faible, Takeo, c'est votre propension à la pitié. Un guerrier a besoin d'être impitoyable, rien ne doit atteindre son cœur. Nombreux sont ceux qui mourront pour vous avoir suivi, et nombreux sont ceux que vous tuerez de votre propre main. Une fois engagé sur cette voie, vous devrez aller jusqu'au bout. Vous ne pourrez pas suspendre votre attaque ou baisser la garde simplement parce que vous aurez pitié de votre adversaire.

Je sentis que je rougissais.

— Je ne le ferai plus. Je n'avais pas l'intention de vous insulter. Pardonnez-moi.

— Je vous pardonnerai si vous êtes capable de refaire ce mouvement et de le poursuivre jusqu'au bout.

Je me mis en position de combat. Ses yeux étaient fixés sur les miens, mais je ne m'en inquiétais pas : il n'avait jamais succombé au sommeil des Kikuta et je n'avais jamais tenté de l'y plonger. Je m'abstenais également de recourir à l'invisibilité ou au second moi, encore qu'il m'arrivât parfois, dans le feu du combat, de sentir mon image commencer à se dissiper.

Son bâton fendit l'air comme un éclair. Je ne pensai plus à rien en dehors de l'adversaire devant moi, du bâton bondissant en avant, du sol sous nos pieds, de l'espace autour de nous où nous semblions presque exécuter une danse.

À la fin de la séance, même Matsuda avait la peau légèrement luisante, du fait peut-être de la chaleur printanière. Nous essuyâmes nos visages en sueur avec des serviettes apportées par Norio, et il lança :

— Je ne pensais pas que vous arriveriez vraiment à quelque chose au sabre, mais vous avez fait mieux que je n'aurais cru. Quand vous vous concentrez, vous n'êtes pas mauvais. Pas mauvais du tout.

Je restai sans voix devant une telle louange.

Il éclata de rire :

— Ne vous montez pas la tête. Je vous retrouverai cet après-midi. J'espère que vous aurez préparé votre étude sur la stratégie.

— Oui, noble abbé. Mais il faut encore que je vous parle de quelque chose.

— À propos de dame Shirakawa ?

— Comment le savez-vous ?

— On m'avait prévenu qu'elle se rendait au temple. Des dispositions ont été prises en vue de son séjour à l'hôtellerie des femmes. Sa venue est un grand honneur pour nous. Je compte aller la voir dans la journée.

Vu de l'extérieur, on aurait dit des propos anodins sur une visite ordinaire. Mais je connaissais maintenant suffisamment Matsuda pour savoir que rien n'était anodin avec lui. Je redoutais qu'il n'émette sur mon mariage avec Kaede les mêmes réserves que Makoto, cependant je devrais tôt ou tard l'informer de mes intentions. Toutes ces pensées défilèrent en un éclair dans ma tête, puis il me vint à l'esprit que, si jamais j'avais à solliciter une permission, c'était la sienne.

Je tombai à genoux et lançai :

— Je désire épouser dame Shirakawa. Me donnerez-vous votre permission, et consentirez-vous à ce que la cérémonie ait lieu ici ?

— Est-ce la raison de sa visite ? Vient-elle avec l'autorisation de sa famille et de son clan ?

— Non, le but de son voyage était de présenter des remerciements pour sa guérison après une maladie.

Mais l'une des dernières volontés de sire Shigeru était que je l'épouse, et maintenant que le destin lui-même semble l'avoir mise sur mon chemin...

Je m'aperçus que je prenais malgré moi un ton suppliant.

L'abbé le remarqua aussi et dit en souriant :

— Il n'y a pas de problème de votre côté, Takeo. Pour vous, cette décision s'impose tout naturellement. Mais elle ? Devra-t-elle se marier sans l'approbation de son clan, de son suzerain ? Soyez patient, demandez à sire Araï sa permission. Il était en faveur de cette union, l'an passé. Tout laisse à penser qu'il n'aura pas changé d'avis.

— Je puis me faire assassiner à tout instant ! m'écriai-je. Je n'ai pas le temps d'être patient ! Et quelqu'un d'autre désire l'épouser.

— Sont-ils fiancés ?

— Il n'y a rien d'officiel. Mais apparemment il considère l'affaire comme réglée. C'est un aristocrate, dont le domaine jouxte celui de dame Shirakawa.

— Fujiwara !

— Vous le connaissez ?

— J'ai entendu parler de lui. Comme tout le monde, à l'exception des illettrés de votre genre. C'est une alliance très avantageuse. Les domaines seront réunis et le fils de Fujiwara en sera l'unique héritier. Plus important encore, il est presque certain que l'aristocrate retournera bientôt à la capitale, de sorte qu'Araï aura un ami à la cour.

— Il devra s'en passer, car elle n'épousera pas Fujiwara. Elle sera ma femme avant que cette semaine soit écoulée !

— À eux deux, ils vous écraseront, lança l'abbé sans me quitter du regard.

— Pas si Araï pense que je peux l'aider à anéantir la Tribu. Et, une fois mariés, nous nous rendrons sur-le-champ à Maruyama. Dame Shirakawa est l'héritière légitime de ce domaine aussi bien que de celui de son père. Il me fournira les ressources dont j'ai besoin pour affronter les seigneurs Otori.

— Comme stratégie, ce n'est pas mal pensé, admit-il. Mais les inconvénients ne sont pas négligeables. Vous risquez de dresser Araï contre vous. Il me semblerait préférable que vous serviez un moment sous ses ordres afin d'apprendre l'art de la guerre. Sans compter qu'il serait ennuyeux d'avoir pour ennemi un homme tel que Fujiwara. Votre hardiesse pourrait réduire à néant toutes vos espérances. J'ai envie de voir les volontés de Shigeru s'accomplir, et non d'assister à votre ruine. Le jeu en vaut-il la chandelle ?

— Aucune force au monde ne m'empêchera de l'épouser, dis-je à voix basse.

— Vous vous êtes entiché d'elle. Ne laissez pas une toquade troubler votre jugement.

— C'est beaucoup plus qu'une toquade. Elle est ma vie et je suis sa vie.

Il soupira.

— Nous l'avons tous cru d'une femme ou d'une autre, à un moment de notre existence. Croyez-moi, cela ne dure pas.

J'eus l'audace d'observer :

— Sire Shigeru et dame Maruyama se sont aimés profondément pendant des années.

— Eh bien, il faut croire que les Otori ont en eux un germe de folie, rétorqua-t-il.

Cependant son expression s'était adoucie et ses yeux étaient devenus songeurs.

— C'est vrai, dit-il enfin. Leur amour a été durable. Et tous leurs projets et tous leurs espoirs en étaient comme illuminés. S'ils s'étaient mariés et avaient scellé l'alliance dont ils rêvaient entre l'Ouest et le Pays du Milieu, qui sait jusqu'où ils auraient pu aller ?

Il se pencha et me tapota l'épaule.

— Il semble que leurs esprits aient voulu nous donner une seconde chance en votre personne et celle de dame Shirakawa. Du reste, je ne puis nier que l'idée de faire de Maruyama votre base de départ ne soit fort sensée. Pour cette raison, autant que par égard pour les défunts, je consens à ce mariage. Vous pouvez commencer les préparatifs nécessaires.

— Je n'ai jamais assisté à ce genre de noces, avouai-je après m'être prosterné en signe de gratitude. Comment doit-on s'y prendre ?

— La servante qui a accompagné votre future épouse saura ce qu'il faut faire. Demandez-lui.

Avant de me congédier, il ajouta :

— J'espère que je ne suis pas devenu gâteux !

L'heure du repas de midi approchait. J'allai me laver et me changer. Je m'habillai avec soin, en revêtant une des robes de soie ornées de l'emblème des Otori qu'on m'avait données à mon arrivée à Terayama, après mon voyage à travers les neiges. Je mangeai distraitement, sans savourer les mets, en guettant la rumeur de l'escorte de Kaede.

J'entendis enfin la voix de Kahei à l'extérieur du réfectoire. Je l'appelai et il se joignit à moi.

— Dame Shirakawa se trouve à l'hôtellerie des femmes, m'informa-t-il. Et cinquante hommes supplémentaires sont arrivés de Hagi. Nous les logerons au village. Gemba est en train de s'en occuper.

— Je les verrai ce soir, dis-je, enchanté de ces deux nouvelles.

Je le laissai déjeuner et retournai dans ma chambre, où je m'agenouillai devant l'écritoire et sortis les rouleaux que l'abbé m'avait demandé de lire. Il me semblait que je mourrais d'impatience avant de revoir Kaede, mais je fus peu à peu captivé par l'art de la guerre : les récits des batailles gagnées ou perdues, la stratégie et les tactiques, le rôle du Ciel et de la Terre. Il m'avait soumis le problème de la prise de Yamagata. Un problème purement théorique : Araï contrôlait encore la ville par l'intermédiaire de son gouverneur provisoire, même si le bruit courait que les Otori projetaient de reprendre leur ancienne cité et rassemblaient à cette fin une armée sur leur frontière méridionale, près de Tsuwano. Matsuda avait l'intention d'intercéder auprès d'Araï afin de nous réconcilier, après quoi je devais servir sous les ordres du seigneur tout en cherchant à recouvrer mon héritage. Cependant, j'étais parfaitement conscient qu'en fait il me faudrait peut-être m'emparer moi-même de Yamagata, si je prenais le risque de dresser de nouveau Araï contre moi en épousant Kaede. Dans cette perspective, mes études stratégiques semblaient moins coupées que jamais de la réalité.

Je connaissais si bien la ville : j'en avais exploré chaque rue, j'avais pénétré dans son château. Et le pays alentour, ses montagnes et ses vallées, ses collines et ses fleuves, n'avait pas de secret pour moi. Mon principal handicap résidait dans la faiblesse numérique de mes troupes : un millier d'hommes tout au plus. Yamagata était une cité prospère, mais l'hiver avait été rude pour tout le monde. Si j'attaquais au commencement du printemps, le château serait-il en mesure de soutenir un long siège ? La diplomatie serait-elle plus à même que la force d'obtenir une capitulation ? De quels avantages disposais-je par rapport aux défenseurs de la place forte ?

Alors que je ruminais ces problèmes, mes pensées se tournèrent vers Jo-An, le paria. J'avais promis de lui envoyer un message au printemps, mais je n'étais pas encore sûr d'en avoir envie. Je ne pouvais oublier son regard avide, passionné, le même que celui du batelier et des autres parias quand ils me voyaient. « Il est à vous, maintenant, avait dit Jo-An du batelier. Comme nous tous. » Pouvais-je inclure dans mon armée des parias, ou même les fermiers qui venaient chaque jour prier et déposer des offrandes sur la tombe de sire Shigeru ? Je ne doutais pas que je pourrais compter sur ces hommes si je le désirais. Mais était-ce conforme à la tradition de la classe des guerriers ? Je n'avais jamais lu de récits de batailles faisant intervenir des fermiers. Habituellement, ils se tenaient à distance respectueuse des combats, pleins de haine pour les deux camps dont ils dépouillaient ensuite impartialement les cadavres.

Comme souvent, le visage du fermier que j'avais tué dans son champ secret, sur les collines derrière Matsue, revint me hanter. Je croyais réentendre sa voix crier : « Sire Shigeru ! » L'un de mes souhaits les plus chers était d'apaiser son esprit. Mais son souvenir me remit également en mémoire le courage et la détermination de ses pareils, qui restaient jusqu'à présent inemployés. Si je faisais appel à eux, son fantôme cesserait-il de me visiter ?

Que ce soit dans la région de Hagi ou dans les territoires cédés aux Tohan, dont Yamagata faisait partie, les fermiers du pays Otori avaient aimé sire Shigeru. Ils s'étaient déjà soulevés après sa mort. Je pensais qu'ils me soutiendraient aussi, mais je craignais en les mettant à contribution d'affaiblir la loyauté de mes guerriers.

Je me penchai de nouveau sur les problèmes théoriques posés par la prise de Yamagata. Si je parvenais à me débarrasser du gouverneur qu'Araï avait provisoirement installé dans le château, mes chances de venir à bout de la cité sans siège interminable augmenteraient considérablement. Pour cela, j'aurais grand besoin d'un assassin digne de confiance. Les membres de la Tribu avaient reconnu que j'étais seul capable de m'introduire sans aide dans la forteresse de Yamagata, mais ce genre d'entreprise n'était guère compatible avec les charges d'un chef d'armée. Mes pensées commencèrent à dériver quelque peu, et je me souvins que j'avais à peine dormi la nuit précédente. Je me demandais si je ne pourrais pas entraîner des garçons et des filles suivant les méthodes de la Tribu. Ils seraient certes dépourvus de dons de naissance, mais une bonne partie des talents de mes pareils étaient en fait le fruit de l'éducation. J'imaginais les avantages que je pourrais tirer d'un réseau d'espions à mon service. Peut-être pourrais-je suborner des membres mécontents de la Tribu ? Je mis cette pensée de côté pour le moment, mais elle devait me revenir plus tard.

La chaleur du jour s'alourdit et le temps me parut s'écouler encore plus lentement. Des mouches sorties de leur léthargie hivernale bourdonnaient contre les écrans. J'entendais la première fauvette chanter dans la forêt, le vol soyeux des hirondelles et le claquement de leurs becs quand elles attrapaient un insecte. La rumeur assourdie du temple m'environnait : pas discrets, robes bruissantes, psalmodies lancinantes où se détachait soudain le son clair d'une cloche.

Une brise légère soufflait du sud et me portait le parfum du printemps. Dans une semaine, Kaede et moi serions mariés. La vie semblait vibrer autour de moi et m'irradier de sa vigueur et de son énergie.

Et pourtant je restai agenouillé dans cette cellule, absorbé dans l'étude de la guerre.

Et le soir, quand je retrouvai enfin Kaede, nous ne parlâmes pas d'amour mais de stratégie. À quoi bon parler d'amour : nous serions bientôt unis, mari et femme. Mais, si nous voulions vivre assez longtemps pour avoir des enfants, nous devions agir sans tarder afin de consolider notre pouvoir.

En entendant Makoto m'annoncer que Kaede levait une armée, j'avais pressenti qu'elle serait une alliée extraordinaire. Mon instinct ne m'avait pas trompé. Elle pensait comme moi que nous devrions nous rendre sur-le-champ à Maruyama. Elle me raconta l'entrevue qu'elle avait eue avec Sugita Haruki pendant l'automne. Il attendait de ses nouvelles, et elle suggéra d'envoyer plusieurs de ses hommes au domaine afin de l'informer de nos intentions. J'approuvai sa proposition en ajoutant que Gemba, le plus jeune des frères Miyoshi, pourrait se joindre à eux. Nous n'envoyâmes aucun message à Inuyama : nous préférions qu'Araï en sache le moins possible sur nos projets.

— Shizuka a dit que notre mariage le rendrait furieux, déclara Kaede.

Je savais que ce serait probablement le cas. Nous aurions dû être plus prudents, faire preuve de patience. Si nous avions recouru à des intermédiaires bien placés pour l'approcher, comme Sugita ou la tante de Kahei, peut-être aurait-il pris notre parti. Mais nous étions tous deux en proie à un sentiment d'urgence éperdu en songeant combien nos vies risquaient d'être brèves. C'est ainsi que nous nous mariâmes quelques jours plus tard, devant l'autel, à l'ombre des arbres entourant la tombe de sire Shigeru, en accord avec sa volonté mais au mépris de toutes les règles de notre classe. Je pense qu'il est juste de dire pour notre défense que nous n'avions reçu ni l'un ni l'autre une éducation normale. Nous avions tous deux échappé, pour des raisons diverses, au culte rigoureux de l'obéissance qu'on inculque à la plupart des enfants de guerriers. Nous avions donc tendance à agir à notre guise, mais nos aînés se préparaient à nous faire payer cher cette liberté.

La chaleur continua de s'épanouir sous le vent du sud. Le jour de notre mariage, les fleurs des cerisiers étaient en pleine floraison et déployaient leur splendeur rose et blanc. Les guerriers de Kaede avaient été autorisés à se joindre aux miens, et Amano Tenzo, qui possédait le plus haut rang parmi eux, lui servit de témoin au nom du clan des Shirakawa. Quand elle s'avança, conduite par la demoiselle d'honneur, vêtue des robes rouges et blanches que Manami avait réussi à lui trouver, elle apparut d'une beauté intemporelle, comme si elle était un être sacré. Je donnai pour nom Otori Takeo et nommai comme mes ancêtres sire Shigeru et le clan des Otori. Nous échangeâmes les trois coupes de vin rituelles. Lors de l'offrande des branches sacrées, une brusque rafale de vent répandit sur nous une tempête de pétales blancs comme neige.

On aurait pu y voir un présage glaçant, mais cette nuit-là, après les festins et les célébrations, quand nous nous retrouvâmes enfin seuls, les présages étaient si loin de notre pensée. À Inuyama, nous avions fait l'amour avec une sorte de désespoir sauvage, dans la certitude que nous serions morts avant le matin. Mais, à l'abri du temple de Terayama, nous avions tout le temps cette fois d'explorer nos corps, d'offrir et de recevoir le plaisir avec lenteur... Sans compter que les leçons de Yuki m'avaient donné quelques lumières sur l'art d'aimer.

Nous évoquâmes la vie que nous avions menée depuis notre séparation. Nous parlâmes particulièrement de l'enfant, dont l'âme était de nouveau lancée dans le cycle des morts et des naissances, et nous priâmes pour lui. Je racontai à Kaede ma visite à Hagi et ma fuite dans la neige. Je ne lui parlai pas de Yuki, et elle garda quelques secrets pour elle puisqu'elle évita d'entrer dans le détail à propos de sire Fujiwara et me cacha le pacte qu'ils avaient conclu. Je savais qu'il lui avait donné de grandes quantités de nourriture et d'argent, ce qui m'inquiétait en me laissant penser qu'il comptait davantage qu'elle sur leur mariage. Je frissonnai en songeant qu'il s'agissait peut-être d'une prémonition, mais j'écartai cette pensée car je voulais que rien ne vienne gâter ma joie.

Quand je me réveillai, vers l'aube, elle dormait dans mes bras. Sa peau était claire, douce comme de la soie sous mes doigts, à la fois chaude et fraîche. Sa chevelure, si longue et épaisse qu'elle nous recouvrait comme un châle, exhalait un parfum de jasmin. Elle qui m'était apparue comme une fleur au sommet de la montagne, hors de ma portée, inaccessible, voilà qu'elle reposait près de moi, qu'elle était mienne. Je sentis des larmes me monter aux yeux. Le Ciel était bienveillant. Les dieux m'aimaient. Ils m'avaient donné Kaede.

Pendant quelques jours, le Ciel continua de nous sourire et nous offrit une suite de jours ensoleillés, une douceur de printemps. Chacun au temple semblait heureux pour nous, depuis Manami, dont le visage resplendissait quand elle nous apporta notre thé le premier matin, jusqu'à l'abbé, qui avait repris nos leçons et me taquinait sans pitié dès qu'il me surprenait à bâiller. Des foules de gens faisaient l'ascension de la montagne pour nous apporter des cadeaux et nous présenter leurs vœux de bonheur, exactement comme l'auraient fait les villageois de Mino.

Seul Makoto fit entendre une note discordante :

— Profitez tant que vous le pourrez de votre félicité, me dit-il. Je suis heureux pour vous, croyez-moi, mais je crains qu'elle ne soit de courte durée.

Il ne m'apprenait rien. Sire Shigeru me l'avait déjà dit, le lendemain du jour où il m'avait sauvé la vie à Mino : « La mort vient sans prévenir et la vie est fragile et éphémère. Personne ne peut rien y changer, que ce soit par des prières ou des formules magiques. » C'était la fragilité de la vie qui la rendait si précieuse. Notre bonheur était d'autant plus intense que nous le savions menacé.

Les fleurs de cerisier commençaient déjà à tomber tandis que les jours s'allongeaient. Cet hiver de préparation était terminé. Le printemps cédait la place à l'été, la saison de la guerre. Cinq batailles nous attendaient : quatre victoires, une défaite.

LES CLANS

LES OTORI
Pays du Milieu ; cité fortifiée : Hagi

Otori Shigeru	héritier légitime du clan (I)
Otori Takeshi	son jeune frère, assassiné par les Tohan (d.)
Otori Takeo	(né Tomasu) son fils adoptif (I)
Otori Shigemori	père de Shigeru, tué à la bataille de Yaegahara (d.)
Otori Ichiro	un parent éloigné, professeur de Shigeru et de Takeo (I)
Chiyo Haruka ⎭	servantes de la maisonnée (I)
Shiro	un charpentier
Otori Shoichi	oncle de Shigeru, maintenant seigneur du clan (I)
Otori Masahiro	son jeune frère (I)
Otori Yoshitomi	fils de Masahiro (I)

Miyoshi Kahei	frères, amis de Takeo (I)
Miyoshi Gemba	
Terada Fumio	son fils, ami de Takeo (I)

LES TOHAN
Pays de l'Est ; cité fortifiée : Inuyama

Iida Sadamu	seigneur du clan (I)
Ando	guerriers de la suite d'Iida (I)
Abe	
Sire Noguchi	un allié (I)
Dame Noguchi	son épouse (I)
Junko	servante au château de Noguchi (I)

LES SEISHUU
Coalition de plusieurs familles anciennes.
Pays de l'Ouest ; principales cités fortifiées :
Kumamoto et Maruyama

Araï Daiichi	seigneur de la guerre (I)
Niwa Satoru	un guerrier (II)
Akita Tsutomu	un guerrier (II)
Sonoda Mitsuru	neveu d'Akita (II)
Maruyama Naomi	à la tête du domaine de Maruyama, amante de Shigeru (I)
Mariko	sa fille (I)
Sachie	sa servante (I)
Sugita Haruki	guerrier, intendant de dame Maruyama (I)

Sire Shirakawa (I)	
Kaede	sa fille aînée, cousine de dame Maruyama (I)
Aï ⎫ Hana ⎭	ses filles (II)
Ayame ⎫ Manami ⎭	servantes de la maisonnée (II)
Amano Tenzo	un guerrier de Shirakawa (I)
Shoji Kiyoshi	guerrier, intendant de sire Shirakawa (I)

LA TRIBU

LA FAMILLE MUTO

Muto Kenji	professeur de Takeo, le maître (I)
Muto Shizuka	nièce de Kenji, maîtresse d'Araï et dame de compagnie de Kaede (I)
Muto Seiko	épouse de Kenji (II)
Muto Yuki	leur fille (I)
Muto Yuzuru	un cousin (II)

LA FAMILLE KIKUTA

Kikuta Isamu	père de Takeo (d.)
Kikuta Kotaro	son cousin, le maître (I)
Kikuta Gosaburo	plus jeune frère de Kotaro (II)

Kikuta Akio	leur neveu (I)
Kikuta Hajime	un lutteur (II)
Sadako	une servante (II)

LA FAMILLE KURODA

Shintaro	un assassin célèbre (I)
Kondo Kiichi (II)	
Imaï Kazuo (II)	
Kudo Keiko (II)	

AUTRES PERSONNAGES

Sire Fujiwara	un aristocrate, exilé de la capitale (II)
Mamoru	son protégé et compagnon (II)
Matsuda Shingen	abbé de Terayama (II)
Kubo Makoto	un moine, l'ami le plus proche de Takeo (I)
Jo-An	un paria (I)

CHEVAUX

Raku	robe grise, crinière et queue noires. Premier cheval de Takeo, donné par lui à Kaede
Kyu	noir, cheval de Shigeru, disparu à Inuyama
Aoi	noir, demi-frère de Kyu
Ki	alezan, monture d'Amano
Shun	bai, monture de Takeo. Un cheval très intelligent

en gras = principaux personnages

(I, II) = première apparition du personnage dans le livre I ou II

(d.) = personnage décédé avant le début du livre I

DU MÊME AUTEUR

Aux Éditions Gallimard Jeunesse

COLLECTION FOLIO

Composition CMB Graphic
Impression Novoprint
à Barcelone, le 12 mai 2005
Dépôt légal: mai 2005
1er dépôt légal dans la collection: juillet 2004

ISBN 2-07-030031-5./Imprimé en Espagne.

138110